U0114165

大 唐 枭 雄

An ambitious woman in Tang Dynasty
Princess Taiping

太平
公主

毕宝魁 / 著

团结出版社
UNITY PRESS

图书在版编目（CIP）数据

大唐枭雄太平公主 / 毕宝魁著 . -- 北京：团结出
版社，2023.4
ISBN 978-7-5126-9789-8

Ⅰ . ①大… Ⅱ . ①毕… Ⅲ . ①公主 - 传记 - 中国 - 唐
代 Ⅳ . ① K827=421

中国版本图书馆 CIP 数据核字（2022）第 204484 号

出　　版：团结出版社
　　　　　（北京市东城区东皇城根南街 84 号　邮编：100006）
电　　话：（010）65228880　65244790（出版社）
　　　　　（010）65238766　85113874　65133603（发行部）
　　　　　（010）65133603（邮购）
网　　址：http://www.tjpress.com
E-mail：zb65244790@vip.163.com
　　　　 tjcbsfxb@163.com（发行部邮购）
经　　销：全国新华书店
印　　装：三河市东方印刷有限公司

开　　本：170mm×240mm　　16 开
印　　张：15
字　　数：235 千字
版　　次：2023 年 4 月　第 1 版
印　　次：2023 年 4 月　第 1 次印刷

书　　号：978-7-5126-9789-8
定　　价：48.00 元

新版前言

　　二十年多前的 2000 年，蒙三秦出版社淡懿诚先生约稿，写作《唐宫骄女——太平公主》一书。为此查阅了司马光《资治通鉴》中这一历史时期前后的所有文献，综合自己对唐诗以及唐文研究的体会，将太平公主的事迹尽量还原来写作。我深知，人的至诚之心是出发点，以至诚之心去追求历史真实，将自己对历史以及传主的理解融入写作之中，使传主能够活起来，有血有肉有情感，具有艺术真实。历史真实与艺术真实是传记作品的灵魂和心脏。故此书出版后便大受欢迎，首印 6000 册，三个月便售罄，很快加印。这种情况的出现，似乎是我的运气好，这与 2001 年在央视热播的《大明宫词》电视剧有直接的关系，《大明宫词》中的女主角其实便是太平公主，但该剧的人物形象是严重违背历史真实的，我曾经发文指出其二十余处严重歪曲历史之处。我一直认为，历史题材的传记或影视作品，核心是历史真实，不可信的东西怎么会感动人？教育人？说谎或造假本身是很恶劣的品质。

　　因此，更应该用历史上的正能量来提振精神，鼓舞人心，一步步提振文化自信，弘扬正能量的浩然之气。故历史传记文学本身的责任是不轻的，其潜移默化的影响是不可低估的。

　　二十年，弹指一挥间。蒙团结出版社王云强编辑的厚爱和社领导的重视，决定将此书重新出版，这是很有意义的。太平公主在平定武三思和韦皇后之乱的关键时刻表现出很高的政治智慧，确实是一位精明干练的女性，正因为她协助李隆基发动政变并取得成功，才开启了开元天宝的盛世。因此书名确定为"开启盛唐曙光的太平公主"，因为她确实是有功绩的。但是，她早年受武则天娇宠，后期手握很大的政治权力，朝廷官员多出其门，最盛时七名宰相有五名是她的人。但她还不满足，居然要发动政变谋害已经登基的唐玄宗李隆基，那也是她的亲侄啊！被李隆基反政变成功，最后被赐死。本来很辉煌的人生却让她过度膨胀的野心断送了，演奏了一出生命变奏曲。所以袁枢《通鉴纪事本末》专门给太平公主立了个题目，用的就是"太平公主谋逆"。

太平公主不但在政治上野心勃勃，在物质追求上也贪欲似海，欲壑难平。于她死后半个多世纪出生的韩愈在《游太平公主山庄》诗中写道："公主当年欲占春，故将台榭压城闉。欲知前面花多少，直到南山不属人。"从长安城南到几十里外的终南山都是太平公主的田地和园林，其占有田园面积之广阔可想而知。唐宪宗元和八年（公元813年）春，韩愈三为博士时写作的此诗，太平公主死去正好一百年。我忽然感觉，可能是太平公主死后，她原有的山庄园林被开辟成旅游景点了吧？或许是唐代教育人们不要过分贪婪的警示？否则，一百年后的山庄还可以游览吗？

太平公主的人生使每一位后人都能获得很好的启示，即我们应该思考一下究竟如何度过自己的人生。但愿新版能够给人们以这样的启迪。

2022年6月毕宝魁

目 录
CONTENTS

001　　第一章　旷古未见的盛大婚典

002　　大婚之日，心绪不平
004　　运筹帷幄，成功逆袭
007　　16岁生日，震惊父母
011　　血雨腥风，冷静观察
014　　宝物被盗，惊动母后
019　　揣摩体察，母女同心
023　　代批奏章，获得赞许
026　　高手断案，宝物追回

029　　第二章　出手不凡
030　　母亲被骂，满城风雨
033　　洛水宝图，是福是祸
036　　旧的不去，新的不来
038　　政局平定，再要驸马
042　　欲立武周，不择手段
045　　开膛破肚，以证清白

047　　酒后放火，烧毁大佛
049　　担心祸患，深居简出
052　　母女密谋，处死祸患

057　　**第三章　韬晦待时**
058　　举荐二张，母亲欢喜
061　　大彻大悟，另寻新欢
064　　欲立太子，犹豫不决
068　　尽情享乐，危机初现
071　　张说坦诚，扭转局面
073　　处死二张，太子登基
078　　迁居软禁，太平膨胀
081　　四面楚歌，太子危机
084　　太子空缺，斗争激烈

089　　**第四章　先发制人**
090　　指斥皇帝，引发风波
093　　忠臣惨死，中宗大怒
097　　形势日紧，缺席早朝
099　　中宗驾崩，未留遗诏
103　　韦氏下毒，细节浮现
106　　拟写遗诏，各怀鬼胎
108　　遗诏变化，措手不及
111　　韦氏掌权，太平被动
114　　韦氏密谋，憧憬皇位
118　　多方联系，暗中运作
121　　肃清后宫，韦氏陨落

127　　第五章　权势富贵的巅峰

128　　政变成功，安抚百姓

131　　崔湜上位，献身献女

134　　劝说李旦，终登帝位

138　　共商国是，权力巅峰

141　　郑愔怂恿，谯王造反

147　　崔湜献金，为子求官

150　　太平碰壁，天子欲退

153　　太平贪权，欲废太子

157　　第六章　欲进先退

158　　棘手问题，睿宗心烦

161　　欲擒故纵，欲进先退

166　　太子让步，欲平争斗

169　　重回长安，心情愉悦

171　　培植势力，抗衡太子

174　　大权在握，心满意得

177　　睿宗召见，欲传皇位

180　　太子登基，太平心灰

184　　睿宗闲暇，太平怒访

186　　审时度势，丢卒保车

189　　第七章　生命变奏曲

190　　苦心策划，密谋造反

193　　母子之争，互不相让

196　　实权人物，秘密开会

199　　百密一疏，隔墙有耳

202　　饭后谈资，天机被泄

207　　掌握证据，进行部署

209　　种种异常，截获剧毒

215　　亲自挂帅，筹划反逆

219　　速战速决，铲除逆党

224　　太平出逃，隐居深山

227　　妄想求生，被赐自尽

第一章

旷古未见的盛大婚典

大婚之日，心绪不平

运筹帷幄，成功逆袭

16 岁生日，震惊父母

血雨腥风，冷静观察

宝物被盗，惊动母后

揣摩体察，母女同心

代批奏章，获得赞许

高手断案，宝物追回

大婚之日，心绪不平

长安城中，万人空巷，都来观看盛大的婚典，到处都是一片赞美之声。可作为新娘的太平公主此时此刻在想什么呢？

"太热闹了！太气派了！太开眼界了！"到处可以听到这样的惊叹和"啧啧"的赞美之声。

长安城中，万人空巷，人声鼎沸，都拥挤在偏东北方向的一条南北大街的两侧，在观看千古难遇的盛大仪式。大街两侧几丈高的高大槐树的枝枝杈杈上，绑着许多火把，火把发出的光亮把这条大街六里多的延长线照得如同白昼。不，可以说比白昼还要明亮上千倍。

这些火把在驱走黑暗的同时，也发出大量的热，能把槐树烤得"吱吱"冒油，火把附近的树叶已经打卷，这些生长多年的大树叫苦不迭。

这一天是唐高宗开耀元年（681）七月初七，天上是牛郎和织女相会的日子。

一拨一拨的仪仗队过去，一个十六人抬的豪华大花轿随着前面几十个唢呐的导引，从宫城和皇城之间的延喜门出来，沿着皇城东大街向南缓缓行走。多少对童男童女在前面相陪，有专人从空中撒下满天的花屑和彩屑。两旁观众的叫好声、欢呼声和唢呐的声音混合在一起，飘荡在长安城的上空，在十里之外都听得见。

大花轿中坐着的就是本书的主人公——太平公主。

大唐帝国的首都长安，是当时世界上最大最繁华的大都市。它的外城在隋朝叫作大兴城，唐代改称长安城，也叫京师城。前对子午谷，后枕龙首山，左临灞岸，右邸沣水，仿佛是镶嵌在关中平原上的一颗明珠，熠熠生辉。在这个城市，创造了整个人类历史上最辉煌的文明。

外城东西长 18 里 115 步，南北长 15 里 175 步，周长 67 里。城墙高 1 丈 8 尺，十分雄伟坚固。靠城北的中心是皇城和宫城，叫作内城，城墙高 3 丈 5 尺。戒备森严，其中宫殿巍峨，金碧辉煌。内城以外的部分叫作郭，也叫外城。南北方向有 14 条大街，东西方向有 11 条大街，把整个外城分割成许多长方形的像规整的菜畦式的区域，叫作"坊"，也称"里"，全城共 110 坊。

全城南北中轴线是朱雀门大街，东西中轴线是皇城南大街。太平公主出嫁婚礼的路线，即是从皇城和宫城中间的延喜门出来，沿着皇城东大街一直往南，经过永兴坊、崇仁坊、平康坊三坊的西面，到达宣阳坊。从宣阳坊的西大门进去，结婚大典就在坐落此处的万年县衙门举行。

古代的婚礼是从傍晚黄昏时开始，与今天有所不同。中国最早的诗歌总集《诗经》中结婚的"婚"字便没有女字旁。这是因为远古的人们，凡是两性相悦，约会幽欢，最佳的时间便是黄昏。

那个时代，照明条件非常落后，人们基本上是奉行"日出而作，日入而息"的法则。白昼太亮，夜间太黑，只有黄昏之时，朦胧隐约，情味无限，是情人们幽欢的最好时机。故男女相爱求欢，大多在这个时间段进行。久而久之，就形成一种风俗，举行婚礼便从黄昏开始。唐宋时期依然沿袭这个风俗，太平公主的婚礼也是如此。

外面人声鼎沸，亮如白昼。坐在大轿里的太平公主心情起伏不定，她悄悄回转身，轻轻把大轿后面小窗的窗帘掀开一条小小的缝，看一看紧跟在自己轿后，并排坐在龙辇上的父母。看一眼面容憔悴，无论怎么高兴也打不起精神来的父亲，再看一眼满面春风，仪态安详，一副富贵相的母亲。觉得二人之间形成了强烈的反差，心中有一种难以形容的酸楚，一桩桩往事映现在她的脑海中。

太平公主真是个幸运儿，她降生在帝王之家，他的父亲便是当朝天子高宗李治，母亲则是在中国历史乃至世界历史上都赫赫有名的女皇帝武则天。不过，这个时候武则天还没有君临天下，只是一位皇后。因为高宗皇帝还活着，没有轮到她的班。但为了叙述的方便，我们姑且提前就称她为武则天吧。

由于高宗缺乏男子汉的气魄，遇事窝窝囊囊，这就为武则天操纵执掌朝廷大权提供了良好的机会。

武则天一共生了6个孩子，不算多，也不算少，在当时的女性中处在中游的位置。说起来，武则天一生也是饱受坎坷和磨难。她14岁被选进宫中，被唐太宗李世民立为才人。唐太宗对她既宠爱又防范，认为她是个颇有心机的了不起的女性。临死时，将她赶到长安城中的感应寺做了一名尼姑。

这一年她已26岁，在年龄方面已没有什么优势。皇宫中二八佳丽成百上千，她是个侍奉过先皇的嫔妃，而且已过花季，又被赶出宫廷，赶进寺庙削发为尼。要想东山再起，回到后宫受宠，几乎是天方夜谭。这要是换个人，只能是向隅而泣，坐以待毙了。

但就是在这种非常不利的情况下，武则天拿出所有的手段，神奇地回到了后宫，神奇地扳倒了王皇后并取而代之。又神奇地除掉一切反对势力，就连长孙无忌、褚遂良这样的元勋重臣也无法逃出她的手心。接着再神奇地逐渐代替高宗成为朝廷大权的真正执掌人。这些神奇绝不都是偶然的，可见她确实是个古今中外都难以找到第二个的神奇女性。

武则天的神奇之处究竟表现在哪些地方呢？

运筹帷幄，成功逆袭

一个已26岁的被赶进寺庙当尼姑的前代皇帝的嫔妃，却又神奇地回到后宫，神奇地当上皇后，神奇地执掌了军政大权。这究竟是怎么回事？

武则天能够成就这么多神奇，就因为她具有超乎常人的神奇性格。为了爬到皇后的地位，她必须扳倒王皇后。而王皇后是唐太宗为高宗选定的，是贵族之女，端庄贤淑，没有一点失德之处。

唐太宗临死时，曾经指着跪在病榻前的高宗和王皇后对老臣长孙无忌和褚遂良嘱咐道："如此佳儿佳妇，就交给你们了。"长孙无忌和褚遂良连忙表忠心，表示无论如何也要保护好太子和太子妃。这些情景一直留在高宗的记忆中，所以，要想废掉王皇后谈何容易。

为此，武则天付出了沉痛的代价，这就是她成功而巧妙地利用了女人的心理特性。女人普遍喜欢小孩，又特别喜欢几个月到一周岁之间的小孩。王皇后也是女人，对武则天生的七个多月的白白胖胖的女儿甚是喜欢，一有闲工夫就到武则天的宫中坐一会儿，抱着那个小女孩逗一会儿。

小女孩已经会笑，懂得和人交流感情，一笑起来"咯咯咯"的，一股奶黄子味，忒好听。每听到这种声音，王皇后那颗孤独寂寞的心就得到一些安慰。

王皇后虽然是明媒正娶的正宫皇后，可一直未能得到高宗的真心宠爱。结婚的女人不能得到丈夫的爱是莫大的悲哀，无论她的物质生活多么富有，都会感到极大的空虚和无聊。

王皇后不甘心，为了从其他妃子手里夺回本应属于她的那份爱，她利用进宫不久的武昭仪即武则天，共同对付深受高宗宠爱的萧淑妃。武则天有本事，略施一些小计谋，很快就把萧淑妃弄得声名狼藉，被高宗冷落了。

王皇后自然非常高兴。所以在相当长的一段时间里，王皇后和武则天的关系相当密切。正因如此，王皇后才经常到武则天的宫中去，逗一逗那个小女孩以寻找一点开心。

这天，王皇后又来到武则天的宫中，武则天打个招呼后就出去了。内室中只剩下王皇后一个人。外间屋的小宫女对这种情况也没放在心上。

王皇后逗了一会儿小孩，见小孩有些困，就将她放在床上，微笑着拍了一会儿，等小孩儿甜蜜地睡去就走了，出门后跟外间屋的宫女打了个招呼。

王皇后刚刚离去，武则天就进来了。这个时候，正是辰时和巳时相交，凭经验也知道早朝将要结束，高宗就要来了。连续一个多月以来，高宗退朝的第一件事就是到武则天这里来看他的小女儿。高宗在感情上已经完全被武则天征服了。

看到睡得十分香甜的女儿，那稚嫩的脸蛋上还微露笑意。武则天心里非常难受和复杂，她狠了狠心，用上牙咬住下嘴唇，伸出的两手虎口刚要掐向那细小稚嫩的脖项时，女儿的小嘴忽然笑了笑，那是小孩儿做梦时高兴的表情，俗语称之为"婆婆教"。武则天的手有些颤抖，这是她的亲生骨肉啊，她十月怀胎，在生理上遭受许多痛苦，一朝分娩，更是有说不清的苦痛。

虎毒不食子，哪有母亲不疼爱孩子的？但武则天到底是个不同寻常的女人，这大概也可称作是她的神奇之处。经过瞬间的犹豫和痛苦后，她的双手还是迅速而果断地掐了下去，狠狠扼住女儿细嫩的脖项。片刻间，女儿就停止了呼吸，结束了那短暂而美好的生命。

把女儿的小被又往上盖了盖，武则天迅速起身回到自己床上，若无其事地斜倚在高级双凤绣花枕上休息，一副疲惫慵懒的样态。

"大家驾到。"外间屋的宫女向里面报告。那时，在后宫里，人们都称皇帝为"大家"，与在公开场合的称呼有所不同。武则天懒洋洋地从床上起来，还未穿上绣鞋，高宗已经跨进了门槛。

"不知万岁到来，臣妾有失远迎，请万岁恕罪。"武则天来不及把鞋穿好，趿拉着绣鞋施礼。

"昭仪免礼平身。"高宗很高兴的样子。武则天挺起身来。高宗直奔睡觉的小女儿走去，一边走一边自言自语地说："这孩子又睡了，真能睡觉。"

"能睡觉的小孩儿长得快，她不睡觉干什么，也不用像你似的，还得天天上早朝。"夫妻俩之间说话自然随便一些，武则天调侃着。

高宗坐在女儿的床边，把有点遮挡住女儿脸蛋的褥角往下掖了掖。忽然，他发现女儿的脸色有点不对，每天都很红润，今天怎么煞白，一点血色也没有。再仔细一看，孩子已经死了，脖项上还有清晰的手指掐的痕迹。

武则天开始还不信，待仔细一看，心爱的女儿果然死了，而且是被人掐死的。她不由得悲从中来，号啕大哭。高宗大怒，询问外间屋的宫女有谁来过。

事情非常明了，不用任何审问，就是傻子都能判断：孩子是王皇后掐死的。只有她进过这个房间，她又刚刚离去。而另一个进到此房间的就是武则天了，亲生母亲谋害自己的亲生骨肉，说啥也没有人能信，因为这太不合常理。武则天正是利用女人喜欢小孩而女人又绝不能掐死自己孩子这种合乎常理的逻辑，把王皇后推到杀人凶手的被告席上，使她满身是嘴也说不清。

于是，案子不用审问就定下来，王皇后出于忌妒争宠，掐死了武昭仪和皇帝的亲生骨肉，品质恶劣，不配为天下之母，废除皇后之位，打入冷宫。再经过一段时间，武昭仪被立为皇后。

当然，这些情况的细节太平公主是无从知道的。但有一点她非常清楚，那就是她知道自己是父母共同生育的 6 个孩子中最小的一个。自己有 4 个哥哥 1 个姐姐，姐姐是被王皇后掐死的。4 个哥哥分别叫李弘、李贤、李显、李旦。大哥李弘已死，如今还活着的只有 4 个了，而自己是活着的唯一的女孩。

除自己的 4 个同胞兄长外，还有 4 个同父异母的哥哥，这 4 个人分别是：燕王李忠、原王李孝、泽王李上金、许王李素节。这 4 个哥哥都是母亲进宫前父亲和其他嫔妃所生，当然比几个同胞哥哥都大。

自从母亲进宫后，其他嫔妃就再也没有生小孩。古代一个父亲所生的儿子当然要在一起排行，所以最小的两个同胞哥哥李显和李旦也就成了太平公主的七哥和八哥。

大哥太子李弘已死去，风言风语说是母亲下毒毒死的，太平公主不相信，母亲的心是狠一些，可怎么也不至于毒死自己的儿子啊。但有一点令她百思不得其解，那就是母亲现在对六哥即李贤的态度为何会是那样。

16 岁生日，震惊父母

太平公主 17 岁生日的时候，父母问她要什么生日礼物，她的一句话如石破天惊，使武则天这样的奇女子都瞠目结舌。

六哥李贤是在原太子李弘中毒身亡后被立为太子的。他精明干练，通晓文史，学识渊博，仁义忠信，能力很强，遇事也有自己的主见，是个难得的国君继承人，深得众大臣的拥戴。从学识和能力各方面看，太平公主都非常钦佩六哥。

但不知是什么原因，母亲就是不喜欢六哥，没事找事，鸡蛋里挑骨头，还是把六哥的太子之位废掉了，而立七哥李显（曾名李哲）当了太子。七哥的才能、智力和六哥根本不可同日而语。但母亲为何一定要选择七哥而废弃六哥呢？她朦朦胧胧有些感觉，可怎么也琢磨不透其中的奥妙。

还有风言风语说，六哥是自己的姨母韩国夫人所生，不是母亲的亲生儿子。但凭自己的直觉不像是这么回事，可原因到底是什么呢？

"嗨，想这些没用的事情干什么？反正父亲和母亲对自己都非常宠爱，这一点就足以令自己感激了，还管得了那些吗？"外面的唢呐声和人们的欢呼声依旧，看来轿夫们都是抬轿的老手，轿非常平稳，一点颠簸感也没有。太平公主的思绪又飘回到自己那充满奇情异彩的梦幻一般的幸福童年。

太平公主是在麟德元年（663）七月初七出生的，比八哥李旦只小一岁，那年母亲正是40岁。后来太平公主才知道，就在自己降生后不久，上官仪等几个不知好歹的大臣竟然想要废掉母亲的皇后之位，所上的奏章被母亲看到。母亲一怒之下，把上官仪全家的男人都杀了，女人全部作为官奴。其中有一个叫作上官婉儿的小女孩，是上官仪的孙女，聪明过人，非常机灵，小模样也很可人，得到母亲的喜欢，就留她在宫中当了宫人。

从记事时起，母亲和父亲还是比较和睦的。当4个哥哥还小的时候，家庭生活中充满了欢乐。每天上朝的时候，父亲和母亲都会去，开始时是父亲坐在前面，母亲坐在一块悬挂的布帘后，每遇疑难问题父亲拿不定主意时，就仔细听布帘后面母亲的小声提示。过一个阶段后，母亲干脆也公开和父亲并排坐在御案后，与父亲共同处理军国大政。当时人们称为"二圣"。

下朝后，父母一回到后宫，就经常和几个孩子在一起。由于自己最小，又是唯一的女孩，父母都很娇惯自己，尤其是母亲，对自己更有一种说不出来的宠爱和娇惯之情。幸亏自己是个女孩，如果是个男的，说不定就会发生郑庄公和共叔段那样的悲剧呢！

几个哥哥也都让着她，无论有什么东西，都让她先要。两个大一点的哥哥当然不会与她有什么争执，七哥和八哥都比她大不了几岁，当和她发生争执时，母亲总是不问青红皂白就狠狠教训七哥或八哥。久而久之，就形成了一种定式，那就是她总有理。七哥和八哥也就不再和她计较什么了。从此，她在家中就处在唯我独尊的地位上。

其实，用孟子的话说："莫非命也！"一切都是命运，而命运是人自己无法掌控的。比如降生在什么时间，什么地点，什么家庭，新生儿是完全被动的，而一旦降生到世间，地位和生活待遇便有天壤之别，这便是命。

在这样的家庭中处在独尊的位置，实际上就等于是天下唯我独尊了。因此，可以这样说，太平公主自从来到这个世界上，从来就不知道什么叫"不行"，天下仿佛都是她的，只有人想不到的事，没有她办不到的事。

就说这个婚事吧，也完全是太平公主自己争来的。一年前，太平公主的外婆，也就是武则天的亲生母亲太原王妃去世，母亲武则天为表明孝心，自己充当女道士为外婆超度亡灵。

不久，吐蕃首领派专使前来请求和亲，要效法文成公主的故事，并点名要娶太平公主。母亲为了婉言拒绝而又不伤和气，就真的给她修建一个太平观。她有时也要象征性地到观中去一两次。但让她当什么真正的女道士，那可等于是笑谈，那种清苦的生活她一天也过不了。

去年，她过生日那一天，父母问她想要什么礼物做贺礼，她竟说出一句石破天惊的话，一下把毫无精神准备的父母都惊住了，更使他们对这个宝贝女儿刮目相看。

母亲微笑着问："平儿，今天是你的十六岁生日，母后不知你喜欢什么，也没有给你准备生日礼物。你说，你要什么东西，母后和你父皇都一定满足你的要求。"

"母后和父皇说话可一定要算数。"

"算数，我和你父皇是金口玉言，说话是金科玉律，哪有不算的道理。"

"您看女儿缺什么就送一个吧。"

"我说我的宝贝女儿，正因为我们想不出你缺什么才这么为难的。"

"母后，那我可要自己要了。"

"尽管说，无论什么要求，我和你父皇都一定满足。"武则天再度表态。

"皇父和母后稍待片刻，女儿进去就出来。"太平公主说着，紧走几步进了内室。

"这孩子就是鬼点子多，不知又要耍什么新花样？"武则天笑着对高宗说。

不一会儿，太平公主出来了。一身戎装，身穿紫袍，腰扎玉带，头戴巾帻，俨然是副武官的打扮。

"这孩子，真调皮。一个女孩家怎么穿起男人服装来啦？难道想要当个武官不成？"武则天笑着问。

"女儿不能当武官，难道驸马还不能当武官吗？"

"什么？"武则天和高宗几乎是异口同声地问。

"女儿我想要……一个驸马。"太平公主迟疑一下，还是坚决果断地提出了要求。太平公主就是太平公主，敢想敢说。那个年代，一个 17 岁的女孩，敢于开口向自己的父母要丈夫，这绝非是一般女子所敢想敢为的。正是这出乎意料的一语，使高宗和武则天都感到震惊。

"要个驸马？"武则天和高宗几乎同时惊讶地反问了一句。

"嗯。"太平公主十分肯定地回答。真别说，这下还真的就把武则天和高宗难住了，因为他们根本没有想到女儿会提出这样一个要求。不过，武则天反应极其机敏，马上笑着说道："好，女儿长大了。母后答应你的要求，不过今天是不行了，等明年你再过生日的时候，母后和你父皇一定给你一个驸马。"一句话打破了突然出现的尴尬。

此后，武则天和高宗便开始把选驸马的事摆到议事日程上来，虽然说皇帝的女儿不愁嫁，但挑选一个各方面都特别可心的女婿也不是那么简单的事。

经过很长一段时间的挑选，最后终于确定三个人选。这三个人都是年轻俊朗的朝官，其中还有皇亲国戚。武则天不同于其他女性，她要让自己的女儿称心，所以让太平公主事先躲在一个带花格的屏风后面，她亲自分别宣召那三个人觐见，让女儿亲自相看，女儿看中哪一个，便确定他为驸马。

太平公主一点头，驸马的人选马上就定了下来，即光禄卿薛耀的次子薛绍。薛绍的母亲即薛耀的夫人是唐太宗的女儿城阳公主。城阳公主是高宗李治的妹妹，是太平公主的亲姑母，如今又成了她的婆母，也就是民间所谓的姑表亲。

薛家的很多人都感到极其荣幸，薛绍的哥哥薛顗却因为太平公主宠盛而深深忧虑，便去问他的叔祖即户部郎中薛克构，薛克构道："皇帝的外甥娶皇帝的女儿，这是国家喜事，只要恭敬谨慎行事，又会有什么妨碍呢？"

当时有这样的谚语说："娶妇得公主，无事去官府。"意思是说如果娶皇帝家的女儿做媳妇，即使没有什么事也要经常到官府去，麻烦事特别多。民间谚语确实是智慧和经验的高度结晶，就是有深刻的道理。薛家也因为娶皇帝的女儿而险些遭到家庭的大破裂。

原来，武则天认为驸马薛绍的哥哥薛顗的妻子萧氏、弟弟薛绪的妻子成氏都不是贵族出身，有些不高兴，觉得自己的女儿贵盛无比，不应当和田家女为妯娌，就与几名宰相商议要换掉这两个妻子。一名宰相说，萧氏是原宰相萧瑀的侄孙女儿，也算是国家的旧缘，不能说是田家女。武则天这才罢休。这也还算万幸，然而几年后，真正的不幸终于发生，使薛家几乎遭到灭顶之灾。

坐在大轿里的太平公主思绪联翩，后面龙辇上的武则天也是浮想联翩，想到女儿今天晚上就要成为新娘，她的心中泛起一阵阵的苦水。

血雨腥风，冷静观察

家庭是社会的一个细胞，必将受到社会变革的影响。处在社会心脏地位的细胞所受的影响当更大。政治风云的变幻使太平公主的婚姻也出现裂痕。

这个女儿的命显然比大女儿好多了，她降生的时候，武则天的处境虽然还没有达到现在这样好，但已经当上皇后，掌握了朝廷内外的实际权力。她已经有能力保护自己的女儿了。她要把对大女儿的歉疚之情全都放在这个可爱的小女儿身上。为了祝愿这个可爱的小天使健康成长，永保平安，就给她起个乳名叫"平儿"，其后加封号也叫"太平公主"。

平儿一天天长大，生性聪明伶俐，小模样也酷肖乃母，简直就是一个小武则天。天庭饱满，宽额头，浓眉毛，大眼睛，长睫毛，五官端正秀媚，一脸福相。体型丰腴匀称，很是标致。而更令武则天欣慰的是平儿颇有心计，遇事反应机敏，很有主见，比哲儿和旦儿强多了。

人生往往如此，血缘关系是一个方面，是很重要的方面，但不是唯一的方面。人与人是不是投缘，还取决于诸多因素，这就看两个人在性格、追求、价值观等方面是否一致。如果一致，几句话就可以成为知己，如果不一致，终生相伴也会如同陌生之人。

古语说："白头如新，倾盖如故。"就是说有的人认识一生，都已至白头，可还像是新认识的一样，相互间并不理解。而有人就在路上相逢，只是在两车相错之时，稍微停一下车，倾斜一下车盖交谈几句，却能成为知心的朋友。可见人与人之间的交往还是以类型来决定的。所谓的"物与类聚，人以群分"，真是千古不变的真理。武则天和太平公主的类型完全一致，故二人心灵默契，武则天特别钟爱这个宝贝女儿，太平公主也非常钦佩理解果敢英明的母亲。

武则天对平儿是百般呵护，万种宠爱，对4个儿子则非常严厉。特别是两个小儿子被她管教得唯唯诺诺，一见她就像耗子见了猫一样，手马上就不知道往哪儿放了。只有平儿，敢在她的面前撒娇，要这要那。武则天内心产生一种莫名其妙的感觉，她觉得只有这个宝贝女儿和自己的心性一致，自己的一举手，一投足，一个眼神，她马上就能心领神会是什么意思。她将来一定会成为自己的一个帮手，武则天常常这样想。也正因如此，太平公主无论要什么，武则天都没有不答应的。去年的今天，太平公主竟提出要驸马，武则天也答应了。

女儿今天晚上就成为新娘，开始新的人生。这本来是件值得祝贺的好事，可当母亲的却都有一种失落感，心里总是泛起一阵阵莫名其妙的空虚。武则天也是母亲，太平公主又是她唯一心爱的女儿，这种感觉就更加强烈。

花轿进了万年县的县衙。因武则天嫌县衙的大门狭窄，有的车驾太宽，就命主办人员把县衙的大门又往两边扩了一丈多宽。本来就很宽敞的大门如今就更宽绰了。院子里张灯结彩，装饰一新。皇家乐队演奏着喜庆的乐曲，京师里几拨最有名的鼓乐队起劲儿地吹着喇叭，那气氛真是热烈极了。

前面的车已经进了临时作新房用的县衙，装满嫁妆的一辆辆彩车的尾车刚刚拐出延喜门。送亲的队伍络绎不绝，极其烦琐的仪式一项接着一项，结婚大典一直进行到人定才结束，太平公主在装饰着珠宝玉器的豪华典雅的如同神仙洞府般的新房中度过了新婚第一个销魂的夜晚。

几天后，婚礼仪仗队所过大街两旁的高大的槐树都枯死了。

新郎薛绍及全家人，无论是老是少，都牢牢记住叔祖薛克构的教导，完全按照其指教行事，对太平公主是毕恭毕敬，对她恭敬得像对老祖宗似的。就连薛绍也是如此，与其说他是丈夫，莫不如说是一个特殊身份的男仆，一个既陪她睡觉，又可供她颐指气使的男仆。

几年里还算相安无事，太平公主也给薛绍生了3个儿子。但由于朝廷中发生了许多变化，太平公主和薛绍的感情也出现了危机。

婚后第三年，也就是高宗永淳二年（683）的冬天，高宗皇帝在东都洛阳殡天，只活了56岁。太子李显（原名李哲）被立为新君，是为中宗。

武则天这年已经60岁，但精力充沛，她是个权势狂，怎能让大权旁落。于是，中宗的龙墩还没坐热乎就被拉了下来。因为武则天发现，只要有个皇帝坐在龙墩上，就有人想入非非。所以，一个多月后，她就把中宗废了。立太平公主的八哥李旦为皇帝。

李旦早已被母亲训练出来，连忙推脱，实在无奈，也只是担个空名而已。李旦比他七哥李显知趣，连龙墩都不去坐。他知道自己不过是母亲手里的一个工具，一颗棋子，母亲让干什么就干什么，把他摆在哪里就安心待在哪里。不然恐怕会被随手扔掉。

又一个月后，已被赶到巴州的原太子李贤被逼自杀。李贤在前文中已经提过，是个难得的储君，曾集文士注《后汉书》，后追谥为"章怀太子"。章怀太子临死前，曾给母亲武则天写了一首诗，题目就叫《黄台瓜词》：

种瓜黄台下，瓜熟子离离。
一摘使瓜好，再摘使瓜稀。
三摘犹为可，四摘抱蔓归。

诗的比兴义一目了然。他把母亲武则天比喻成一个种瓜的人，把自己兄弟四人比喻成瓜秧上所结的四个瓜。说如果摘掉一个瓜可能会使别的瓜长得好，如果摘掉两个就已经显得稀少了，摘掉第三个也还勉强，如果连最后一个也摘掉，就只好抱着瓜秧回去，一无所获，白忙活一场。

武则天看后，脸上出现一丝淡淡的悲伤，但转瞬即逝，她要的就是权势，无论谁对这方面有妨碍，她都会毫不留情。

武则天开始对朝廷中的一切官员进行大换血，把凡是对她稍有二心的大臣统统撤换下来，全部换上自己的心腹。对大部分政府部门的名称也都进行更换。接着在京师里为武氏立七庙，她的几个侄儿都被封为王爵，掌握大权。

种种迹象表明，天下要变，可能要改姓，不再姓李，而要姓武了。

这种情况，激怒了许多忠于李唐王朝的大臣。开国元勋徐茂功的孙子徐敬业起兵反对武则天，要恢复李唐王朝的天下。结果徐敬业兵败被杀。

在这场腥风血雨的残酷政治斗争中，武则天仿佛是个高明的棋手，始终占据着主动权，走的一直是先手。太平公主是出门在外的人，这一切重大的政治事件与她都没有直接的利害关系，虽然她的内心也受到过多次强烈的震撼，但都被理智战胜了。她要保持冷静的态度，等局势明朗后再想具体的对策。

太平公主发现，母亲实在高明，在这场曲折复杂的斗争中，她大长见识，并得出这样的结论：母后是不可战胜的，跟着母后就一定会有享不尽的荣华富贵。武氏一族的势力正在膨胀，武氏是否能够取代李氏她不敢肯定，但有一点是再清楚不过的了，那就是如果自己能和武氏的子侄辈建立一种特殊的关系，则一定可以获得双保险，永远处于不败之地。

有个性的女人并不喜欢唯唯诺诺的丈夫，反而喜欢那种有一定野性的男人。薛绍对太平公主百依百顺，太平公主在一两年内还觉得挺舒服的。可时间一长，就觉得有些单调乏味，缺乏刺激性。两人的感情已开始渐渐疏远淡漠。再加上几年来政治风云的变幻莫测，令太平公主产生了要到政治大潮中去当一个弄潮儿的冲动，她对薛绍更看不上眼了。终于，二人的感情出现了严重的危机。

宝物被盗，惊动母后

太平公主心血来潮，想要挑几件心爱的宝物送给情人，可打开保险柜一看，里面空空如也，所有宝物不翼而飞，她大吃一惊。

武则天有意用武氏取代李唐王朝，这有些像魏晋之交时的情况，当时是"司马昭之心，路人皆知"。现在的情况也可以说是"武则天之心，路人皆知"。如果真的是武氏得了天下，那么，在武则天身后，当皇帝的一定是她的娘家侄了。而武则天只有两个亲侄，这就是武承嗣和武三思，另一个受武则天器重的是武则天伯父武士让的儿子武攸暨。

这三个人中，武承嗣有点像是没长开的缀根茄子，抽抽巴巴的。不到30岁的人，脸上居然净是褶子。为人也猥琐不堪，小心眼很多，一点大气范儿也没有。一方面为讨姑母的喜欢费尽心思，整天琢磨姑母在想什么，要干什么，怎样迎合。一方面又倚仗姑母的势力摆臭架子，瞧不起人，在大臣和朝官中一点威信都没有。这显然不称武则天的心，这种德行也不具备当皇嗣的基本条件。

武三思心眼倒挺多，就是太坏太阴损，脑瓜顶生疮，脚底下淌脓——坏透腔了，那是真坏，太平公主更看不上他。只有武攸暨还算顺眼，人长得也还算魁梧健壮，为人也很沉稳，在武氏子孙中算是个冒尖的人才了。

在第一次看见武攸暨的时候，太平公主就产生一种莫名其妙的冲动。她忽然想道：母后对武承嗣、武三思、武攸暨都很器重，如果是武氏拥有天下，下一个皇帝必是这三个人其中的一个。自己如果成为武攸暨之妻，武攸暨在夺取储君之位方面就多了一份保障。一旦武攸暨能当上储君，将来就是皇帝，而自己岂不就成了皇后。凭自己的才干，一定可以得到母亲现在的地位。如果天下再归李氏，下一个皇帝不是七哥就是八哥，自己照样可以永享泼天的富贵。

太平公主敢作敢为，她很快就和武攸暨发生了恋情。武攸暨当然也有他的打算，太平公主在武则天心目中的地位和在朝廷政治中的实际作用他都一目了然，能够得到太平公主的鼎力相助，这是他求之不得的事。何况二人又都正在青春年少之时呢？

这年是垂拱四年（688）。正月里，太平公主和武攸暨频频约会幽欢，把薛绍晾在了一边。

正月十六，太平公主好不容易回来了。薛绍忙上前献殷勤，想要和妻子亲热亲热。可太平公主不耐烦地用手一推伸过来的嘴巴道："去！去！去！我这两天太累了，今天晚上你到别的屋去睡吧，我要一个人好好休息一下。"

"我在你身边，你休息得不更好吗？"薛绍用带有恳求的口吻商量道。

"让你到别的屋，你就痛痛快快去，啰唆什么，我心烦。"太平公主本来就特别厉害，杏眼一立，下了逐夫令。

"好，好，好，我走还不行吗，你生什么气？看你这个横劲，不知又怎么啦？"薛绍觉得妻子的情绪不对劲，感到有些奇怪，又有些委屈，但不敢顶嘴，更不要说吵架，只是小声嘟囔。

看着薛绍小心翼翼地退出去，太平公主的心一软，暗自思忖道："这个可怜的男人，倒也知冷知热，会体贴人。如果是普通百姓，过普通人的生活，算是个合格的好丈夫。可我不是普通人，我要当人上人，我要权势，要地位，要泼天的富贵。这些，你都不能满足我，我只好对不起你了。"

"一日夫妻百日恩，百日夫妻似海深"，俗语说得不错。而太平公主和薛绍结婚已经4年多，不是一日百日而是超过千日了，怎能一点感情没有呢，故太平公主的心里着实酸溜溜的有些不是滋味。

人的思绪就像空中的云，没有定向，飘来飘去。忽然，她的心一横，有取必有舍，谁能给我权势地位和富贵，我就需要谁，谁没有这个本事，我就抛弃谁。"物竞天择，适者生存""人不为己，天诛地灭"，我就是要权势、要地位、要富贵，别的就什么也不要了。想到这里，她内心出现的一丝愧疚感一下子烟消云散，马上又开始设计自己以后的人生道路……

这一夜，太平公主做的全是好梦。次日清晨用过早饭后，在丫鬟的服侍下，梳洗打扮一番，便想要再去幽会情人武攸暨。刚要动身时，忽而她又出现了一个想法，于是，立即到靠里边放的一个专门收藏贮存宝物的内室中，用只有自己才有的钥匙兴冲冲地打开保险柜一看，她不由得大吃一惊：保险柜中空空如也，所有的宝物都不翼而飞。

这些宝物有的是结婚时父母及亲戚大臣们送的，有的是父母多年赐予的，几乎都是稀世之宝，包括各国进贡的贡品，珍珠、玛瑙、翡翠、珊瑚，应有尽有。西晋的石崇就是死得太早了，不然的话，太平公主一定要和他争豪比富，一定要令他也甘拜下风。

在这无数的奇珍异宝中，太平公主最喜欢的则是一面精美绝伦的宝镜，那是母亲和父亲给她的。她从来也不让任何人看，就连丈夫薛绍都很少能看见。可这面宝镜也没有了。

太平公主不但酷嗜权势，也酷嗜宝物。权势和宝物是构成太平公主生命的重要因素。这么多宝物在家中不翼而飞，真是咄咄怪事。但她一点也不怀疑薛绍，因为她了解丈夫，就是借给他一百个胆儿，他也不敢动自己的半个宝物。

她再也顾不上去进行什么幽会，马上命仆人套车，风风火火地从北门赶进宫中，求见太后。以她的身份，完全可以直接到达武则天的内殿，但她没有这样做，因为她也非常了解母亲。恐怕这样做会触犯母亲的忌讳。

高宗死后，武则天一边运用铁的手腕进行政治大清洗，一边肆无忌惮地过起荒淫的生活来。高宗死时，她已经到花甲之年，但她有一套保颜美容的良方，其面容和实际年龄相差太远。冷眼望去，说她是30岁左右的少妇，肯定没人怀疑。仔细观察，说她不到30岁，也有人相信。她年轻丰满，心理方面更是年轻。高宗死后不久，便召幸一个叫冯小宝的和尚。

冯小宝倒也是一个人物，长得人高马大，身材魁梧，相貌堂堂。他原来是洛阳闹市区一个打把式卖狗皮膏药和大力丸的地痞。会摔跤翻跟头，如果场子大一点的话，他可以两手着地，连续打七八个车轱辘把式，状态特别好的时候还能来一两个空翻。

冯小宝不但会翻跟头，而且也会说口，嘴皮子很溜，说起来一套一套的。他在场子里就大吵大嚷，说他还会一种功夫，这就是床上的功夫。他有御女的奇术，一夜之间，可御女八人等。

他是个独身，一个人吃饱了全家人都不饿。

也正因如此，他的胆子特别大，什么事都敢干，从来也不管什么后果。因胆大，就有些天不怕地不怕的劲儿，终日招摇撞骗，招惹是非，遇事时蛮横不讲理，用俗语来说，就是"驴驴烘烘"的。俗语形容人不讲道理不讲信义时常说"这个人真驴"。

再说冯小宝把打把式卖狗皮膏药挣来的钱，全都用来买风流。平康里的许多妓女都领受过他的神威。渐渐地，他不但在平康里和洛阳的烟花柳巷中的青楼女子中声名鹊起，而且在一些放荡荒淫的上层社会的贵族妇人中也大有名气。不知是谁，把他推荐给"求贤若渴"的武则天。

在富丽堂皇的内殿，在无比舒适豪华的床褥之上，冯小宝大展神威，给武则天带来无比的愉悦。这是唐太宗和高宗两代帝王都不曾给予过的。六十多岁的太后武则天，也被冯小宝这个不到三十岁的比她小一半还多的青壮年的情场老手迷得神魂颠倒，骨软筋酥。这两个人真是棋逢对手，将遇良材，未分胜负。

冯小宝万万没有想到六十多岁的老太后有这种本事，武则天也想不到一个普通和尚的床上功夫竟如此精湛绝伦。

从此，冯小宝对武则天是倾心佩服，服服帖帖，唯武则天之命是从。武则天招之即来，挥之即去。如果说武则天当初勾引迷恋太宗、高宗时是为权势欲所驱使的话，如今，她勾引召幸冯小宝则纯粹是生理需求。

武则天和冯小宝的事，京师里传得沸沸扬扬，太平公主当然有所耳闻，她非常了解自己的母亲，知道这些传闻不是无稽之谈。但她对母亲的做法也给予极大的宽容和理解。既然皇帝可以有三宫六院，无数的嫔妃，守寡的皇太后有一个或几个情人又有什么不可以的，有什么可大惊小怪的？

这些，她都想得开，并未因为这一点对母亲有什么不满意。但她还未见过这个冯小宝，不知道冯小宝现在是否在宫中，她不敢贸然闯进母亲的内殿，所担心的也正是怕出现尴尬的局面。

下朝的时间已过，太平公主到母亲内殿的外间屋求见。下朝之后的武则天又重新打扮装饰了一番，新抹的红嘴唇的唇线很是分明。听说女儿到来，武则天满面春风，喜气洋洋地从内室出来，关切地问：

"平儿，怎么连续几天也不来看望为娘，让我想坏了。有什么事吗？"

几句客套的寒暄话后，太平公主言归正传，把自己全部宝物丢失的情况告诉母后，还特别强调那面宝镜也丢了，请母后无论如何要给她做主，把宝物追回来。

武则天听罢，先是一愣，微皱一下凤眉问道："什么？那面宝镜也丢啦？""嗯。"武则天略加思索，道："好厉害的贼人，居然敢偷我女儿的宝物。你也不必着急，为娘一定替你把宝物追回来。"于是，她命一个传旨太监去把洛州长史叫来。

武则天虽然在和女儿说话，可却总好像心不在焉的样子，一会儿看一看外面的日影，仿佛在等什么人。近身服侍她的宫女都知道她的心思，可太平公主并不知道，心想：母后今天是怎么了呢？

正在此时，忽然听外面有粗门大嗓的男人的吵吵声："他们敢随便欺负我，你们也敢阻拦我，真是人要倒霉喝水都塞牙。"

"您别生气，里面有客人。"守门的宫女劝阻道。

"爱他妈什么人什么人，谁敢拦我？"

声到人到，只见一个粗壮魁梧的大和尚闯进门来，一边往里走一边说："太后，你可得给我做主，他们竟敢打我。"

太平公主已经猜到是怎么回事了，定睛仔细观察来人。只见此人确实体魄健壮，壮实得像头生性的大牤牛，穿着一身大红福田字的袈裟。脸上有些红肿，隐隐约约还看得出巴掌的印痕，显然是被人打的。

武则天一见此景，又心疼又生气，勃然大怒道："你快说，是谁打了你，为什么打你？"

揣摩体察，母女同心

武则天的情夫被人扇了一顿大嘴巴，武则天听后一点也不生气，反而教训告诫情夫一番，这究竟是怎么回事？

冯小宝挨打，纯粹是他自己找的。原来，自从他被武则天重用之后，算是交了好运，可以说一步登天。他不用再到闹市区打把式卖膏药了，也不必到平康里那样的地方去享受艳福，而是堂而皇之地出入后宫，成为太后的情夫，可以说是当时天下第一情夫。吃的是御膳，住的是御床，享受的是御妻，所受的一切待遇都是"御"的水准。

为了掩人耳目，武则天让他打扮成一个和尚，这样出入可以方便一些。方外之人，出入宫禁总比一般的普通男子方便。后宫是宫女群居的处所，全是久旱盼甘霖的充满渴望的女性，一旦跑进来一个大男人，那还得了。

其实，冯小宝在这以前也曾真的出家当过和尚。但他出家当和尚的目的比较简单，就是为了逃避繁重的体力劳动和无休止的徭役、赋税。那个年月，出家人可以免除一切徭役和赋税。"馋当厨子懒出家"，俗语说的就是有道理。在形容一些人滥竽充数的时候，有个成语说"十个和尚夹个秃子"，其实，大概的情形是十个秃子中可能只有一个是真心出家修行的和尚。当时的僧尼道士数量骤增，便与这种普遍的社会心理有关。

冯小宝并不真心修行，凡心未退，六根未净。他终日拈花惹草，在淫荡的生活中，显示出超人的能力。后来，他干脆来个双重身份，想清静了就到城东的白马寺中去充几天和尚，想享受了就再到闹市区去打把式卖狗皮膏药弄几吊钱好去烟花柳巷寻快活，活得也挺潇洒的。他的脑袋始终是个秃子，是不是和尚身份关键是用那件破袈裟来调整。想当和尚了就披上，不想当了就脱下来一扔。

自从受到太后的宠爱，冯小宝成了后宫中的主人。他可以随便出入，无人敢挡。武则天已经被冯小宝迷住，冯小宝成为武则天真正的心肝宝贝，武则天一天也离不开他，可以说缺了冯小宝就难以度日。

别看武则天在朝廷中，在文武百官面前那么威严，那么神圣不可侵犯，可一到床上，在冯小宝面前时，她就显得那么温柔，那么会体贴人，任凭冯小宝所为。每当此时，她只觉得自己是个女人，是个充满魅力的女人，是个最幸福的女人。太后的高贵，政治的严酷，在对冯小宝的情爱中，都融化得一干二净了。

每当此时，武则天就觉得这才是女人的本色，是自己最为幸福的时刻。权势地位和这种幸福比起来，显得那么渺小，那么苍白，那么不值得一提。但她心里明白，一旦失去了权势地位，她的这种生活待遇也将付诸东流。别说是冯小宝能接受她这样一个年过花甲之老妇的爱情，就是冯小宝他爹冯老宝能否接受都在两可之间。所以，为了保住这种幸福醉人的生活，就一定要保住现在的地位和权势。如果中国的封建社会一直都是女人当皇帝的话，我想，遭到后世唾骂的就一定是男人而不是女人。

武则天和冯小宝恋得如胶似漆，割舍不得，那情分，绝不亚于新婚的年轻夫妇。只要一下朝，武则天立即就到后宫这个偏殿中来等，而冯小宝也一定按时到来，只有提前之时，没有迟到之日，冯小宝的敬业精神还是很强的。可今天不知为什么却晚了，所以武则天先前有些着急。故和太平公主说话时也心不在焉。

由于武则天的宠爱，冯小宝有些忘乎所以，在后宫中，他的话就像圣旨一样管用。走到大街上，也是横冲直撞。时间一长，他就更狂了。

这一天，他想换个大门进宫，总走一个大门有些腻歪，就把武则天一再嘱咐的话当成了耳旁风。武则天曾反复叮嘱他，每天进宫一定要走北门，有专门的人领着他。千万不要从南面的宫门进来，以免招惹是非。

冯小宝狂惯了，以为他是太后的情夫，便是天下第一情夫，便可以横行天下，走什么门有什么关系。于是，就大摇大摆地从南面进宫。

他有证件，所以进门并没有受到阻拦。因为太极宫的南院是中书省和门下省的衙门，两省官员都在这里办公，故进第一道门时对性别的盘查并不严格，也可以说没有这项内容。

从南门进来，要进入武则天的后宫，须经过门下省的大厅。也是该冯小宝倒霉，当他穿过大厅的时候，和刚刚下朝回衙办公的左丞相门下省的侍中苏良嗣走个顶头碰。

苏良嗣见一个呆头呆脑的壮大和尚从对面走来，心中就有些不悦。心想：你一个出家人到宫城来干什么。越走越近，见大和尚并不给自己让路，暗自生气。心想：好一个不知礼貌的大和尚，遇到宰相连路都不知道让，一点儿谦恭礼让都不懂。只有几步远了，大和尚还是大摇大摆往前走，仿佛根本没看到前面有人一样，高傲的样态实在令人气愤。

苏良嗣是多年的朝廷命官，从来没见过这样的人。他停住脚步，因为他感觉到如果硬撞，自己肯定撞不过这个大和尚，而且也太丢面子。他严厉地喝问：

"站住！你是什么人？敢擅自出入宫城，见本官为何不让路？"

"让路？爷爷凭什么给你让路？能让爷爷让路的人还没生出来呢。滚开，让爷爷我过去！"冯小宝本来是个无赖出身，说起粗话和脏话来一套一套的，从来不用回家去取。

"好个大胆狂徒，竟敢出口不逊，辱骂本官。"苏良嗣所交往的都是朝廷命官，均是温文儒雅之人，从未见过这样的无赖，气得直哆嗦。

"骂你能怎的？你还敢跟爷爷打架不成？"说着，冯小宝两腿一分，站好马步，拉开架势，还真是个打架的行家，架势拉得不错。冯小宝心里明白，如果打架的话，面前这个老头可不是自己的对手。

苏良嗣本来是个儒雅君子，可也气得三煞神暴跳，脖颈上的青筋一跳一跳的，一挥手命令自己属下的侍卫道："把这个贼秃子拿下。"一句话上来七八个全副武装的侍卫，冯小宝和一般百姓打架还行，和经过专门训练的宫廷侍卫相比，可差太远了。一个对一个单挑他都不行，何况是以少对多。他还没动弹几下就被制伏，两只胳膊被对方拿了反关节，倒剪起来，一点也动弹不了了。

"教训教训这个贼秃子。批颊三十。"苏良嗣再下命令。

所谓的批颊就是用手掌抽打面颊，也就是俗语说的打嘴巴子。侍卫早就被冯小宝的蛮横气坏了，一听让批颊，马上抡圆了膀子狠狠地打起嘴巴子来。啪啪啪，一顿大嘴巴子把冯小宝打得两眼冒金星，嘴也淌血了。无奈，他把奉太后之诏入宫的事说了，再出示证件。苏良嗣才放他过去。不然的话，非把他关进大牢不可。

听完冯小宝的诉冤，武则天这才明白了事情的经过，不过她一点也没有生气，反而微笑着埋怨冯小宝道："我反复叮嘱你从后门进来，不要走南门。南面衙门是宰相们办公的地方，哪能让人随便出入呢？打就打了吧，以后千万记住，可别再从南门进了。"

苏良嗣一点儿事也没有，照常当他的宰相。这正是武则天的高明之处，她有辨别是非的能力，只要不干涉她的私人生活，在政治方面她还是很明智的。此后，冯小宝再也不敢从南门进宫了。俗语说猪"记吃不记打"，冯小宝到底是比猪聪明，他能记打，打一次就能记住。

冯小宝奉命到外间屋去净面，也就是洗脸。太平公主一直观察母亲处理此事的全过程，心里在揣摩母亲每一句话的意味，又体会出不少道理。她起身要向母亲告辞，武则天又留下她，商量道："刚才的事你都看到听到了，母亲也不瞒你。你也是女人，会理解母亲的。母亲终日处理军国大政，太累，需要有人来调节一下。母亲需要这个冯小宝。可他经常出入后宫，也不能总叫这么一个粗俗不堪的名字啊。何况冯不是大姓，我想给他改个姓名，你看如何？"

"母亲所虑极是。改个姓名当然更好。"太平公主附和着说。

"我看就让他与你的丈夫合族，就姓薛吧，让你家驸马薛绍认他做叔父。为高雅一些，我给他起名叫'怀义'，全名就叫'薛怀义'，你看如何？"

"甚好！甚好！"太平公主再度附和道。

从此，大和尚冯小宝就叫薛怀义了，是武则天和太平公主商量着给起的名字。一般人的名字都是父亲起或爷爷起，像薛怀义这样由情人来起而且户籍部门还要承认的真是绝无仅有，也是一件奇葩之事。我们在下文即如此称呼之。

这当儿，洛州长史已奉旨到来。武则天传他觐见。太平公主把宝物的大约数量、品种及丢的大体时间陈述一遍，武则天命洛州长史在三天内破案，追回所有的宝物，否则严惩不贷。并让太平公主三天后的这个时候再来这里听消息。

代批奏章，获得赞许

太平公主去打听追寻宝物的消息，在帮助母亲批阅奏章的过程中，她发现一个至为合理又荒唐得出奇的奏章。

太平公主的宝物被盗，为何要传洛州长史呢？原来武则天对东都洛阳情有独钟，她住在东都的时间很长。高宗就死在了洛阳，其后的很长时间，武则天及整个朝廷的主要部门都在这里。

唐代有三个特殊建制的城市，即长安、洛阳和太原。太原是李唐王朝的发祥地，李渊是从太原起兵经营天下的，故把太原定为留都。时称北都。太原外，又有西京长安和东京洛阳，时称三都。

在西京长安和东京洛阳两都的城区内，除宫城和皇城外，各设两个行政区，都是县的建制。西京以纵贯南北的朱雀门大街为界，分为"长安"和"万年"两县。洛阳则按南北分为"河南""洛阳"两县。两县合起来便是洛州。

太平公主在洛阳的住宅坐落在定鼎门大街之东，紧靠洛水南岸的尚善坊中。属于洛阳县境，当然归洛州统辖。长史是这三大都城内州府主管治安的官员。其他地方这个职务的官员称"别驾"。

三天后，太平公主准时到武则天的后宫来听消息。但武则天下朝后在前宫的一个偏殿逗留，尚未回到后宫，太平公主又到了那里。

洛州长史还没有来报告侦察破案的结果。武则天正在外间屋阅读大臣们的奏章，见女儿到来，很高兴，放下手里的章奏，闲聊几句。

"母亲刚刚退朝就批阅奏章，太辛苦了。"太平公主道。

"嗨，没办法啊。朝野上下，国家内外，事务太多，都得操心。"武则天无可奈何地说。

太平公主迟疑一下，说道："不知女儿是否可以为母亲分劳？"

"为我分劳？那好啊，你办事，我放心。现在你就来看一看这些奏章，然后用墨笔提出一个处理意见。我先休息一会儿。"武则天指了指御书案上没动的那些奏章，说罢，起身让座。用墨笔是初步意见，如果是正式批复，则用朱笔。

"能行吗？"

"行！我说行就行，我女儿干什么不行！"

太平公主坐到御书案前，逐个阅读奏章，并按照母亲的吩咐在奏章上用墨笔签署起意见来。俨然就是一个处理军国大政的君主。

不到两刻钟，太平公主批阅了剩下的那六七份奏章。她把其中一份奏章递给武则天，试探着问："母亲，您看这样处理可以吗？"

武则天接过来一看，奏章是补缺王求礼上的。内容大致说：后宫是宫女聚居之所，不能让男人随便出入。唐太宗时，有个叫罗黑黑的人，善弹琵琶，太宗甚为欣赏。为了经常和皇后及嫔妃们共同听他的演奏，就把他阉割了，然后才让他随便出入后宫的。如今，陛下若以为薛怀义有巧思特艺，欲供宫中驱使，臣请亦遵旧事，将其进行阉割，然后再允许其出入后宫，庶不乱宫闱，可保宫女之贞节。

武则天看后，又气又笑，心想：真是书呆子，如果把薛怀义阉割了，我还让他进宫有什么用。再看女儿的批复，非常简单，只四个字："不予理睬。"心中暗暗赞佩，真是我的女儿，先获我心，立即赞同道："可以，完全可以。"但她的内心也泛起对薛怀义的一丝不满，如果不是他从南门进宫，恐怕也不会招惹这么多是非和闲话。

王求礼奏章所提的问题是百分之百的正确，在那个时代，不去势（去势即阉割）的成年男性随便出入后宫确实没有任何的理由。同意阉割薛怀义是绝不可能的，不同意又拿不出理由来。所以，最好的办法就是不予理睬，干脆压下，连宰相们也不能让看，免得成为人们在街谈巷议中的笑柄。

武则天把另几个奏章也看了看，对太平公主的批复进行一些指点，指出哪些对，哪些不严密，应当注意什么问题。太平公主一一领教，虚心接受。

刚刚处理完这些奏章，洛州长史来觐见。因为武则天有话，洛州长史在这几天可随时觐见。正因有这件案子，洛州长史才可随时见到武则天。

若在平时，凭他的级别和地位，是很难见到这位炙手可热的女皇的。

洛州长史被内常侍领着进来见驾。他很紧张，行过君臣大礼后，说明案情复杂，没有线索，请宽限时日，并说道："微臣无能。现有苏州别驾苏无名有破案之法，他已跟微臣前来，正在殿外候旨，请陛下恩准，允许他办理此案。"

"苏州别驾苏无名？"

"是的，陛下，就是苏州别驾苏无名。"长史恭恭敬敬回答。

"哦，这个名字朕倒听说过。听说是个人才，精明善察，尤其善于破案。既然如此，宣他觐见。"长史长长出了一口气。

武则天有个了不起的本事，就是明察秋毫，最善于识别人，这是一切政治家所应具备的最起码的条件。她闪开凤目仔细观看进来的苏无名，只见来人是：

身穿绿色的六品官服，腰系玉带，足蹬薄底快靴。上中等的身材，天庭饱满，眉清目朗，须髯若神。走路时步履稳健端正，一色标准的官步。不卑不亢，器宇轩昂，一双丹凤眼中透出深邃睿智的目光。

武则天一看他的相貌举止，从内心里就喜欢。

苏无名提出，他愿意承办这个案子，但需要一些条件。这就是要给他五十天的时间；要专案专办，他人不得插手；要暗紧明松，使罪犯放松警觉；洛州及河南、洛阳两县的负责侦缉捕盗的人员全部归他调遣。这些条件如果能满足的话，他有把握破案。如果届时不能破案，他自请死罪。话说得斩钉截铁。

武则天一一答应，但严厉地告诉苏无名，如果到时候不能破案，定斩不饶。

原来洛州长史回去后把这个案子和案情都交代给他的两个直属下级，河南县和洛阳县的游徼去办。所谓的游徼就是县里专管侦察缉捕案犯的负责人，大体相当于今世县公安局刑警队长的职务。

长史限他们俩两天之内破案。两人无奈，便到街上访查可疑之人。恰巧把到东京来办事的苏州别驾苏无名当成可疑人抓起来。苏无名问明缘由，主动为同行解忧，要求接办这个案子，并提出一些条件，洛州长史不敢答应，便领他来见驾。

情况已明，太平公主也没有办法，只好回去耐心等待。至此，太平公主都有些怀疑了：一点线索都没有，苏无名真的能破案吗？丢失的宝物还能找回来吗？

别的宝物她不太在意，可那面宝镜……

高手断案，宝物追回

太平公主丢失宝物案，一点线索也没有，当地所有侦缉捕盗官员均束手无策，一个外地进京办事的官员却轻而易举地破获了这一棘手的案件。

时间过得真快，还差三天就要到期限，就在清明节的第二天，洛州长史来报告：案子已破，所有宝物全部追回，分毫没有损失，所有盗贼全部落网。武则天一听，凤心大悦，传苏无名明天早朝后进宫，她要亲自询问破案经过并当面嘉奖。

听说宝物全部追回，太平公主自然非常高兴。尤其是看到那面宝镜，她心中又泛起一阵幸福的感觉。她从内心里感激苏无名。她提前来到偏殿。要听一听苏无名是怎样侦破这件棘手的案子的。

内常侍领着洛州长史和苏无名准时到来。苏无名发现，武则天满面笑容，坐在龙墩上，接受他和洛州长史的参拜。阶下还有几个官员，有的认识，有的不认识。从官服来看，都是御史台专管办案的人员。

一切礼数过后，武则天和颜悦色地问道："苏爱卿，朕观你接受此案时，似乎成竹在胸，难道你有诸葛武侯能掐会算之术不成？还是另有绝招妙法？如今，此案已破，不必保密，你可从头翔实道来，是如何识盗，如何破案的。也让众位爱卿开开眼界，长长见识。"

见武则天发问，苏无名侃侃而谈，简明扼要地讲述了自己侦破此案的经过。众人侧耳倾听。为了保持情节的连贯，此处把众人的插话统统略去。苏无名说道：

"回陛下：臣非才智过人，更无诸葛武侯能掐会算之术。只是办案日久，胆大心细，善于观察分析罢了。臣到京之日，正是正月初五，事有凑巧，在大街上正好遇到一伙出殡的，抬着十六个杠头的大棺材。灵幡灵杖，吹鼓手及其他人员与其他出殡人家无异，但臣一眼就看出棺材里装的肯定不是死人，而很可能是一些赃物。"

"臣之所以能看出破绽，并非臣有三只眼或别的什么特异功能。如果那样，臣当时就会通知街上的逻卒扣留这些人进行审查。臣所以做如上判断，是因为这个出殡队伍颇有可疑之处。打领魂幡者不是死者长子就是长孙，必是亲人无疑。却哭而不哀，时常用两眼的余光瞥路旁之人，可见其心里有鬼。"

"跟在棺材后面穿斩衰之服的有六个人，臣用眼睛一溜，发现其面目不一而年岁相仿，这又是一个疑点。斩衰之服只有死者亲子方能穿，一人之亲子年岁如此相近而模样又如此不同者实为罕见，也可以说是不可能的。何况这六人都是西域胡人，面无戚容，目光只注意路旁之人，可见其很怕被人识破。焉有死去亲人而无一人悲戚之理？整个送殡队伍中，竟没有一个女人，岂不更值得怀疑？据这几点，臣便断定，棺材中肯定没有死人。如果没有死人，棺材中所装之物不是赃物又能是什么呢？"

"后来臣在大街上遭到急于破案的游徼的盘查，方知太平公主宝物被盗之事。臣当时即断定，那日的出殡者即是盗宝之人。如果是一般的小偷小摸，不会用这种方式转移赃物。即是出殡，棺材就一定埋在城外西郊或北郊的两个墓葬区无疑。臣见那伙人走的是北城门的方向，故把侦察重点放在北面。但两个墓葬区中新坟很多，不知他们把棺材埋在何墓，焉敢贸然动土？"

"臣接此案之时，要求缓期，其目的就在于稳住盗贼。狗急跳墙，如果追查太紧，盗贼或转移赃物，或毁掉赃物，或深匿潜藏不出头，则永无破案之日，宝物也就无法找到了。只有内紧外松，使盗贼疏于防范，才可抓住其破绽。"

"臣之所以要求以 50 日为限，就是料定清明时盗贼一定利用祭奠扫墓这一时机去看赃物所埋之坟。在前一段时间，臣派人严密监视东面的城门和北面的两个城门。如有五名以上胡人相随出城者，马上派人盯梢，便可知其埋宝之所。因出殡时近十人，是团伙作案，作案者一定在十人之上，他们之间也一定相互监视，不会让一两个人私自出城，以防止其独吞宝物。"

"连续数日没有动静，臣知宝物未动，盗贼可能是怕暴露目标，故一直未有任何动作。前日是寒食节，昨日是清明节，正是扫墓祭祀之时，臣料定盗贼必定借此机会穿孝服出城，以祭奠为由去检查宝物，这是破案的关键时刻。于是增派人员，尤其是北门方面，共派去六名化装的捕役，严密监视一切出城的人。又在每个墓葬区各派两名化装成樵夫的暗探，在那里蹲坑守候。防止盗贼转移赃物。如发现胡人有穿孝服几人结伙出城者，便紧紧跟随，详细侦探他们去什么地方，其具体表现如何，并火速报告我。"

"前天清晨，果然有 11 个穿孝服的胡人分成两伙出城，带着祭品。他们出城后就合在一起，到北面墓葬区的一个新坟头烧纸祭奠一番。但祭奠时，没有一个人哭，更毫无哀伤之情。祭奠结束后，他们围着坟头转了一圈，相互对视而笑。然后就回城了。"

"听到侦探的报告，臣马上判断出来，此坟中就是赃物，即使不是公主所失之宝物，也必定是极其贵重之宝物无疑。祭奠而不哭泣，面无悲戚之情，可以断定坟中肯定没有死人；围着坟头转一圈并相互对视而笑，是笑坟头之土未动，宝物尚在。所以，臣当机立断，马上兵分两路，一路缉捕盗贼，一路前去开坟取赃物。人赃俱获，一举成功。这便是臣侦缉破获此案的全部经过。"

"此次成功，非微臣一人之力。一是陛下圣明，东都社会治安良好，故贼人不能轻易携带赃物逃跑。二是洛州长史及两县游徼忠于职守，捕快役卒训练有素，配合有力，才能如此干净利落地办完此案。"

武则天听完这番话，极其高兴，赞赏道：

"苏爱卿明敏精察，忠于职守，办案有方。有功而不专居，此诚大君子也。甚善！甚善！特赐黄金百两，帛二百匹，加秩二等。众位爱卿要效法苏爱卿，尽心国事，忠于朝廷，何愁大唐天下不太平强盛？"

洛州长史和两县游徼也得到一定的奖赏，皆大欢喜而去。

这是真实的故事，也是真人真事，苏无名也因为此事而成为古代侦破案件的名人。

太平公主的宝物在武则天的亲自过问下是全部追回来了，太平公主自然十分兴奋。可时过不久，她的英明无比的母后——铁腕人物武则天却又遇到了麻烦，需要她出手相助了。

第二章

出手不凡

母亲被骂，满城风雨

洛水宝图，是福是祸

旧的不去，新的不来

政局平定，再要驸马

欲立武周，不择手段

开膛破肚，以证清白

酒后放火，烧毁大佛

担心祸患，深居简出

母女密谋，处死祸患

母亲被骂，满城风雨

一个死刑犯人被押解在大街上时，竟挣脱枷锁，手持木棒，在几千人中大骂武则天。闹得满城风雨。

薛怀义自从上次被苏良嗣的侍卫打一顿大嘴巴后，确实比猪有记性，不敢再从南门进宫了。但狗改不了吃屎的习性，他那种市井无赖的嘴脸怎么也改不了。无论走到哪里，还是一副小人得志的丑态，令人作呕。

薛怀义以一个和尚的身份天天出入宫禁，容易招惹是非。何况武则天又得到薛怀义的恩爱，对其也应当有所回报。以武则天的地位，想为情夫安排一个合适的差事还是不难的。于是，她便异想天开，要修建一个明堂。

可征求学者们的意见时，学者们都提出：按照古礼，明堂要修在国阳丙巳之地，要在宫城三里之外，七里之内。如果按照这一规定，那么明堂离后宫就有一段相当的距离，与武则天修建明堂的本意大相径庭。

武则天要修建明堂的真实目的，表面是表示对开明政治的向往，实质是为能与薛怀义天天来往制造一个冠冕堂皇的借口，也为薛怀义发家致富掌握点财权创造条件。

垂拱四年（688）的正月，武则天下诏，明堂正式动工，地址就在宫内。毁掉原来的乾元殿，在其故址上修建。由白马寺方丈薛怀义为总监使。

几天时间里，薛怀义的职务又有重大的变化。自从被武则天召幸后，他的运气就红得发紫。先由一个打把式卖狗皮膏药的市井无赖变成一个和尚。数日后就莫名其妙地被提升为东都第一大寺庙——白马寺的方丈。

白马寺就是当年去西天取经，历经千辛万苦，经过19年才取回佛经宝卷的玄奘为住持的寺庙，一直是佛教圣地。这里的方丈可不是一般人所能担当的，许多年高资深的老僧梦寐以求都无法得到这个位置。可薛怀义却轻而易举就披上了方丈的袈裟。薛怀义不要说什么佛经教义，就是《金刚经》上的字他也认不全，从德行上说他就更没有这个资格了。可他却偏偏当上了这里的方丈。没有制约的权力可以玷污一切圣洁的东西。

如今，摇身一变，薛怀义又当上这项巨大工程的总监使，工程的全部费用由国库支付。这下，薛怀义可真是瘸子穿大布衫——抖起来了。国库里白花花的银子任凭他随便支取。他这才尝到有权有钱是个什么滋味。现在一天花的钱，他打把式那时就是一年，不，就是一辈子也挣不来。

薛怀义大讲排场，当然这也是武则天的意思。他征集来上万个民工，派人到终南山去采伐粗壮高大的木材，运一根大木材就需要上千的人力。其他建筑材料也全用当时最高级的。

薛怀义秉承武则天意旨，明堂建造要豪华壮观，要有气派，不要怕花钱。明堂的设计确实够规格。长宽各是300尺，高294尺。共分三层，第一层是方形，四面按照东西南北的方位涂上青、红、白、黑四种颜色，以与五行相匹配。第二层是个多边形，共有12个边，用来象征12个月及黄道12宫。最上一层也是一个多边形，边更多，共24边，用来象征二十四节气。顶盖则是一个圆形，象征天穹。顶盖的中心上方也就是整个建筑物的至高点上立着一个金光闪闪的凤凰。凤凰是用赤铜制造的，十尺高，全身镀金，仪态安闲地审视着整个天下。

整个大殿的中心是一根高大的柱子，从地面直到明堂的最顶端。明堂的周围有水渠环绕，也有周朝辟雍周围环水的意味。金碧辉煌，造型别致，又有天圆地方的象征意蕴，可以说是建筑史上的一个创举。

整个建筑的设计，据资料记载说是薛怀义搞的。其实这一定是武则天本人的创意，薛怀义可没有这么高的设计水准。

在修建明堂的同时，武则天加快了改变天下姓氏的步伐。她轻而易举地废掉一个皇帝，又囚禁了一个皇帝。她以圣母皇太后的身份临朝称制，但天子还姓李，天下也就还姓李。她不甘心如此。于是她加紧迫害李唐宗室的步伐，李氏子孙都感到岌岌可危。宗室亲王和元老大臣对武则天的做法是敢怒不敢言。人心开始浮动，人人自危。

在武则天做这些动作的整个过程中，一直得到太平公主的坚决支持和密切合作。修建明堂和安排薛怀义就是太平公主的主意。因为太平公主经常到武则天的后宫内殿去，有时当武则天没有退朝或疏于防范时，太平公主也和薛怀义幽会偷欢。太平公主是勇往直前，薛怀义是来者不拒，二人在背地里打得火热。

武则天虽然也有所察觉，但一是出于对女儿的爱，一是也没有耽误自己什么事，也就睁一只眼闭一只眼假装不知道。

这个时候，是最危险的时候。可薛怀义依旧趾高气扬，因为最近又尝到了太平公主的禁脔，就更美得不得了。有时在公开的场合也炫耀一番，他如何得到太后的宠爱，如何享受荣华富贵等，甚至把一些床上的细节也绘声绘色地描绘一番。薛怀义和武则天的事也就渐渐成为公开的秘密，成为人们茶余饭后的热门话题。但人们也还只是在背地里讲一讲，消遣一下而已。公开说的一个人也没有，因为那可是灭门的罪。

但这种只能在背地里讲的桃色新闻终于被一个不怕灭门的人公布于天下了。这使武则天大为恼火，使她的情绪在很长时间里都笼罩在阴影中。

事情是这样的。太子通事舍人郝象贤的爷爷郝处俊得罪过武则天，适逢郝象贤家的一个奴才告密，说郝象贤要造反。武则天就命周兴审这个案子。周兴是著名的酷吏，何况又秉承武则天的意旨，郝象贤被定为灭门之罪。

郝象贤本来是冤枉的，他的家人到御史台去诉冤，监察御史任玄殖审定无罪，上报朝廷被驳回。任玄殖被免除官职，郝象贤也被判灭门。

郝象贤被押赴刑场，正经过一条热闹大街的时候，也不知是押解人员的疏忽还是别的什么原因，郝象贤突然挣脱刑具，跑到百姓中间，从一个进城卖柴的人手中抢过一根大木棒，那些看押人员一时难以近前。

郝象贤像疯了一样，两眼发出怒光，举着大棒子破口大骂："武则天，你算个什么东西。你是什么圣母皇太后，你纯粹是个大破鞋，是个不要脸皮的老婊子，是个骚货。你和地痞无赖冯小宝通奸，你是骚和尚的大姘头，你……"

过路的人谁也不走了，街上的人都急剧向这里聚拢。附近正好有一伙耍猴的，也没人再看猴戴帽子翻跟头，耍猴人的锣声也完全失去了吸引力。

一会儿的工夫这里就聚了几千人。

押解的解差知道这是大事件，一面派人去叫在街上巡逻的金吾兵，一面试探着往上冲。郝象贤把要骂的话也都骂完了，力气也没有多少了，大棒子也抡不动了，最后被蜂拥而上的金吾兵乱刀砍死。

听说郝象贤在大街上谩骂的事，武则天气得脸色铁青。但郝象贤本来定的是灭门之罪，他的全家已经被杀，没法再在活人身上出气了。武则天就下诏把郝象贤的祖父和父亲的坟墓都挖开，开棺戮尸，再把尸体烧成灰扬掉。

见母亲气得脸色都变了，太平公主安慰一番，又提醒武则天道："事已至此，母后也不必过于气愤，气大伤身，保护凤体要紧。依我看，倒应当想一想防患于未然的办法，不要让类似的事件再发生才是。"

"你说得对，可你看应当怎样进行防范呢？"武则天是个有理性的人，马上赞成女儿的意见。

"依我说，在死刑犯人执刑前，应当在口中塞进一个木球，让他光能出气说不出话来，就不能再发生这样的事了。"

"好主意，我女儿就是聪明。就这么办。"武则天高度肯定了太平公主的意见。从此，一直到唐朝灭亡，都延续了这一灭绝人性的制度，在死刑犯人执刑前，先往其嘴里塞一个无法吐出的大小合适的木球。

洛水宝图，是福是祸

国家将兴，祥瑞纷呈。国之将衰，妖孽百出。洛水中涝出宝图，猫和鹦鹉可以同笼。石头有赤心，龟腹有丹文。是祥瑞还是妖孽，谁说得清楚？

这天，因为母后武则天心情不好，太平公主提前回到府中。每天她都是午后未时末或更晚一点儿到家，今天还不到中午便进了内室。

在外间屋服侍自己的丫鬟不在，听到内室有那种声音，太平公主马上意识到发生了什么事。她猛地推开内室的门，只见床上有一对男女正在做爱。见她突然进来，两人慌忙停止了那勾当，呆愣愣地僵在那里，惊愕地望着她。仿佛在等候发落。

太平公主一看，男的正是自己丈夫薛绍，女的是自己的贴身丫鬟。她不由得醋性大发，风风火火走上前去，照着薛绍的腮帮子就是一个大嘴巴。薛绍疼不疼她不知道，只是觉得自己的手掌火辣辣的。

薛绍一手捂腮帮子，一手拽衣服要穿，一边用哀求的口吻解释道："你成天也不着家，我实在有些闲得慌，才这样的。"

"放屁，闲得慌就和丫鬟干这种事？亏你说得出口。"太平公主说是说，并没有阻拦薛绍穿衣服。她也觉得面前有两个赤裸裸的人不文雅。

丫鬟早吓得哆哆嗦嗦，抖似筛糠。太平公主把衣服往那丫鬟脸上一掼，喝道："穿上衣服快滚下来。"说罢，向屋外高喊一声："来人！"

两个家丁小跑着进来听候吩咐。"把这个贱坯子拉出去，打20杖，然后轰出府去。"

"公主，饶了我吧，是驸马逼我这样的……"丫鬟哀求道。

"拉出去！"太平公主根本不听。

薛绍已穿好衣服，但不知说什么好。搭讪着说："公主，你就……"

"滚！你也给我滚！"太平公主又发出逐夫令。

不料，薛绍却一反常态，不但没有动，反而把从来也没瞪过的眼睛瞪了起来，大声争辩道："太平公主，你也不要太过分了。别仗着自己是什么金枝玉叶，就可以为所欲为。你成天在外面风流，难道我不知道吗？我在家里就做这么点小事，也不妨碍你什么，你就不依不饶的。你也太仗势欺人了吧？"

"我在外面风流，你有证据吗？我就是金枝玉叶，你敢不承认吗？我就是在外面风流了，你又能怎么样？我偏不让你在家风流。我今天就把那个贱坯子轰出府去。滚！滚！你也给我滚！"太平公主可不是饶人的主。

"你……你……欺人太甚……"薛绍气得说话有些不连贯了。

尽管出现了郝象贤那件不愉快的事，武则天要改朝换代的步骤一点也没有停止。就在郝象贤的祖坟被掘后不久，就出现了上天向下界发出的祥瑞。

那是在四月庚午日，雍州有个叫唐同泰的人上表，说是在洛水中捞出一块奇异的青白色相间的石头，石头上刻有八个篆字："圣母临人，永昌帝业。"是用紫色石头研成细末加药物填进去的。其实，这块"宝图"主要是武承嗣的杰作，武则天本人和太平公主也参与了设计，所以不应看成是武承嗣的独家创作。

见到这块带字的石头，武则天大喜，在大政殿中举行隆重的仪式接受这块带有上天之命的石头，亲自命名曰"宝图"。提拔唐同泰为游击将军。

见唐同泰献一块有字的石头就骤得高官，引得许多人垂涎三尺，也做起了美梦，献祥瑞的人不断来到。这时候酷吏横行，武则天又爱好祥瑞，所以献祥瑞的人多得美官。但也有例外。

一天，一个人得意洋洋地到朝廷来献祥瑞，当他神秘兮兮地把用红绸包裹的祥瑞物拿出来时，原来是一块光滑的白色石头。几名主管大臣都愣住了，谁也看不明白这个东西怎么会是个祥瑞。就问道：

"这不就是块石头吗，怎么能说是祥瑞？"

"这可不是普通的石头。你看，石头的中间隐隐约约有一道红色的纹理，这是忠于圣母皇太后的红心。"

宰相李昭德一听，这纯粹是胡说八道，就没好气地反驳道："这块石头是红心，难道其他石头都要造反吗？退下去吧！"说罢，一挥袖子。那人抱起石头，灰溜溜地退出去。

襄州有个叫胡庆的厨师，听说祥瑞之事，也来献。他的祥瑞更荒唐，是在一只大龟的腹部用丹漆写的五个字："天子万万年"。字写得歪歪扭扭，很不美观。李昭德一看，就知道是假的，命人递过一把刀来，轻轻一刮，字迹全无。李昭德大怒，以欺君之罪将其拘押。向武则天一汇报，武则天说："此人之心术还不坏，放了他吧。"胡庆被释放归去。

武则天本人也亲自制造一些祥瑞。她非常喜欢小猫，曾经训练调教一只。那只猫很听她的话。经过几次调教，她让猫和鹦鹉和平共处，不许猫吃鹦鹉。猫还真的被调教出来，见着鹦鹉也不捕捉，而是呆呆地看着。

一天早朝，武则天命内侍把事先准备好的一个鸟笼拿来。里面装着经过训练的猫和一只小鹦鹉。然后向群臣夸示，说如今真是祥瑞迭现，猫和鹦鹉可以和平共处，同在一个笼子中也两不妨害。于是，让群臣亲眼观看这千古难见的祥瑞。

群臣自然要附和奉承，一边仔细观看猫和鹦鹉同笼的奇迹，一边赞美皇太后的英明。不料，笼子在群臣手中传来传去，时间长了，猫有些饿，可能也有些烦，就扑向鹦鹉，把鹦鹉咬死了。武则天很是尴尬。

祥瑞一旦出现，就不是偶然的。各地纷纷出现各种奇怪的祥瑞，有的地方母鸡变成了公鸡，有的地方在早晨看见了龙的形象。种种迹象表明，上天告知人间，应当要改朝换代，应当有圣母临朝，来发扬昌盛帝业了。

群臣开始劝进，先上"圣母神皇"的尊号，已经把"后"字变成了"皇"字，预示武则天要正式登基当皇帝，而不是什么皇太后了。

大臣们恐慌了，皇室宗亲更加恐慌。一场大的风波终于不可避免地爆发了。

旧的不去，新的不来

"旧的不去，新的不来"，这是自然界中的法则，也是社会生活中的规律。太平公主深谙此理。当她对丈夫厌弃时，便遵循这一法则去行事。

武则天要把整个天下变成武姓王朝，最大的阻力就是李唐王朝的诸位亲王。这些人资深望重，或是太宗的兄弟，或是太宗的子侄、孙子。这些人与李唐王朝的命运息息相关，当然不会眼看着武则天把天下夺过去，所以是武则天改朝换代道路上的最大障碍，不搬掉这些障碍她就别想成功。武则天一开始就把主要矛头对准了这些人。

在武则天加快改朝换代的步伐中，太平公主成了她最得力的助手。为了掌握斗争的主动权，武则天牢牢抓住两个最关键的环节，一是利用酷吏制造冤狱实行恐怖政治，一是建立间谍组织，提倡鼓励人们告密，打击一切对自己有威胁的政治力量。

著名酷吏周兴、索元礼、来俊臣成为武则天实行恐怖政治的鹰犬，武则天要想处置谁，只有给他们一个暗示，那个人就非被定成谋反的罪名不可。

武承嗣、武三思等人又派他们的亲信到处散布谣言，说圣母皇太后要在最近召集宗室元老大臣到明堂朝见，届时将要进行大肆杀戮。

种种迹象表明，已经大权在握的武则天要对宗室下毒手，与其坐以待毙不如奋起反抗，宁可战斗而死，也不窝窝囊囊任人宰割。"骁骑战斗死，弩马徘徊鸣"，一些血性男儿暗自念颂着这两句诗句，准备用自己的血肉之躯保卫大唐江山，要战斗到流尽最后一滴鲜血。

当时唐氏王公散居各地，他们便相互联系，秘密通信，终于在这年八月举兵声讨武则天。

由于这些亲王都处在武则天间谍网的严密控制之下，未能真正联合起来。不到两个月时间，就被武则天全部平定。这给武则天大量诛杀宗室亲王提供了极大的方便。于是她便开始了一场血腥的大屠杀。凡是与此案有关的人都被杀掉，即使是无关的人，只要是武则天想杀，也都罗织到此案中，一并杀掉。这时的王公大臣，不是因为有罪而被杀，而是因为要杀谁谁就有罪。

杀谁还是留谁，太平公主一直是武则天的重要参谋。杀掉大批宗室王公后，开始进一步追查清理同谋者。这时，有人告发太平公主的丈夫薛绍和他的两个哥哥薛顗、薛绪都和首犯琅琊王同谋，在琅琊王起兵的时候，他们曾打造兵器招募兵丁。琅琊王事败后，杀其下属录事参军高篆以灭口。

薛顗当时是济州刺史，掌握一州之军政大权。而薛绍则一直和太平公主居住在洛阳，兄弟之间相隔千里之遥。如果说薛绍没有参与其事，恐怕也说得过去。但如果说薛绍是同谋，当然也无不可，谁让他们是亲兄弟。

最后定案，兄弟三人同罪。薛顗和薛绪要处死是毫无疑问的了。可薛绍必定是驸马，是太平公主的丈夫，所以在如何处理薛绍的问题上，武则天再次征求女儿的意见。在确定薛绍是有罪还是无罪的时候，武则天已经征求过一次女儿的意见了。

"平儿，你看对驸马该怎么办？"

"母亲，女儿不能以私情干涉国法，任凭母亲处置。"

"好。平儿深明大义，难能可贵。我明白了。"

薛绍因为是驸马，故还是沾了一点光，他的两个哥哥被斩首，他则被免于身首分离的厄运，没有处斩。只打了一百大杖，然后再拖回监狱里。

两个狱卒拎着薛绍两条胳膊如同是拽条死狗，把被打得皮开肉绽的薛绍扔进他自己的那个小号牢房，唾了一声而去。

薛绍从被捕的那一天起就没有抱活的希望。他两个哥哥的举动他并不知道，但他在感情上是支持两个哥哥及宗室王公的行动的。他早已受不了妻子的专横霸道，受不了被戴绿帽子而又毫无办法的窝囊气。但他真的没有参加任何活动，一被抓起来，他就预感到是妻子厌弃自己，要借机除掉自己。因为只要他还在世上，对太平公主就是障碍。妻子是什么人薛绍最清楚，为了权势地位和荣华富贵，她是什么事都干得出来的。

从昏厥的状态下清醒过来，薛绍感到浑身剧痛，口渴得要命，低声呻吟着："水……水……"可哪有半个人影？只有秋虫的唧唧之声。薛绍什么都明白了，他不再呻吟，也不再要水，闭上眼睛，静听秋虫的悲鸣。

这时，太平公主正在武攸暨的被窝中，尽情地享受着偷情的欢乐。

"平儿，我是真心喜欢你，可咱们俩也不能总做露水夫妻啊！"武攸暨在接受太平公主一个吻后说道。

"暨，你不必着急。旧的不去，新的不来。驸马已被投进大牢，他活不了几天。我很快就是你的人了。"太平公主非常自信。

"你现在不已经是我的人了吗！我不是着急，而是想有一个名分。"

"你不就是也想当驸马吗？可你那个黄脸婆怎么办？"

"好办，就像你说的那样，旧的不去，新的不来。这事不用你操心。"二人又亲亲密密地说了许多悄悄话。

次日中午，薛绍再度从昏迷中醒过来。他感到饥肠辘辘，饿得两眼冒金星，他多么渴望有人能给他送点饭啊，可这竟成了奢望。他眼巴巴地看着日头又向西斜去，落下，别说送饭，连半个人影也看不到。夜深了，又响起了秋虫的唧唧之声。三天后，薛绍死在狱中。

政局平定，再要驸马

巨大的佛像高达240尺，白花花的银子从天而降，武则天就要由人变佛，可太平公主依旧非常世俗，竟再次提出"要驸马"的请求。

在平定宗室王公的叛乱后，武则天的心情轻松了许多。她更加感到自己不可战胜，她要向天下百姓再次展示一下，改朝换代是上天的意旨，她的权力是上天授予的，她要感谢上苍的恩赐。

一个极其隆重的盛大典礼在"宝图"出水的地方举行。武则天身穿龙袍，头顶紫云金凤冠，肩披缀满珍珠的霞帔，足蹬坤式凤靴，神采奕奕，精神焕发，手执金爵，向上天祷告。身后是皇帝和太平公主，再后面是皇太子。

皇帝就是睿宗李旦，虽有皇帝之名，但形同被软禁的囚犯，大气不敢出，大声不敢吱，唯唯诺诺，窝窝囊囊。不过，也正因为这样，他才保住了性命。而武则天一直未把李旦和流放外地的原皇帝中宗李显杀掉，一个是出于母子之情，一个是她政治的需要。因为只要这两个儿子还在，还担着皇帝的名分，她就是在为李氏管理天下，谁要造反的话，就是造李唐王朝的反。

和这个队列有一段距离，就是文武百官的队列。朝廷中五品以上官员都奉旨出席，各国驻唐大使、国内各少数民族的首领人物也都前来助兴，站在各自的位置上，一个个腰板笔直，精神抖擞，用非常羡慕的目光仰望着这位充满神奇色彩的圣母神皇的一举一动。

祭案上，陈列着无数的稀有水果和加工精美的美味佳肴。祭案的周围，罗列着许多难以见到的珍禽异兽。牺牲的香味随着气体的扩散向四周散发，祭案上的香烟盘旋上升，那气氛，确实令人肃然起敬。

这个大典，无形中给武则天的头上加了一个神圣的光环。她已经开始由人间强者的身份走向神坛，要变成神仙了。

拜受"宝图"的大典举行过不久，薛怀义负责督造的明堂也竣工了。明堂完全是按照设计的规模建成的，气势恢宏壮观，造型别致，充满了象征意蕴和神秘色彩。这使武则天由人变神又向前迈了一大步。

为了增加这座建筑物的神秘色彩，武则天给它起了一个充满宗教色彩的名字，叫"万象神宫"。薛怀义也因此被封为"左威卫大将军梁国公"。

在万象神宫的后面向西，又修建一处更高一层的天堂。这是佛教的极乐世界。从天堂的第三层便可以俯瞰万象神宫的全貌。天堂里有大佛像，佛像是用木头为骨架，用麻为肉做成的。佛像非常雄伟壮观，高达250尺，一个小手指上就可以并排站立四个人。这在当时的世界上，也是极为罕见的。

一进万象神宫，有一种庄严肃穆的皇权神圣的氛围，令人不禁油然而生一种对圣明君主的敬畏感。一进天堂，则有一种宗教意味的神秘色彩，令人产生一种对神明威严的虔诚的敬畏感。

武则天先在万象神宫中接见群臣的朝拜，是俗世中的皇帝。下朝后，她到天堂去，那个高大的佛像仿佛是她的化身，她的头顶上又罩上了活佛的光环。她权高位宠，一手遮天，雄视天下，饱享着人与神佛双重尊荣的幸福。在这权势、地位、金钱、名声、肉欲都得到极大限度满足的时候，武则天已经达到人生尊荣的顶点，她有些自我陶醉，骨软筋酥了。

这时候，武则天当然感谢薛怀义。是这个壮大的男子给了她多方面的满足，不但在生理上，而且在心理上都使她感到无比的愉悦。她要给他回报，这就是在晋封国公荣爵的同时，也给他无数的赏赐，国库中的金银任凭他随意支取，随意抛舍。

这年正月元宵节时，武则天神话自己的活动达到了最高潮。由大和尚梁国公薛怀义主持佛教的"无遮大会"。宫殿外面集聚了成千上万的善男信女，都来沐浴佛的清光，等待承领佛的赐予。

见此盛况，薛怀义异想天开，马上命人从国库中提出 10 车白花花的银子。命人搬上城楼高处，一大把一大把地撒向人群。善男信女们一下子达到狂热的高潮，不分男女，不分贵贱，不分老少，不分贤愚，在银子面前人人平等，在机会面前人人平等，都开始拼命去接去抢这由佛赐予的从天上掉下来的银子。一切信仰、道德、正义都被这实实在在的白花花的银子冲击得歪歪扭扭，变了形态。

武则天的尊荣达到了极点，武则天和薛怀义的恋情也达到了极点，薛怀义的地位和权势更达到了极点。

一时间里，薛怀义狂得不得了，仿佛也飘飘欲仙了，披着紫缎紫绸的方丈袈裟，昂首阔步，走在朝堂之上，接受文武百官的朝拜。那种得意的神态，令人气愤而又无可奈何，别说是大臣，就连武承嗣、武三思这样的武姓亲王，也对薛怀义毕恭毕敬，低声下气，为他牵马拽蹬。尤其是武承嗣，比儿子孝敬老子还有过之而无不及。确实，凡是谄媚薛怀义的人便可沐猴而冠，穿紫戴金。社会现实的无形教育比任何道德说教都有征服人心的力量。

对武承嗣和武三思的媚态，太平公主很瞧不起，武则天也是表面上喜欢内心里有些反感。但薛怀义却高兴得不得了，总在武则天面前夸奖这两个不算是正规的但比正规的还要亲上百倍的妻侄儿。

武则天心满意足，终日处在昏昏然的温柔乡中。上午在万象神宫中当皇帝，午后和夜晚在天堂中当活佛，还有薛怀义专职陪伴，过着半人半神的生活。

一天，刚回到天堂的内殿，太平公主就来了。几句话后，太平公主直接道："母亲，您现在享受着无比的尊荣和幸福，也应当为女儿想一想了。"

"平儿，这段时间为娘太忙，你也知道。你也跟着出了不少力。天下刚刚稳定下来。你有什么事，有什么要求，尽管说，娘一定给你做主。"

"母后，驸马已经死两个多月了，女儿一直独守空房，也太冷清寂寞了。您再给女儿一个驸马吧。"太平公主恳求道。仿佛武则天是个"驸马公司"，随便就能生产几个驸马出来。

"好，你说吧，你想要谁做你的驸马。"武则天是明知故问。她心中暗笑，这丫头，还跟我兜圈子，这些日子你哪一天独守空房了？瞒得过别人还瞒得过我吗？我非要你自己说出不可。

"我——我要您的侄子武攸暨做我的驸马。"太平公主略一迟疑，但马上就非常果断地提出了明确的驸马人选。这才是太平公主的风格。

"可是，武攸暨已经有妻室了啊。"

"那我不管，我就要他做我的驸马。别的事我都不管，请母后做主。"太平公主拿出势在必得的架势。她知道，现在是母后最高兴的时候，事也最好办。

"好！娘答应你，谁让娘就你这么一个宝贝女儿呢！"

一天后，武攸暨的妻子就不知吃错了什么东西，浑身抽搐，七窍流血死了。又过几天后，武则天为太平公主和武攸暨举办了比较隆重的婚礼。武攸暨成了太平公主的第二任驸马，成了武则天的门婿。太平公主成了武攸暨的第二个妻子，成为武则天的侄媳妇。从武则天这里论，两个人都获得了双重身份，在整个朝廷的政治生活中，无形中都提高了很大的分量。

太平公主和武攸暨早已做了很长时间的秘密夫妻，不需要任何的磨合就非常和谐。他们俩的结合对武承嗣和武三思构成很大的威胁，故这两个人对太平公主又怕又恨又无可奈何。

经过短暂休整后，武则天要开始进行改朝换代的最后步骤了。因为现在天下大权虽然在自己手中掌握着，但自己的身份还是圣母皇太后，皇帝还是自己的小儿子李旦，天下还得叫"唐朝"。

她不甘心如此，她已经是过完66岁生日的人了，尽管说自己是佛的转世，尽管群臣们终日喊"万岁万岁万万岁"，但她知道，属于自己的时间毕竟不会太多了。要实现这一目的，她还要付出很大的努力。果然，就在她将这一计划付诸实践的过程中，发生了一件令她本人都触目惊心的事件。

欲立武周，不择手段

为了改朝换代，武则天无所不用其极。新朝"武周"之名来得蹊跷，两个儿媳拜见她后就神秘失踪，更是蹊跷。

武则天早已经把改朝换代的一切计划都拟定好了。为了提高自己家族出身的地位，她挖空心思地想在历史上寻找一个姓武的名人，然后把自己的家族挂靠在这个族谱上。可翻遍史书和氏族志也找不到一个这样有分量的人物。最后，她索性来个创造，周武王中有个"武"字，干脆就把他认作是自己武姓家族的始祖吧。

周武王建立的周朝是中国历史上存在时间最长的一个朝代，所以她拟定自己将要建立的这个新朝代就叫"周"，表示自己是从周武王那里继承下来的。

周武王叫"姬发"，姓姬而不姓武，周武王的儿子孙子也没有姓武的。这是一般的常识，武则天是明知道的。但她不管，只要是对自己改朝换代有利，一切都无所谓。

武则天非常清楚，她目前的最大障碍还是李唐宗室的力量。"李唐"力量不彻底打垮，"武周"天下就难以稳定，即使是勉强建立了也难以巩固。不彻底除旧，很难布新。所以她要在前次打击宗室力量的基础上，继续实行恐怖政治，把李唐宗室的力量完全打垮，使其没有还击的能力。

她继续利用酷吏周兴和来俊臣这些鹰犬，屡兴大狱。告密之风大盛，有儿子告发父亲的，有妻子告发丈夫的，更多的则是奴仆告发主人。社会风气大坏，人人自危。

宗室王公不断被诛杀。连武则天的两个亲孙子，原太子李贤的两个儿子，也因有人告密说他们俩对父亲之死不满而被用鞭子活活抽打至死。

政治恐怖笼罩全国，许多大臣在上朝前都要和妻子有一番生离死别的伤心话。"我今天下朝若是没有按时回来，就肯定是被周兴、来俊臣他们罗织进去了，你们也不必悲伤，到时候给我去收尸就行了。"话后，大臣和家人都是一行眼泪。在这个时候，所有大臣下朝后，都要马上回家报个到，表明自己今天还没有被抓起来，然后再去办别的事。

武则天仿佛是个刚刚分娩的雌虎要保护刚刚来到世界的幼崽一样，虎视眈眈地注视着周围的一切，宁可咬死许多无辜的人，也不许任何人走近幼崽一步。这个幼崽就是即将诞生的武周政权。她已经达到神经过敏的程度，看谁都像是要造反的人。

对被废弃贬谪在外的庐陵王李显，她百般防备，屡变贬所。使庐陵王和他的妻子韦妃饱尝颠沛流离之苦。一次，在迁移途中住旅馆的时候，韦妃生下一个小女孩。当时连一块像样的襁褓布都没有，庐陵王只好脱下自己的外衣把这个在苦难时期来到人间的小生命包裹起来。

看到女儿刚来到人世就跟自己受苦，李显暗暗下决心，一旦将来自己有发达的那一天，所欠女儿的一定要加倍补偿。为了纪念这个艰苦的时期，他给女儿起名叫"裹儿"，私下里拟定将来再当皇帝的时候，这个女儿就叫"安乐公主"，让她这辈子永远安乐。

对另一个儿子李旦，武则天没有过多的防备，因为他生性懦弱，胆小怕事，而且就在宫中，在自己的眼皮底下，是不会出现问题的。但偏偏出乎武则天的意料之外，李旦还真的出了问题。

武则天进行恐怖政治，有两个法宝，一个是酷吏，一个是间谍。而她的间谍网是由内向外的。越是她身旁的人她越信任。她有一个心腹侍女叫团儿，为人机灵会来事，颇受武则天的宠信。是她告诉武则天说得到可靠信息：皇帝李旦和他的两个妃子对武则天很不满，背后说过怨恨的话。

李旦的两个妃子一个姓刘一个姓窦，窦妃就是唐明皇李隆基的亲生母亲。后来被追封为德妃。这两个人都很贤淑知礼，没有任何过失，一天进宫朝拜武则天后就没有再回来，神秘地失踪了。

两天之后，皇帝李旦连问都不敢，一句话也不敢说。什么叫"噤若寒蝉"？这就是，李旦对妈妈是真怕啊！武则天还是有些不放心，就在自己的偏殿中摆设一桌御宴，请皇帝李旦前来赴宴，并把宝贝女儿太平公主也请来。

李旦不敢不来，酒宴间气氛还是很和谐的。武则天对身旁的一儿一女非常关心，嘘寒问暖，并不时地用眼睛的余光观察李旦的表情。整个一顿酒席将要吃完，李旦神态自然，对母亲很亲切，看不出一点不亲切的味道，更不要说不满了。

李旦经受住了武则天当场的心理测试，但他不知道，母亲对他的疑心并没有因此而消除。当李旦在这里吃喝演戏的时候，他的几名贴身的近侍正在来俊臣的大堂里受着酷刑。

前文提到过，来俊臣和索元礼、周兴是武则天时最著名的三名酷吏。为了催逼所谓的"犯人"招供，他们用尽一切灭绝人道的酷刑，许多人一到他们的大堂，马上就不寒而栗，胆小的马上就会尿裤子，让招什么就招什么，让怎么招就怎么招。

武则天在把儿子叫来的同时，已经安排来俊臣到东宫把李旦的几名最贴身的近侍逮捕，带到大堂审讯。双管齐下，一定要把儿子有不满之意、不臣之心的情况审出结果来。

在李旦来前，太平公主先到。太平公主对母亲的做法也有些不理解，尤其是在对待七哥和八哥的态度上。她想凭母亲对自己的宠爱和信任劝一劝，就试探着安慰武则天道：

"母后，八哥您还信不过吗？我看八哥绝不会有……"

"你懂什么？这种事不要跟着插嘴，你就在旁边看就行了。"那表情如同是秋天的严霜，那语气，如同是锋利的锥子尖，武则天第一次对太平公主这么严厉。太平公主忙把后半句话咽了回去。

看到八哥从容的神态和母亲慈祥温和的表情，太平公主的心情轻松下来。正在这时，忽然有一个小黄门匆匆忙忙走进来，把嘴贴在武则天的耳朵边嘀咕几句。只见武则天眉头紧蹙，吩咐道："快！快！把他抬到我的宫里，去传御医进行紧急抢救，无论如何也要保住他的性命。"说罢，武则天有些魂不守舍地站起来，向李旦挥了一下手，说："你先回去吧！"

李旦唯唯诺诺地退了出去。武则天吩咐太平公主道："跟我到后宫去。"
到底发生了什么事呢？太平公主一片茫然。

开膛破肚，以证清白

剖开自己的胸膛，露出自己的内脏，用自己心脏的鲜红来证明自己主人的清白，这才避免了一场大冤案。侠肝义胆，光照史册。

这是绝对不可能有第二次的破天荒的事，一个剖开自己腹部，肝肠五脏都大白于光天化日之下的年轻人被抬到武则天内宫的外间屋里，几个水平最高的御医也都连跑带颠地赶来，对这个年轻人实行紧急抢救。

原来，这个年轻人叫安金藏，京兆人。他也不是什么高贵的人物，就是皇帝李旦的几名贴身近侍之一。在很长一段时间里，所有的文武大臣都不能见到李旦的面，只有四个近侍，也可以说是四个男仆，分成两班倒，负责李旦的饮食起居。李旦的一举一动都无法逃过这四个人的耳目。

李旦到武则天这里的时候，这四个人就被押解到来俊臣的大堂进行审问，要从他们的口中套出皇帝李旦有谋反意图的口供。因为本来没有一点迹象，四人当然不承认。来俊臣命打手上刑，有人挺刑不过，就要招认。

如果有人一招认，在酒桌上的皇帝李旦马上就会被拘捕。在这万分危急的关键时刻，安金藏义愤填膺，向来俊臣请求道："来大人，小人敢用自己的身家性命来保证皇帝绝无半点反心。"

"你怎么证明？"来俊臣冷酷地问。

"我宁可剖开自己的胸膛，让你们看一看我的心是不是红的。我的心如果是红的，我的主人就没有反心。"刚刚二十出头的安金藏说话干脆利落，斩钉截铁。

"扔给他一把刀。"来俊臣那冷酷的声音。

"哐啷"一声，一把牛耳尖刀扔到安金藏的脚下，几双怀疑的目光看着他。

安金藏拿过牛耳尖刀，向着东宫的方向喊了一声："皇上，奴才为您尽忠了。"说罢，一咬牙，把牛耳尖刀插进自己的胸膛，往下一划，立刻出现了触目惊心的场面：整个腹部被划开，安金藏倒在血泊中，从腹腔中冒出一股热气，肠子淌了出来，整个五脏六腑都露出来了。

整个大堂的人一下子惊呆了，空气仿佛凝固了，来俊臣无论多么残忍，也是人，他从来未见过这种场面，怔愣一瞬间后，马上明白过来，命打手们停止用刑，一边派人飞跑去把这种情况汇报给武则天，一边派人去招御医前来。

安金藏的肠子等内脏被紧急赶来的御医放了回去，并进行了紧急的止血措施，伤口被御医用桑树皮线缝合好，伤口处敷上最高级的消炎又止痛的红伤药，静静地躺在武则天内宫外间屋的床上。他的呼吸逐渐恢复了正常，生命好像没有问题，但就是一直处在昏迷状态醒不过来。

这天夜晚，武则天没有让薛怀义到自己的内宫来，而是由太平公主陪着她。安金藏的行动使她受到强烈的刺激，她被这样的侠肝义胆所感动，也为儿子的委屈所内疚。她隐隐感到自己有些事过了头，两个儿媳看起来也可能是冤枉的。如果没有安金藏的壮烈之举，说不定自己可怜的小儿子李旦已经被投入了大牢。这时，她的内心又出现二儿子李贤死前写的《黄台瓜词》："种瓜黄台下，瓜熟子离离。一摘使瓜好，再摘使瓜稀。三摘犹为可，四摘抱蔓归。"她从内心里感激这个年轻人，她一定要等他醒来，亲自向他表示敬意和谢意。

第二天黎明，安金藏从昏迷状态中清醒过来。武则天亲自来到床前。

见武则天来到，清醒过来的安金藏用十分微弱的声音说道："皇帝……决……无……反心。"武则天深受感动，叹了一口气安抚道：

"朕知道了。你真是个义士，我自己的儿子却不能自明，让你受这么大的罪，真是难为你了。"

武则天传旨：停止对皇帝近侍的审问，全部释放。李旦这才免于此难。事后，武则天经过调查才知道是团儿曾经向皇帝提出一些无理要求遭到拒绝，故怨恨在心，挑拨皇帝妃子的侍女进行诬告。武则天把团儿和诬告的侍女一并处死。这件事算是有个了结。

安金藏的事件使武则天受到很大触动，从此，政治恐怖的气氛略微有些缓解。武则天见改朝换代的时机已经成熟，便安排僧人法明炮制一部《大云经》，说圣母皇太后是弥勒佛转世，应该代替唐朝为阎浮提主。

武则天命将此经书颁布天下。接着侍御史傅游艺上书请改唐为周，换天下。紧接着就是文武百官、宗戚、百姓、各族君长、僧人道士等各方面的代表人物六万多人连名上表"劝进"，一片至诚，请武则天当皇帝，君临天下。

在这种情况下，武则天登上则天门楼，正式宣布：改唐朝为周朝，自己称"圣神皇帝"，改元为"天授"，以皇帝李旦为皇嗣，即皇太子，但改姓为武，叫作"武旦"。现在乍一听来容易误认为是戏班子里演武打戏的演员，那可就属于望文生义，谬之千里了。武氏诸子均封王爵，立武氏七庙。

从这一天起，唐高祖、唐太宗辛辛苦苦打下的江山就改变了名号，由姓李而改为姓武了。这一天，便是武周天授元年九月壬午日（初九，公历690年10月16日），实际也就是重阳节，武则天很会选日子，重阳节是双阳之日，是古代非常重视的节日。

武则天已经达到了目的，她的权势荣耀都达到登峰造极的程度。她为了给自己的情夫薛怀义的脸上贴金，竟让这个根本没有一点军事常识的和尚当统帅带十万大兵去攻打突厥，至紫河不见敌人而返。接着又派他带兵去攻打骨笃禄。武则天以为，这样可以提高薛怀义的威望，万没想到这样做的结果却造成了无法弥补的遗憾。

酒后放火，烧毁大佛

"好心未必有好报"，武则天为提高薛怀义的社会名望而让他带兵在外，却使薛怀义产生怨恨情绪，并做出一件惊天动地之事。

薛怀义带兵在外几个月，饱享富贵的武则天如何能耐得住寂寞，她已经一天也离不开男人了，就像好色的皇帝一天离不开女人一样。于是便又召幸御医沈南谬。沈南谬在房中术方面也有相当的实际本领，虽不如薛怀义，但也不是一般的水平，而且他还有很高的理论水准，能从理论方面给武则天一些开导。更可贵的是他能配制一种春药，可以极大地增强人在房事时的能力和愉快的感觉，这方面他比薛怀义就强多了，有明显的优势。

　　如果全面比较衡量的话，他的综合考评还是要高于薛怀义的。而更主要的是薛怀义两个多月不在京师，所以沈南谬就取代薛怀义而得到武则天的宠幸。

　　薛怀义回来后，发现武则天对他的态度有些冷淡，远不如从前。心中好生不快。但他还不知道沈南谬取代自己的情况。幸亏在这段时间里，太平公主偶尔还和他幽会求欢一两次，他的心中才稍微找回了一点平衡。

　　太平公主并不是要对自己的母亲横刀夺爱，而是见武则天冷淡了薛怀义，怕这个天不怕地不怕的大和尚做出一些过分的事来。另外她也确实很喜欢这个大壮和尚的那种野劲，故就趁武则天冷落他的时候，加强了和他的那种关系。

　　太平公主和薛怀义搞在一起，当然也有加重自己在母亲心中分量的企图在内，但更主要的因素则非常简单，那就是肉欲上的满足。

　　薛怀义觉得，可能是武则天年龄太大，对那方面的事已经不感兴趣，太平公主刚刚三十岁左右，是个年轻貌美的少妇，到底比武则天更有韵味风情，女儿替母亲来满足自己的欲望，也算够意思，故他对武则天还没有太大的意见。

　　后来，薛怀义听说了武则天宠幸沈南谬的事。这下他可有些受不了了，他感到自己被人耍弄，被人冷落，不由得醋性大发，回到白马寺中，在他那个奢华的寮舍中，喝了几大碗烈性酒。酒后，他本来就大的胆子更大了，借着酒劲就直接往天堂而来。

　　由于他的特殊身份以及和武则天的关系，没有人阻挡他。他坐在那尊250尺高的大佛像下面，越想越憋气。感到武则天给自己戴了绿帽子，一想到在这个时候，武则天可能和沈南谬正在舒适的御床上寻欢作乐，他就像有万箭穿心一样难以忍受。他仰望了一眼面前这尊高大的佛像，心里暗暗骂道：什么活佛，你那点事我什么不知道。你和普通的妇人没有什么两样。现在你有了新欢就忘了我，我也不能让你得消停。

　　想到这里，薛怀义怒从心头起，恶向胆边生，打开大佛像后面的那个一般人根本不知道的小门，猫着腰钻了进去。摸着黑从腰间取出火镰，打着火，点着里面装的一些木头和干麻等修建大佛时剩下的废料。这些都是易燃之物，如今被这位大和尚废物利用，成了引火的好材料。

火起烟生，薛怀义呛得难受，"咳咳"咳嗽了几声，连忙钻了出来。把小后门轻轻掩上，心中暗自高兴，便心满意得地离开天堂，回到白马寺，也就是很多百姓所说的国公府，等着看天堂着大火的热闹去了。

因为火是从里面点的，里面又全都是易燃品，一旦着起来就没个救。等外面有人发现火光的时候，整个大佛已经不是什么"活佛"的象征，变成一个实实在在的"火佛"了。这天夜晚还有五六级西南风，火借风势，风助火威，火光冲天，照亮了整个洛阳城，如同白昼。

由于天堂紧连着万象神宫，万象神宫也是土木建筑，一并着起火来。火苗子一蹿几丈高，两座高大的建筑物在火光中渐渐坍塌。那个高大的佛像也在火爆声中裂为几截倒下了。

大火整整烧了一夜，虽然也有人救火，但风太大，凭当时极其落后的救火设备根本不起什么作用。最后只能是紧急抢救保护周围的宫殿，放弃了万象神宫和天堂。花费无数金银和百姓血汗的两座巍峨壮观的大建筑物，就这样被薛怀义因为争风吃醋而一把火烧光，片瓦无存。

武则天明明知道是薛怀义放的火，但觉得一旦公开有失体统，便说是在天堂里劳动的工人干活时烧残剩的东西不慎失火，引起了火灾。但这件事加剧了武则天和薛怀义的矛盾。

武则天几次下密诏召薛怀义进宫，可薛怀义就是以种种借口不来。武则天一生第一次遇到如此棘手的事，感到有些为难了。这时，她想到了心计极多的女儿太平公主，派人把她召进宫来商议对策。

担心祸患，深居简出

薛怀义像一只狡猾的狐狸，武则天怎么引诱他也不出洞。可当他接到一人的密约时，就仿佛是狐狸见到了一只肥鸡般垂涎三尺，马上如约前去。

"自己刀削不了自己的把"，是说人在遇到一些特殊性质的难题时，自己往往束手无策。武则天此时就处在这种尴尬的境地中。

薛怀义自从放火烧掉天堂和万象神宫后，也知道犯了大罪，武则天是不会轻易放过他的，所以加强了戒备，不轻易一个人出门上街。在白马寺中他还花重金豢养了一批忠实于自己的奴仆。

两个多月的统帅生活也使他掌握了不少保护自己的本事。他精心训练了30名亲兵。这些人在他的府中享受特殊待遇，故也就死心塌地地为他卖命，只听他的调遣和命令。仿佛是家中豢养的鹰犬，只看主人的眼色去追捕猎物，而从来也不考虑什么是非对错。

薛怀义的住宅修建的也很坚固，几乎占了白马寺的一半面积。又有数不清的金银供他挥霍，失去武则天的宠爱，他照样可以拥有女人。于是，他派爪牙到市井和烟花柳巷中再弄几个年轻貌美的女子来供他享乐。反正他有的是钱，可以任凭他挥霍。他干脆就把白马寺的大门一关，在这个小天地里尽情地享受起来。

武则天连续几次派内侍传密诏召他进宫见驾，薛怀义就是不去。武则天对薛怀义也确实有感情，一阵子还真有些想。

其实，当时武则天传密诏的本意并没有想杀他，只是想要采用恩威并用的手段，等和他重续旧欢后再用软硬兼施的话语告诫他一番，以后不要再胡来，要考虑后果。

薛怀义自有薛怀义的打算，他知道武则天虽然冷落他，可还不至于对他下毒手。但他很了解武则天的为人，这人可是心狠手辣，说翻脸就翻脸，什么样的事都干得出来。他也有些害怕，所以还是不自投罗网为好。

后来他听说朝廷方面解释说天堂失火是由于工人劳动时不慎引起的，他的胆子更大了，他琢磨出了武则天为何这样做的原因。反正你武则天也不敢在光天化日之下，公开宣布我的罪行，然后派御林军把我抓起来杀了。那样，对你武则天更没有任何好处。我薛怀义本来就是个无业游民，能混到今天这个份儿上，也心满意足了。"光脚的不怕穿鞋的"，我怕你个啥，活一天享受一天，"今朝有酒今朝醉"，管他明天日头还出来不出来呢。这就是薛怀义的哲学。

"鬼怕恶人"，讲理的人怕无赖。"秀才遇着兵，有理说不清。"薛怀义和武则天耍起无赖来，武则天还真的没辙了。薛怀义深居简出，出门时又前呼后拥地带着十几个狗腿子，一般人还真难以接近他。就这样，薛怀义平安无事，过了一个多月的开心日子。他的警惕性也就渐渐放松了。

一天，薛怀义接到太平公主的密邀，请他在第二天午后未正时准时到瑶光殿去，她在那里等他，不见不散。最好是一个人秘密前去，以免惊动了别人。

"未正"是指未时正中间的时候，其实就是我们今天所说的午后两点钟。古人把一昼夜的 24 小时分为 12 个时段，每个时段算一个时辰。按照十二地支的顺序排列，即子、丑、寅、卯、辰、巳、午、未、申、酉、戌、亥。子时是从相当于现代的上半夜 11 点开始，到下半夜的 1 点结束。11 点称作"子初"，12 点称作"子正"。1 点开始就是丑时，即"丑初"了。依此类推，十二个时辰所表示的具体时间就可以推算出来。

瑶光殿是后宫中御花园旁的一个小殿，是专供住在这里的帝妃游园疲乏时临时休息的场所，比较僻静。一见"瑶光殿"三个字，薛怀义立刻涌现出一种幸福感，当年的情形又出现在他的脑海中。

具体时间记不太清了，只记得那是个仲春的午后。自己与下朝归来的武则天拥抱上床，一阵颠鸾倒凤的狂热的欢爱之后，武则天甜蜜地醺然入睡。一个六十多岁的老妇人处理了一上午的朝政，回到后宫，又是一阵狂热的欢爱，心理和生理都处在疲乏的状态下，也真够辛苦的了，故她睡得非常深。

薛怀义是个闲人，终日无所事事。这么点劳动量对他来说根本不在话下，他只是眯着眼睛打个盹儿就精神了。他本来就不是个稳当客，也趴不住，就悄悄爬起来，穿好衣服溜出门来。

薛怀义进宫好几次，每次来都是有人领着，偷偷摸摸地进来，然后再偷偷摸摸地出去，只是到过武则天的那一个宫殿，并没有游览过后宫的全景。今天得了这个机会，他怎肯轻易放过，就一个人信步向后面走去。

转到后边，薛怀义突然发现，嗬，好大的一个院落。院子里还有一个花园。他信步走进花园。只见绿荫掩映，曲径通幽。花圃中百花齐放，争奇斗艳，蝶舞蜂忙。青草的芬芳和花的清香随着温和的轻风透进人的肺腑，立刻感到神清气爽。薛怀义哪见过这种美景，他被陶醉了。

再往前走，还有一个好大的水塘，里面有许多珍禽在游玩，一对对的鸳鸯雌雄相随，亲亲密密。薛怀义扶着栏杆欣赏着这里的美景。见池水清澈见底，里面有无数金鱼在自由游动，各式各样的颜色、形态，在日光的映射下闪现出不同色的光亮，真是美不胜收。

正看得入神的时候，忽然听到有女人的笑声。他抬头一看，在距离自己不远的地方，有一个不太大的宫殿，宫殿门口站着一个人，正在朝自己笑。

那是一个公主打扮的美人，体态苗条而不纤细，容貌秀媚而不妖冶。头上是最时髦的高高隆起的反绾式发型，身穿乳白色半透明的高级丝绸制作的袒胸襦，披着淡青色的纱巾。宽额头，大眼睛，樱桃小口，袒胸襦露出白皙的酥胸，那举止，那神态，亭亭玉立，恰如出水之芙蓉，又如初升之朝日，不像是人间的女子，简直就是九天仙子临凡。

薛怀义觉得有些眼熟，但一时想不起在什么地方见过。他本是个好色之徒，见美人是有一个爱一个。一见这女子，立刻心猿意马，马上就起了邪念，也朝那女子笑道："美人好生面熟，不知在哪里见过。"

那女子又朝他嫣然一笑道："冯上人真是好记性，怎么连我都不认识了。我是太平公主啊。"这时薛怀义还没有改名，还叫冯小宝，故太平公主这样称呼他。"上人"是唐朝对和尚的称呼，因为冯小宝这时是以和尚身份出入宫禁的。

"噢——对，是太平公主，想起来了。"冯小宝摸摸自己的秃脑袋笑着，接着问："公主怎么在这里？"

太平公主又嫣然一笑，甜丝丝地道："到这里等你来了。"

"等我？那好。那好。"冯小宝拍拍秃脑袋，有点受宠若惊的样子，说着一边试探着往太平公主前边凑，一边注意观察太平公主的反应。

太平公主又是嫣然一笑，不但没有躲，反而道："咱们到里边休息休息吧！"

"咱们"，冯小宝听这两个字特别亲切，立刻产生一种异样的感觉。他怀着企盼、犹疑、渴望、多少还有点忐忑不安的极其复杂的心情随着太平公主进了这个陌生的地方。

母女密谋，处死祸患

"人有旦夕祸福，马有转缰之病。"薛怀义目空一切，狂得发疯。可当他满心欢喜地去赴秘密约会时，却遇到意想不到的情况。

这是一个非常清静幽雅的所在，里面有现成的一张双人床，因为这个宫殿的功能就是供帝妃游乐疲乏休息的，所以供睡觉用的床铺，供人坐的胡床，几案等应有尽有。冯小宝哪知道这个美妙的去处，进殿之后，觉得又开了一次眼界，心中暗想：后宫中是真好，怪不得人们都愿意当皇帝，这样的日子过一天也知足了。

进去之后，太平公主把门轻轻一推，她的随身丫鬟早已到外面守门去了。太平公主先往床上一躺，斜歪着身子，对着冯小宝嫣然一笑，说："来，到床上歇一会儿吧。听母后说你的床上功夫特别强，我也想试一试，看看你到底有多大本事，你还行吗？"

冯小宝巴不得有这种事，乐得咧开大嘴合不拢，连忙答应道："行！行！行！太行了！包你满意，包你满意！"冯小宝急忙脱衣服上床……

完事出门的时候，太平公主才告诉他，这里叫"瑶光殿"，以后再幽会就到这里来。并约定好以后幽会的联系办法。从此，薛怀义和太平公主幽会求欢基本上都是在这里。

"瑶光殿"曾经给薛怀义带来无限的幸福与快乐，所以一听到这三个字，马上勾起对往事的回忆。一想到第一次幽会求欢的幸福温馨情景，他的心中就涌动起一种莫名其妙的冲动。

还真别说，薛怀义真的有些想念太平公主了。如今恰巧是她来约自己前去，旧的地点，旧的时间，旧的路径，旧的床褥，旧的美人，一切都是旧的。薛怀义要去重温往昔的旧梦。他习惯地拍了拍自己的大秃脑袋，自言自语地说："去！去！去！一定得去！一定得去！"

一旦心中盼望某个时间快点到来，时间马上就显得特别慢。薛怀义好不容易才熬到次日午后，他带了四名武功好的贴身保镖，到后宫北门外，嘱咐四个保镖在门外的一个小茶馆中喝茶等候，他到宫里遇到什么麻烦，如果能够跑出来的话，这四个人要进行接应，保护他安全回去。四个人领命在那个指定的小茶馆里喝茶。略微提前一小会儿，薛怀义从后宫北门进来，又进一道门，绕过武则天专住的那个宫殿，从侧面的一个小门悄悄溜进御花园，按照熟悉的路径向瑶光殿走去。但他也不知为什么，总觉得有点不对劲，心总是"突突突"地跳。他像个小偷似的，一边心惊胆战地试探着往前走，一边仔细观察御花园中的动静。

一切都和平时一样，只有几个宫女在打扫这里的卫生。照样是曲径通幽，照样是绿荫掩映，装点春光的蝴蝶照样清闲地翩翩飞舞，采集花粉的蜜蜂照样忙碌地来回奔忙。"没事，没事。"薛怀义自己暗自给自己壮胆。

当走到距瑶光殿还有十丈多远的时候，薛怀义看到，太平公主已经来了，又亭亭玉立地站在瑶光殿的门前，在向自己的方向看着。衣着照样是当时的打扮。头上梳的照样是最时髦的高高隆起的反绾式发型，身上穿的照样是乳白色半透明的高级丝绸制作的袒胸襦，肩上披着的照样是那条淡青色的纱巾。照样还是宽额头，大眼睛，樱桃小口，照样露出白皙的酥胸。

当两个人的目光相碰时，太平公主又是嫣然一笑，照样那么甜美，那么多情。她的身边只有那个贴身丫鬟。瑶光殿的门照样半开着，太平公主的微笑中似乎也照样含有焦渴的意味。在她那多情的目光中，似乎在招呼薛怀义：快点来啊！快点来啊！我都有些等不及了。

从薛怀义到瑶光殿前太平公主站立之处的距离也就八九丈了，甬路两旁都是一人多高的樱桃树。薛怀义一看太平公主那多情的眼神，心中的一切疑虑都烟消云散，不知不觉间便加快了脚步向前紧走，近似于小跑的速度了。因为他也很思念太平公主啊。

只差一丈多远就可拉到太平公主的手了，已经心猿意马的薛怀义光想好事，只顾看太平公主了，不知被什么东西绊了一跤。他的速度本来就有些快，摔跤的惯性也就大，再加上他的块头大，"咕咚"一声一个前爬，摔了个狗吃屎。

薛怀义还以为绊上什么东西了，刚要开口骂人。还没等他的嘴张开，说时迟，那时快，就在他趴下的同时，几条绳索一下子从两旁的树丛间抛出来，把他兜了个结结实实。

紧接着，从两旁樱桃树的后面突然冲出来三四十个宫女，那几名打扫卫生的宫女也都飞快向这里跑来，不知什么时候，手里的工具也都变了，不再是笤帚撮箕之物，而都是木棒。这些宫女个个手执木棒，横眉立目，完全没有了一点温柔，如同凶神恶煞一般，照着薛怀义就打。

这时，薛怀义才发现自己上当了，但求生的欲望促使他还存有一丝幻想，就哀求太平公主道："公主饶命，公主饶命。"

"停一下！"太平公主下了命令。雨点般落下的棒子停住了。太平公主柳叶眉一竖，怒斥道："秃驴，你今天是死定了，明年的今日就是你的忌日。你还有什么话就说吧！"

"这是为什么？"薛怀义这时可不横了，哀求着问道。

"你自己心里明白。不要问为什么，让你死你就得死！"太平公主一改往日的温柔与多情，变得十分冷酷。

薛怀义不再问，又来了驴脾气，破口大骂道："武则天，你这个老婊子，你卸磨杀驴，用不着我了。太平公主，你这个小婊子，你……"

"给我狠狠地打，往死里打！"因为薛怀义不是被押赴刑场的犯人，又来不及进行这道程序，所以他的口中没有被塞上那种专用的木球，故能够骂出声来。但太平公主不能让薛怀义再往下骂了，便及时地下达了打死的命令。两旁的棒子又像雨点般纷纷落下。

"老婊子，小婊子。老——婊——子，小——婊——子"薛怀义的声音越来越微弱，渐渐就没有声音了。太平公主命人把他翻过来，仔细一看，已绝气身亡。太平公主的脸上露出一丝得意的微笑。

薛怀义的尸体被送回白马寺焚化成灰。

原来，这是太平公主在武则天的授意下精心策划的一次行动。

武则天几次传密诏，可薛怀义就是不来。武则天很生气，多少也有些害怕。她倒不是怕薛怀义造反，而是怕薛怀义信口胡说。当初一个郝象贤就在大庭广众之下把她辱骂一番，但郝象贤所知道的还是表面现象，而薛怀义则不然，自己的所有秘密他都了如指掌，一旦这个粗人急了，到处去炫耀他的受宠，宣扬与自己在床上如何如何，自己神圣的光环岂不都化为乌有。有心找他来谈一谈，可他就是不来。除掉他吧，又不好大张旗鼓地公布他的罪行，何况定他个什么罪呢？

武则天把太平公主叫来，把自己现在的困难处境告诉了女儿。太平公主一听，告诉武则天只管放心，这件事她来解决，保证干净利落，不留任何后遗症。

回去后，太平公主命两名懂武术的宫中女官紧急培训四十名年轻伶俐的宫女，秘密教她们一些武功。待这些宫女基本上有了一些功夫后，她便精心策划了这次行动。

太平公主先命人到白马寺给薛怀义送密邀信，知道薛怀义决定前来，她心中大喜。命这些宫女事先埋伏在樱桃树的中间，又安排几名宫女打扫卫生，以此麻痹薛怀义。假如御花园中一个人没有，反而会引起薛怀义的疑心。下绊的绳索也埋在路面下的土中，没有一点痕迹，走路的人根本看不出破绽来。

把绳索和埋伏的人放在离瑶光殿很近的位置。太平公主觉得，薛怀义越是接近自己时，警觉性就会越低，而且也便于自己随机应变，对付突发情况。结果是一切都按照预想的程序进行，毫不费力就解决了武则天的一道难题。

第三章

韬晦待时

举荐二张，母亲欢喜

大彻大悟，另寻新欢

欲立太子，犹豫不决

尽情享乐，危机初现

张说坦诚，扭转局面

处死二张，太子登基

迁居软禁，太平膨胀

四面楚歌，太子危机

太子空缺，斗争激烈

举荐二张，母亲欢喜

"呦呦鹿鸣，食野之苹。"是说鹿重情义，当发现一片好的苹草时，就发出和谐动听的鸣叫声以招呼同伴来共同享用。这确是美好的品质。

除掉薛怀义，是太平公主一生中第一次成功的杰作。布置周密，干得干净利落，没有产生任何的枝节。帮助武则天解决了一大难题，在得到武则天进一步信任的同时，太平公主本人也增加了自信心。

可是，薛怀义死后，不但武则天经常有一种空虚感，太平公主也是如此，总觉得生活中缺点什么。这对母女的情感世界都如同是脱了缰绳的野马，在漫无边际的广阔的原野上奔驰，没有一点羁绊。再加上权势的保护和驱动，她们的行为就更加不受任何拘束了。

太平公主仿佛是一个急于捕获到猎物的猎手，急切地寻找着每一个目标。"功夫不负有心人"，不久，她真的又如愿以偿了。

那纯粹是一个偶然的机会，太平公主亲自到殿中省尚乘局去要一匹好马。太平公主爱骑马，也爱打马球之类的激烈运动。这一天，也不知怎么心血来潮，就仿佛是鬼使神差一般，她自己亲自到了殿中省的尚乘局，以前这种事情她只要打发一个人去就行了。

这是个主管左右六闲御马的机构。长官是尚乘奉御，从五品上阶。听说太平公主到来，尚乘奉御立刻亲自出来迎接。

太平公主昂首挺胸，一副高傲的样态，对跪拜在自己面前的这个身穿深红色官服的官员连看都懒得看一眼，只傲慢地说了声："免礼平身。"

这是古代皇宫中和官场里使用频率最高的词汇之一。

"谢公主。"声音很甜美。尚乘奉御谢罢起身,太平公主漫不经心地瞥了他一眼,突然觉得眼前仿佛闪过一道电光,她不由自主地重新把目光回到这个官员的身上,聚焦,仔细观看,她进一步证明了自己第一眼的印象:这是个天下少见的美男子。

看到太平公主那目不转睛的火辣辣的眼神,尚乘奉御显得有些难为情,粉白如玉的脸庞微微一红,眼睛下的两个面颊处出现十分诱人的红晕,这样就更美了。简直就是宋玉转世,潘安再生。

太平公主都有些看呆了,竟忘了自己来干什么,继续用两眼直勾勾地盯着那美男子看,只是沉思,并不说话。

那官员被太平公主看得有些发毛,不知是怎么回事,就恭恭敬敬地问:"不知贵主屈尊大驾光临敝局有何见教?"

"噢,也没什么具体事,随便走一走。请问奉御大人尊姓大名,仙乡何处?"太平公主搭讪着回答,并询问那位官员的姓名和籍贯。

"下官免贵姓张,贱名易之。太宗朝老臣张行成便是下官的族祖。"

"奉御大人今日午后如果无事,请过敝府一趟,有事与你商量。"太平公主从来也没有这么客气过,不但用了"敝府"一词表示谦称,而且还用了一个"请"字,这可是很少有的事。

"下官遵命。"张易之喜滋滋地回答。就这么简单,太平公主本来想到殿中省的尚乘局去挑选一匹好马,但在偶然中发现了张易之,便随机应变,把要马改成要人了。对于张易之来说,真是天上掉下来的馅饼。不,那可比馅饼要名贵多了。

唐代官员,早晨要上早朝。早朝后各自回到自己的衙门处理公务。公务如果不特别繁忙,一般到午后未时前后就可以回家了。

张易之直接来到太平公主的府中。太平公主早就在内室中盛装已待。见张易之到来,贴身丫鬟马上知趣地躲出去看守门户。

张易之早就听说过太平公主的为人,当时从眼神中就看出太平公主对自己是动了心。当太平公主让他来时,他就已经猜到了这种结果。

太平公主这次寻找猎物的目的比较简单,就是能够满足自己感官上的欲望。所以标准也就很简单,人要英俊。英俊与否可以直接看出来,属于面试。张易之的面试当然是合格了，否则他无法迈进太平公主府的大门，更进不了她的内室。

第二关是实际能力的测试，张易之又是极高的成绩，令太平公主非常满意。太平公主觉得，张易之的实际水平完全可以和薛怀义相媲美。而张易之是书香门第出身，举止文雅有风度，不像薛怀义那样粗俗不堪。看来人才还是有的，只要你能发现的话，太平公主常常这样想。

以后的日子，张易之经常到太平公主府中去鸳梦重温。时间一长，太平公主发现，这张易之还精通音律，尤其擅长吹奏横笛竖箫，能够横吹笛子竖吹箫，音乐天赋实在高。那美妙悠扬的笛声沁人心脾，令人陶醉。每当张易之吹笛的时候，太平公主就依偎在他的怀中，极度缱绻缠绵，极其温柔，如鱼戏水一般。沉迷在音乐的世界中。大有当年弄玉依恋萧史的情韵。

一曲终了，太平公主搬过张易之的脸使劲地亲着，又撒娇地说："五郎，你简直就是王子晋转世，是个仙人。我母后现在也很孤独清苦，不知你能否也去侍奉一下她老人家？"

"怎么，你有些不喜欢我啦？想把我推出去？"

"看你说的，我喜欢不喜欢你，你还感觉不出来吗？我也不情愿这样做，可我母后确实太需要有人关怀侍奉了。"太平公主非常认真。

"我是哄你玩儿的，看你还真认真了。我知道你喜欢我，还能这样做，足可证明你是有孝心的女子。我有一个两全其美的办法，既不用我亲自去，又可以尽你的孝心，不知你意下如何？"张易之多情地捏了一下太平公主丰腴的臀部道。

"有这等好事？快说，怎么办。"

"我有个弟弟，叫张昌宗，人长得比我英俊多了。人称'粉面玉郎'，刚过弱冠之岁。如果公主把他推荐给太后，太后一定满意，咱们俩也就不用分开了。如果太后不满意，我再亲自去，一定满足你的孝心就是了。"张易之真是聪明绝顶，也真够意思，不但替太平公主想得非常周到，而且还给自己的弟弟找到一个无本万利的好差事。

但太平公主还有些不放心，便和张易之商议，先让张昌宗到自己这里来，自己先看一看，先测试一下，如果确实够水平，再进行推荐。

张昌宗也令太平公主非常满意。

武则天神功元年（697）仲春二月。武则天已经是 74 岁的老妇人，虽然她有很高明的年轻美容的技艺，但岁月毕竟不饶人，她显得不那么年轻了。在临镜梳妆的时候，发现脸上也开始出现细微的皱纹。她的权势地位已经到达顶峰，她所需要的就是及时享乐，尽情地享受人生了。

在太平公主严肃认真的推荐下，张昌宗被武则天召进宫中去实习。张昌宗确实像他哥哥所说的那样，比张易之还要英俊三分。皮肤白皙细嫩而润泽，白里透粉，粉里有白。所有画中的美男子见了他都会自愧不如。

他的容貌一下子打动了武则天，他的实际能力更令武则天大为愉悦，武则天大有爱不释手的感觉。和张昌宗在一起，她觉得自己年轻许多。张昌宗就是她肉体的温柔乡，就是她灵魂的避风港。她的注意力已完全转移到张昌宗的身上，对于朝廷的军国大政已不愿意过多操心了。

张昌宗排行第六，所以人称"六郎"。数日后，张昌宗再把五哥张易之推荐给武则天，说五哥张易之床上的功夫要比他胜强许多。武则天此时是多多益善，于是再召幸张易之，果然如张昌宗所言，这更是个难得的人才。

自从得到张氏兄弟二人，武则天的生活仿佛又滋润了很多。武则天对二人不呼其名，而是亲切地称为"五郎"和"六郎"。就在五郎和六郎大受宠幸的时候，张家的四郎也发迹起来。

大彻大悟，另寻新欢

太平公主将发现的人才毫无保留地推荐给母亲武则天，可武则天却全部占为己有。这可冷落了女儿。不过太平公主另有办法。

张易之善吹笛，张昌宗嗓音清亮，善于独唱。二人时刻侍奉在武则天的左右。六郎唱曲，五郎伴奏，武则天笑眯眯地欣赏，三人均皆大欢喜，配合十分默契。自从得到二张后，武则天就有些懒得上朝了，大有"春宵苦短日高起，从此君王不早朝"的意味。

不久，张易之被提升为散骑常侍，张昌宗当上司卫少卿。都是戴金穿紫的高官。二张是同父异母兄弟，他们的两位母亲臧氏、韦氏得到无数的赏赐。因臧氏与凤阁侍郎李迥秀有染，武则天干脆下一道圣旨，敕命凤阁侍郎李迥秀为臧氏的私夫，使一对私通的非法男女成为奉旨通奸的合法婚外恋人。这大概是在中国历史上最合法的偷情人了。

五郎和六郎凭借他们的美貌过上了神仙般的生活。他们俩有一个四哥叫张昌仪，相貌平平，没有进宫侍奉武则天的天资。但他生性狡黠贪婪，借二张的权势当上了洛阳县令。凡请托办事的皆找他，他通过两个弟弟，便没有办不成的事。

一天，张昌仪骑马上朝的时候，有一个参加铨选的人，拦住他的马头，双手捧着50两金子送给他，并递上一张纸状，请他帮助注册弄个官当一当。对于张昌仪来说，这是小事一桩，就满口答应，接过金子和纸状。把金子揣进怀里，把纸状放在袖筒中扬长而去。

当天下朝时，张昌仪把那张纸状交给天官侍郎张锡，说了一句："把这个人注册安排个官。"临交纸状的当儿，张昌仪瞥了一眼，见这是一个姓薛的人。

几天早朝后，张锡满脸绯红，非常难为情地告诉张昌仪说，他一时不慎，把那张纸弄丢了，一两天就要注册，问张昌仪所嘱托的那个人叫什么名字。张昌仪一听，脸马上拉得老长，没好气地道："你这人真是个废才，这么点小事还出麻烦。我也记不清那人叫什么名，只知道他姓薛。"

"那……那……可怎么办呢？"张锡的脸更红了，像被巴掌打了一样。因为太紧张，多少还有些结巴。

"嗯——，这样吧，凡是姓薛的都给注册吧。"张昌仪确实很高明，随机应变的能力很强。张锡连忙答应。张昌仪的话就是好使，当年报名参加铨选的人凡是姓薛的都被注册派官，一共六十多人。真说不上谁走红运。

如此招权纳贿，张昌仪很快就成为一个大暴发户，在洛阳城中建造一所豪华的住宅。超过所有的亲王公主的宅院。市民百姓们对二张骤然得宠已经是怨声载道，对张昌仪就更怨恨了。有人夜间在他家的大门上写道："一日丝能作几日络？"是谐音双关，其意是说一日产的丝能带来几天的欢乐。丝是指弹拨乐器和胡琴等弦乐的丝弦。"络"当谐音为"乐"。总体意思是说你没有几天欢乐了。

张昌仪看后，命人刷去。可过几天又写上了，还是那句话。刷了写，写了刷，连续七八次，每次的笔体都不一样，写的人可能不是一个人。那些写的人看来是真不怕麻烦。可张昌仪却嫌麻烦了，最后一次，他干脆不刷了，而是亲自提笔，在那句话下面工工整整加一个小注道："一日亦足。"写和刷的工作才算完结。

张易之和张昌宗本来都是太平公主发现的人才，却全被武则天所霸占，这个母亲真不够意思。太平公主感到有些失落。但她是个孝女，只能在心中略有不满而不能表现出来。失去二张，太平公主的心情很长时间都很郁闷，她深情地依恋这两个年轻貌美的后生，尤其是张易之。有时，一闭上眼睛，张易之的音容笑貌就出现在她的面前。那美丽的姿容，悠扬的笛声……

她不敢多想，一想就闹心。数日里郁郁寡欢，心里堵得慌。一天，她不知怎么忽然想明白了，既然已经不能为自己所拥有，又何必总是依恋和烦忧？既然自己不能改变世界的荒谬，那么就应该尽情去享受。享受一切自己能够享受的东西。自己争不过母亲，但别人也争不过自己，还是想实际的吧。何况，天下的人才还是有的。当初没有了薛怀义，自己不也有很长时间觉得空落落吗？后来还不是发现了二张。"旧的不去，新的不来"，这是一条颠扑不破的真理。

很快，太平公主就找到了下一个情夫，这就是司礼丞高戬。至于这是她的第几任情夫她自己也记不太清楚了。但二人的感情很快就达到热恋的高潮。

拥有高戬之后，太平公主便又终日喜笑颜开了。武攸暨这时当然还是她的丈夫，但二人的结合都是出自各自的政治目的。婚姻中一旦掺进别的因素，就会大大影响双方的感情。虽然这时二人互相利用的价值还没有完全失效，但对双方的感情已经没有什么约束了。

当时，二人是为了政治目的才勉强用各自的感情来吸引对方的。而这种目的一旦达到，感情的基石就不稳固了。所以，在这段时间里，太平公主先和薛怀义偷情，再和二张通奸，如今又和高戬恋得火热。

武攸暨也有他的逻辑和想法，从和太平公主结婚那一天起，他就没敢想自己不被戴绿帽子的事。因为他和太平公主就是先偷情后结婚的。他已经先给薛绍戴了一顶绿帽子，从报应的角度来考虑，自己似乎也难逃这种命运。太平公主和自己是如此，又怎敢保证和别人不如此呢？期望太高容易失望，这个道理他明白。既然太平公主可以给自己戴绿帽子，自己不也可以照样给别人戴绿帽子吗？而且还有那些没有男人的少女，也可供自己享用。一句话，自己不缺女人，但像太平公主这种身份的妻子是绝无仅有的。只要太平公主不提出和自己离婚，她搞一百个男人自己也不管。武攸暨是真够开放的。

武攸暨和太平公主各搞各的，虽然有时偶尔同床那么一两回，也只是表明他们还是夫妻，相互利用的价值还没有完全失效而已。但太平公主可不是只顾放荡淫乱的女性，她还有更大的政治野心，她每时每刻都在密切关注着朝廷政治局势的微妙变化。

欲立太子，犹豫不决

人间世象，林林总总。有人有大德于人而不居，有人夺人之爱，还要捏造罪名杀人全家。

随着时光的流逝，武则天一天天见老，身体也一天天衰弱，围绕皇权继承人的斗争也就日益尖锐，逐渐达到白热化的程度。其中竞争最强的当然还是武则天的两个亲侄，即武承嗣和武三思。

武承嗣和武三思也深深感到形势日益急迫。如果不能在名分上当皇太子的话，等姑母武则天一晏驾，天下恐怕还会再变回去，又要姓李了。所以，二人日夜到武则天那里去劝说，理由是：历史上也没听说皇帝把天下传给异姓的。既然是武周的天下，太子理所当然应当由姓武的人来当。现在的皇嗣李旦虽然改为武姓，但天下人都知道他姓李。武则天犹豫不决，但也有所动心。

武三思是肯定不行，因为他在群臣中的形象太差。武承嗣心眼很多，眼珠一转一个心眼，但都是小心眼，没有大格局大情怀。他千方百计地拉拢大臣，好行小惠，树立威信。一段时间里，武则天对他确实很重视，加封其为魏宣王、太子太保，并出任宰相，权倾朝野。

在这个关键的时刻，一个非常重要的历史人物出场了。他的出现对武承嗣和武三思等人极其不利，为李唐王朝得以恢复打下了基础。这个人就是狄仁杰。

狄仁杰字怀英，并州太原（今山西太原）人，出身于官宦世家，祖父狄孝绪、父亲狄知逊都是朝廷命官。他学识渊博，聪明机敏，足智多谋，最善于断案，是中国历史上著名的智者之一。

由于他不依附武承嗣和武三思等人，曾以谋反的罪名被来俊臣拘捕审讯过。同时受审的还有魏元忠等几名大臣。如果被来俊臣抓去审问，一般来说就应当准备棺材了，因为活命的人几乎没有。但狄仁杰却非常机警地躲过了这场灾难。这当然要靠他的机智和善于应变的能力。

当狄仁杰几人被带上大堂时，大堂里摆着各种刑具。来俊臣一问，狄仁杰马上承认道："大周革命，万物维新。唐室旧臣，甘从诛戮。反是实。"

这出乎来俊臣的意料，他没有任何借口用刑了。而其中另一个耿直大臣魏元忠则坚决否认有谋反之事。被来俊臣命人拽着两条腿在大堂上拽了两个来回。可魏元忠依旧不肯招认，说道："就当本官骑驴不小心从驴背上掉下来，被驴拽了一个来回。"但因为这些人都是朝廷重臣，狄仁杰当时是宰相，来俊臣也不敢随意动用酷刑。狄仁杰等人又已招供，只好暂时收监。

狄仁杰一问即招，没有遭受酷刑。魏元忠怎么也不肯招认，为他们赢得了宝贵的时间。在监狱中，狄仁杰咬破食指用鲜血写成一封诉冤状，夹在夹衣中，通过一个熟人把衣服捎出去。说天气开始热了，让家人把衣服里的棉子拿出去，换成夹衣。家人见到夹在棉子里的血书，由他儿子亲自到宫中把血书交给武则天。又经过一些周折，狄仁杰终于获释出狱。

狄仁杰被武则天所重用，是由于一个人的推荐。但狄仁杰并不知道。一天，武则天问道："狄爱卿，你看娄师德这个人怎么样？"狄仁杰答道："臣看他是个常人，未见其有何过人之处。"武则天道："爱卿有所不知，你能被朕所用，全是娄师德爱卿的极力推荐。"狄仁杰叹道："娄大人有大恩德于我，我却全然不知，真是大君子，吾不及也。"

娄师德确实如狄仁杰所言，是个有德君子。他弟弟到地方去做官，临行时来向他告别。他问弟弟道："如果有人往你的脸上吐唾沫，你怎么办？"弟弟回答道："我自己用衣袖揩去。""不能揩，如果揩去也表示对人有不满情绪，要等它自己干。"弟弟点头应允。当然，这种一点反抗精神都没有的做法未必值得赞成，但有德不居的品格却是永远值得提倡的。

武则天为两个亲侄的话所惑，拿不定主意时，曾委婉地征求过狄仁杰的意见。狄仁杰话说得不多，但非常简明深刻。他对武则天道："陛下圣明。此事不难决断。请陛下只想一事，试想陛下千秋万岁之后，是侄儿能永远祭奠您呢，还是儿孙们能永远祭奠您呢？是儿孙可以永远在宗庙中摆设您的灵牌呢？还是侄孙们能永远摆设您的灵牌呢？陛下立子，则千秋万岁后永远配享太庙，承继无穷。立侄，则未闻侄为天子而在太庙中给姑母设立灵牌的。"

"狄爱卿，你的意思朕明白了，让朕再好好想一想。"

这时，还有几位大臣也以同样的理由劝说武则天，武则天更加犹豫不决。一天，武则天又问狄仁杰道："朕昨天夜间做了一个梦，梦见一只大鹦鹉两翼皆折断了。醒后心情特别不好，身体也不舒服，不知是何征兆，主何吉凶？"

狄仁杰一听，略一思索，即答道："鹦鹉之武，陛下之姓也。两翼，陛下之二子也。陛下要马上保护好二子，起复重用，两翼自然恢复矣。"此后，武则天断绝了立武氏后人为太子的念头。摇摇欲坠的皇嗣宝座又稳当了。武则天没有急于重新立太子。但武承嗣照样挺红。

可鸡就是鸡，无论给它提供多么好的机遇也成不了凤凰。武承嗣不成大器，故在一些小事上也斤斤计较，尤其是倚仗权势夺人所爱，并因此陷害他人，个人品质十分恶劣，结果是大失人心。

事情是这样的。当时，有一名右补缺名叫乔知之的诗人，诗文精美，钟情重义，家中有一名叫碧玉的侍妾，色艺双绝，乔知之爱如掌上明珠，为之终身不娶正室，一日也离不开。

这是风流韵事，在当时的士大夫中广为流传。武承嗣也知道了这件事，便借口说自己府中虽然姬妾成群，但艺术水准较低，歌舞水平均未达到要求的境界。所以向乔知之借碧玉使用几天，用她来教自己府中的姬妾学习歌舞。

王爷兼太子太保又是宰相的武承嗣张口借一个小妾，乔知之虽然满心不高兴，可也不好意思不借。但武承嗣借去之后就不还，又把乔知之打发到蓟北一带随军去讨伐契丹。

乔知之宠碧玉的事不胫而走，在士大夫中传为美谈。听说乔知之被打发到蓟北即今河北辽宁一带去随军打仗，冷落了碧玉，两人一定都非常痛苦，著名诗人沈全期就写诗给乔知之专咏此事，可见其在当时影响之大。其诗题曰《古意呈补缺乔知之》：

> 卢家少妇郁金香，海燕双栖玳瑁梁。
>
> 九月寒砧催木叶，十年征戍忆辽阳。
>
> 白狼河北音书断，丹凤城南秋夜长。
>
> 谁为含愁独不见，更教明月照流黄。

乔知之知道武承嗣这是利用职权之便把自己打发得远远的，他好长期占有碧玉。可人在屋檐下，焉敢不低头。乔知之没有办法，便把自己对碧玉刻骨铭心的思念之情熔铸成一首缠绵悱恻的诗篇，求人偷着送给了碧玉。

再说碧玉也深爱乔知之，看不上武承嗣那个小老样，像个没长开的缀根茄子抽抽巴巴的，一看就有些恶心倒胃口。她每时每刻都盼望能早一点回到乔知之的怀抱中，可武承嗣从不提此事，而乔知之的情况她也不知道。

一天，她忽然收到乔知之为她写的一首诗，诗题曰《绿珠篇》，全诗道：

> 石家金谷重新声，明珠十斛买娉婷。
>
> 此日可怜君自许，此时可喜得人情。
>
> 君家闺阁不曾难，常将歌舞借人看。
>
> 意气雄豪非分理，骄矜势力横相干。
>
> 辞君去君终不忍，徒劳掩袂伤铅粉。
>
> 百年离别在高楼，一旦红颜为君尽。

一边读诗，碧玉一边忍不住涕泣俱下。读罢此诗，碧玉禁不住悲从中来，把诗稿深藏在裙带中，系在腰间，跑到外面投井自尽。

碧玉的尸体被打捞上来，乔知之的诗稿也被搜了出来。武承嗣读罢，这才明白碧玉突然投井而死的原因。大怒，罗织罪名把刚刚从前线回来的乔知之定为灭门之罪，杀了全家。

倚仗权势强夺人之所爱，已够令人气愤的了，武承嗣又把无辜之人灭门，实在是太阴损，太缺德。人们虽然不敢公开为乔知之抱不平，但内心也把武承嗣恨坏了。

碧玉殉情而死，乔知之为情而被杀。武承嗣为此也付出了代价，本来就非常鄙视他的大臣们对他更加鄙视。有很多声望甚隆的大臣公开到武则天那里去揭露武承嗣，严厉指责武承嗣的许多不道德行为。武则天对他大失所望。

武承嗣的宰相一职被罢免，实际权力一天天缩减，一切征兆都明白地告诉人们，武承嗣已经绝对不可能成为皇权的继承人。所有的人都看明白这一点，武承嗣当然也就更清楚。他的心终日揪在一起，他的脸终日不见晴。

在长期的压抑郁闷中，他本来就有些没长开的像缀根茄子一样的脸更加抽巴，没过多长时间就彻底抽巴了。他仿佛是一盏本来就没有填满膏油的灯，在长期的阴损中消耗了大量的膏油，如今已是油尽灯枯，自消自灭。

他是在武周圣历元年（698）八月死去的。武承嗣一死，围绕太子之位的斗争不但没有停止，反而更激烈了。

尽情享乐，危机初现

年迈的武则天尽情享乐，二张荣宠至极。就在他们尽情欢乐的时候，深刻的社会危机已露端倪。一场面对面的冲突即将发生。

太平公主心里明白，无论双方怎样斗争，自己都没有当皇权继承人的可能。因为自己不可能被立为皇太女，那么就摸不着皇帝宝座的边。自己所需要的，就是在这场最高权力的角逐中获取一部分权力和地位，当然是权力越大越好，地位越高越好。

75岁的女皇帝武则天似乎隐隐约约感到属于自己的时间不多了。她下圣旨把贬谪在外多年的庐陵王李显和他的全家召回东都。

李显一回来，原来的皇嗣李旦坚决要求把皇嗣的位置再归还给七哥。因其出于至诚，在武则天的同意下，庐陵王李显非常感激地接受了弟弟的一番美意。

武则天感到自己在迅速衰老，她要在这有限的晚年尽情享受人生的欢乐，只要握住手中的权力，保证自己在死之前能够随意享乐，身后的一切毁誉她都不管了。正是抱着这种心态，她才把享乐生活推到了极端。

每天退朝之后，武则天便带着诸武及五郎、六郎和太平公主等亲信到后宫内殿，饮酒赌博，放浪嘲谑。武三思为讨好武则天，竟堂而皇之地上奏章，说张昌宗是仙人王子晋转世，所以才能有天生的美貌，天赋的音乐才能。

武则天一听，非常高兴，就让张昌宗穿上白色羽毛装饰的衣服，命高级木工制造一个带轮子的大鹤，张昌宗骑在木鹤之上，捧笙吹奏。由几名宫女用细绳拉着木鹤缓缓而行，在殿庭中转悠，仿佛马戏团的小丑演员，只不过是比小丑长得漂亮罢了。

武则天见了，感到自己是真的见到了仙人，命在场的会作诗的大臣都要作诗相贺。

每天都有二张相陪，武则天还嫌不够，又广选一大批年轻美貌的小伙到后宫充当"奉宸内供奉"之职。其实就是武则天的男妾，也称作什么"面首"。这些人都是骤得富贵，整天锦衣玉食，涂脂抹粉，打扮得男不男女不女的，出入宫禁，到处招摇撞骗，社会名声极坏。

由于奉宸内供奉不用有什么付出，也不必做什么努力，只要有个漂亮的脸蛋再加上那方面的考核就可以享受很高的待遇，引得许多势利小人垂涎三尺，挖空心思也要挤进这个无比荣耀的行列。

金钱和地位是引导社会成员努力方向的两个"法宝"，利益的驱动力是很强大的，就看统治者如何来运用了。其实，朝廷的主要作用就在于调整各个阶层人士的利益关系，使那些对社会贡献大的人得到实惠，受到人们的尊重。看一个国家、一个社会是不是先进开明的，主要就是要看其能否使所有的社会成员都能施展自己的才能，使那些应该受到尊重的人被人尊重。如果反过来，到了"珠玉买歌笑，糟糠养贤才""男儿不用学文字，斗鸡走马胜读书"的地步，社会又怎能不出现混乱呢？

右监门卫长史侯祥，公然上奏章自我推荐，奏章中公然说自己的阳物如何如何壮大，床上功夫如何如何超群，完全胜任"奉宸内供奉"之职，充满了污言秽语。奏章的内容不胫而走，又成为人们街谈巷议的一则笑料。

右补缺朱敬则实在有些看不下去，便上了一份奏章进行劝谏。奏章上说：陛下年事已高，内宠张易之、张昌宗足矣。何必再招众多奉宸内供奉，致使侯祥公然上那种污秽的奏章，徒自取谤。

武则天看后，下诏褒奖几句，但依旧我行我素，继续宠幸二张和群小。武则天心中有数，只要我掌握政权，宠幸几个面首算什么。男人当皇帝可以有三宫六院，无数的嫔妃。女人当皇帝，弄几个几十个面首就众说纷纭，真是不可思议。我就是愿意这么办，即使没有别的用，我整天看着这些漂亮小伙心里也舒服。男人的一半是女人，女人的一半是男人。如果没有了男人，女人又怎么会有幸福呢？女人的幸福就要建立在男人的身上。至于身后的事，就管不着那么多了。

武则天在尽情享乐时，大权也确实还在她的手中。可是，她的岁数一年比一年大，到武周长安三年（703）的时候，武则天迈进80岁的门槛。这一年，太平公主已到不惑之岁。

确定皇权的继承人已经迫在眉睫。故这段时间里，朝廷中各种势力的斗争日益激烈。终于，围绕几位大臣是否有反心的问题出现了一次短兵相接的大较量。在这次大较量中，太平公主也被裹挟进去。

原来，张昌宗、张易之和几位执政大臣已形成水火不相容之势。执政大臣中的领袖人物是魏元忠，这是一个忠正耿直的老臣，胆大心细，深明大义。武则天用他为宰相，对其相当信任。

魏元忠正道直行，得罪了二张。魏元忠曾当过洛州长史，二张的四哥张昌仪是洛阳令。他倚仗二张的势力，目中无人，曾大摇大摆地直接走上长史厅的大堂，遭到魏元忠的申斥。张易之家的一个奴才狗仗人势在大街上捣乱，被魏元忠命人打死。二张还有一个七弟叫张昌期，想通过两个哥哥的受宠调到东都附近来。武则天曾试探着问魏元忠，被魏元忠以理拒绝。二张把魏元忠恨得咬牙切齿，恨不得一下子把他置于死地。

二张由于被武则天所独占，背叛了原来的情人太平公主，双方也有些不睦和。而太平公主又和高戬打得火热，也引起了二张的醋性。恰巧在这个时候，武则天又得了一场病，二张怕武则天一旦殡天，魏元忠等大臣杀了他们，就来个先下手，在病榻前告御状，说魏元忠和高戬合谋，以为皇帝将不久于人世，不如挟太子登基，可以久长。

武则天一听这话，病一下子好了大半，一悸憬从床上坐起来，忙问："六郎，此话可是真的，真有这等事？"

"千真万确，臣不敢有半句谎言。我愿意和魏元忠对质。"张昌宗信誓旦旦。

"好，明天早朝，就在殿庭中，让你和魏元忠对质。"

当天午后，张昌宗做了极其周密的安排，他用软硬兼施的手段秘密买通了凤阁舍人张说，让他在关键的时候出堂做证，说他亲耳听到过魏元忠要拥立太子的密谋。如果扳倒魏元忠，就让张说接替其当宰相。凤阁舍人就是原来的中书舍人，是魏元忠的直接下属，他如果出堂做证是最有说服力的。

张说坦诚，扭转局面

正义不可辱，人心不可欺。当张说即将走进朝堂的时候，受到正义力量的鼓舞，促使他顶住压力，保住了自己的名节。

次日早朝后，群臣退出朝堂之外等候随时传讯，三品以上大员，近日重新当上太子的庐陵王李显、恢复相王之位的李旦、太平公主、武三思、武攸暨，案件的另一个当事人太平公主的情夫高戬等都出席了对质的现场。

魏元忠是被告，坐在左边，张昌宗和张易之是原告，坐在右边。双方进行激烈的辩论，各执一词，相持不下。武则天亲自坐在正中的龙墩，仔细听双方的辩论，一言不发。可以说这是最高规格的审讯。

这时，张昌宗亮出他的王牌，道："陛下，臣话句句是实。如若不信，可传凤阁舍人张说前来出证。张说曾亲耳听到魏元忠的密谋。"

"传凤阁舍人张说进来做证。"武则天绷着脸，非常威严地说。

外面有上百名不够品级的朝官，在等待这场十分重要的官司的结果。众人的心弦都绷得紧紧的。听说传张说进去，都知道到了最关键的时刻。齐声鼓励张说，希望他实事求是，不要违背良心。

张说起身就要往里走，他的同僚另一名凤阁舍人宋璟勉励他说："名义至重，鬼神难欺。切要正道直行，不可党邪陷正，以求苟免。如果获罪遭贬流窜，其荣多矣。如果事有不测，璟当叩阁力争，与子同死。努力为之，万代瞻仰，在此举也。"另一名同僚侍御史张廷圭也鼓励道："朝闻道，夕死可也，子姑勉之。"左史刘知几则说："不要玷污青史，成为子孙之累。"

张说只是点头，没有表态，双方都很紧张。见张说进来，里边的人更紧张了。

张说这一年还不到40岁，年轻有为，但平时显得不够稳重。武则天亲自问张说是否像张昌宗所说的那样，亲耳听过魏元忠的密谋。张说低头沉思，没有马上回答。张昌宗非常得意，脸上露出一丝狞笑。魏元忠可真的沉不住气了，道："张说，你也欲与张昌宗共同罗织魏元忠乎？"

张说抬头斥责道："元忠身为宰相，何乃效街巷小人之言也？"

张昌宗有些着急，督促道："张说，快说，你是不是亲耳听到过魏元忠的密谋？快说！快说！"

张说不慌不忙地说道："陛下视之，如今在陛下面前，还这样逼迫微臣，何况在外面呢？今微臣在朝廷之上，面对大庭广众，不敢不以实话相对。"

魏元忠的心一下子紧张起来，张昌宗更是着急，紧紧盯着张说。

张说接着说："微臣实在没有听到魏元忠说过这样的话。是张昌宗逼迫臣，让臣出面做假证。"

魏元忠紧提着的心一下子落地了，长长吁了一口气。张昌宗的脸腾地就红了，急着大声吵嚷道："张说和魏元忠同反！同反！"

武则天问道："你此话有何证据？"

张昌宗道："张说曾经说过魏元忠是伊周之臣。伊尹流放太甲，周公摄王位，不是要造反是干什么？"

张说现在不知从哪里来的力量，毫不惊慌，据理力争道："张昌宗、张易之都是不学无术的小人，徒闻伊周之语，不知伊周之道。当日魏元忠初衣紫袍，微臣以郎官前往祝贺，是说过'明公居伊周之任，何愧三品'的话。伊尹、周公皆是至忠之臣。陛下用宰相，不使学伊周，当使学谁也？况且臣知道今日附和张昌宗，立至台辅，附和魏元忠，立至族灭。但臣畏惧魏元忠之冤魂，不敢说假话，出假证。请陛下明察。"周围的人先替魏元忠捏一把汗，现在又替张说捏一把汗。

张昌宗张口结舌说不出话来。武则天道："张说是反复小人，一并下狱追究。"一句话结束了对质。魏元忠和张说分别被拘押在监狱中。

次日，武则天又亲自审问张说，但张说一口咬定原词不变。几次严厉的审问，结果完全一致。魏元忠要挟太子抢班夺权的案子始终无法定案。张说不但保住了自己的名节，保住了魏元忠的性命，而且也保护了太子李显和相王李旦的安全。更主要的是保护了正义，保护了真理。

群臣纷纷上表营救，有的表章言辞激烈，有的直接点名道姓地指责二张。武则天虽然年迈，但头脑还非常清醒，没有糊涂，知道众怒难犯，人心不可辱，便把魏元忠、张说、高戬都贬往外地，以了结此事。

太平公主见母亲武则天把自己的情夫高戬贬出了东都，心中非常生气。其实，在这场斗争中，高戬是代人受过，就因为他是太平公主的情夫，二张与太平公主有隔阂，但不敢对太平公主下手，便拿他做了出气筒。而且如果高戬谋反是实，太平公主也难逃罪责。实际上等于是武则天的情夫欺负了太平公主的情夫。太平公主于是便和二张结下了怨仇，对母亲武则天也极为不满。

在二张和张说对质朝堂的过程中，武则天看出了人心所向。她知道一旦自己归天，群臣和太子等人是不会饶了二张的。但她顾不得那么多，她只有一个心愿，这就是在自己生命的历程中，全力保护好这两个人。只要自己有一口气在，就要保护他们俩的绝对安全。

众望所归的老臣魏元忠虽然被赶出了朝廷，但一批有胆有识的大臣不断被安排到重要岗位上，成为武周政权未来的掘墓人。

武则天要在有生之年保护二张的心愿也遇到了挑战，她还能应付得了吗？

处死二张，太子登基

"天作孽，犹可违；人作孽，不可活。"依靠他人宠爱而恣意妄为者难得善终。如寄生大树之植物，大树一枯，必死无疑。

武承嗣死了。庐陵王被召回东都，立为太子。形势基本明朗，这就是武周政权已摇摇欲坠。虽然李显也改为武姓，但姓既然可以改过去，当然也就可以改回来。这些都是形式，无所谓的。这是大势所趋，但半路又杀出一个程咬金，武则天又宠信起二张来。二张势力极度膨胀，弄不好也有篡逆的可能。

这种形势，太平公主看得非常清楚，她对母亲的做法是又气又恨，对二张则恨得咬牙切齿。不能让天下落于他人之手，多年协助母亲处理一些朝政，太平公主对政治已有相当多的经验。她多次出入太子府，劝七哥要有思想准备，不要总是被动地等着顺利交接政权。每当她一提起这个话题，七哥李显就显出很恐慌的样子，拦住她的话头。但几次之后，李显也就默默点头了。只是劝太平公主不要操之过急，要耐心等待时机。千万要注意保密，万万不可泄露一点风声。

神龙元年（705）正月壬午朔，已经82岁高龄的武则天病重在床，不能上朝听政。最高权力出现短暂的真空，这是最危险的时候。朝廷大臣们人心惶惶，太平公主、太子李显和相王李旦也都很紧张。而最惊慌的则是二张兄弟。

这时，武则天卧病在床已一个多月，住在长生殿中，只有二张日夜待奉在侧，就连太子、相王和太平公主这三位武则天的亲生骨肉都不得见驾，其他大臣包括宰相在内就更不能迈进长生殿的大门了。武则天的病况如何，她现在究竟在想什么，外人均不得而知。

大街上，时常出现一些"飞书"。所谓的"飞书"实际上就是一些匿名的公开信，类似现代社会的传单，内容都是说张易之、张昌宗兄弟有谋反之心。还有的"飞书"干脆贴在繁华闹市区的大街上。

二张也清楚自己的处境，暗中积极做准备，养了一些死心塌地的狗腿子。张昌宗还找了一个相面的江湖术士李弘泰为自己占卜相面，李弘泰说张昌宗有天子之相。张昌宗的野心更大了。他们都是不到三十岁的年轻人，求生是人的本能，他们又怎能坐以待毙呢？随着武则天病情的一天天加重，形势一天天紧张起来。

正月初一，武则天依旧没有上早朝。宰相张柬之、崔玄玮和中台右丞敬晖、司刑少卿桓彦范、相王府司马袁恕己五人秘密联合，要诛除二张，辅佐太子登基以定天下。

张柬之派人秘密请来右羽林军大将军李多祚，问道："将军今日之富贵，是谁所致也？”

“大帝也。”李多祚所说的大帝是指武则天。

张柬之道：“如今大帝之子为二竖所危，将军不想报答大帝的恩德吗？”

李多祚涕泣答道：“如果对国家有利，一切均听从相公指挥，不敢顾性命及妻子。”因指天为誓道：“苟有二心，天诛地灭。”

正当此时，一位有胆有识的重要人物姚元之从灵武回到洛阳。张柬之和桓彦范大喜道：“此公回来，天助我也，大事可成矣。”当即派人把刚刚到来的姚元之请来，共同商议起事的具体时间和步骤。经过一番详细的谋划和周密的布置，确定了最后方案。

桓彦范回家后把自己参与除掉二张恢复大唐天下的事偷偷告诉了母亲。母亲鼓励道：“忠孝不能两全之时，要先国后家，你做得对，不要顾虑为娘。”这又是一位深明大义的好母亲。与徐庶的母亲有同样的见识和胆量，同样值得敬仰。桓彦范和敬晖秘密到居住在北门的太子宫中谒见太子李显，把密谋的内容告诉给他。李显因有太平公主的多次开导，故点头应允。

癸卯（二十二，公历705年2月20日）这一天清晨，张柬之、桓彦范和李多祚等人从右羽林军点五百多军兵到达玄武门等待，派李多祚和内直郎驸马都尉王同皎到东宫去迎接太子。

太子李显此时又疑虑重重，不打算起事了。王同皎劝道：“先帝以神器付殿下，却横遭废黜幽禁，人神共愤，二十三年矣。今天趁其衰，北门南牙之军兵同心协力以诛凶竖，恢复李氏社稷。请殿下暂时到玄武门以不负众望。”

太子李显十分为难，支支吾吾道：“这两个凶竖确实应当诛灭，然而上体不安，恐怕会受惊吓。请转告诸公，更为后图如何？”李显性情懦弱，遇事犹疑。另外，这是不是他的真心话也不好说，如果他特别坚决而不肯出现的话，恐怕别人也不可能生拉硬拽。他要给人们造成这样一个印象：他本来非常有孝心，这次大行动是被迫的。只此一点就足够了。

王同皎道：“诸位将士舍生忘死，冒着诛灭九族的危险以徇社稷。殿下却为何要把他们送到鼎镬之中呢？我们没有办法说明白殿下的意思，请殿下亲自前去阻止他们。”太子李显这才在来人的帮助下上了马，两条腿一直在哆嗦着，跟着来人出发。

王同皎等人扶太子上马，簇拥着他直奔玄武门而来。见太子来到，人心振奋。张柬之一挥手，李多祚率领那五百多军兵直接奔长生殿而去。

长生殿的守卫中也有事先安排好的内应，见军兵到来，以猝不及防的速度杀了门军，打开大门。李多祚和众军兵蜂拥而入。

张易之和张昌宗刚刚起床，听到外面有躁动之声，忙指挥豢养的那些狗腿子抵抗。那几十名狗腿子禁卫军怎能抵挡住这五百多人的久经训练的军队，顷刻之间，死伤殆尽，剩下的也都反戈一击，站到太子一边。

张易之和张昌宗都是白面书生，会演奏乐器，会唱歌，但这些本事讨武则天的欢心有用，用来防身可就不行了。二人慌忙往回跑，被抢先进入殿内的张柬之及手下的军兵拦在内殿外面的走廊里，后面紧跟着明晃晃的锋利的兵刃，前面也是明晃晃的锋利的兵刃。二张无处可逃，双双被杀死在走廊里。呜呼！骤贵者易骤败，非正途而骤得显贵者不得善终，二张的结局有力地证明了这一点。

处在半昏迷状态的武则天被吵嚷声惊醒，她使劲睁开眼睛，看到张柬之带着十几名羽林军的军兵环绕在她的病床周围，她的安全绝对没有问题。就问道："是何人叛乱？"

张柬之答道："是张易之、张昌宗谋反。臣奉太子之命已经诛除之。恐怕有所泄露，故事先没有奏明圣上。在宫禁中动用军兵，罪当万死。"

武则天听说是太子之命，这才看到太子也在，就有气无力地说了一句："原来是你啊！小人既然已经诛杀，你可以回东宫了。"太子李显连忙答应："诺！诺！"说完就要转身，桓彦范上前一步对武则天道：

"太子不能回去！昔日天皇以爱子托付陛下。今年齿已长，久居东宫，天义人心，久思李氏。群臣不忘太宗天皇之恩德，故奉太子以诛贼臣。愿陛下传位太子，以顺天人之望。"武则天没有马上回答他的话，而是转向崔玄玮道："崔爱卿，他人都是因人而进，你是朕一手提拔的。你怎么也在这里？"崔玄玮答道："臣这样做正是报答陛下昔日之大德。"

武则天听罢此话，闭上眼睛不再作声。过了好一会儿，才有气无力地向众人宣布道："事已至此，随你们的便，你们愿意怎么办就怎么办吧！朕太疲乏，要休息了，你们回去吧。"众人谢恩而退。

　　很明显，武则天说的是牢骚话，而且没有明确表态要传位给太子。太子李显当然不敢这样就宣布登基，这不等于是抢班夺权吗？孝敬的儿子怎么能干这样的事呢？虽然几位大臣极力进谏，可李显坚持必须要有母亲亲笔签发的诏书才肯登基当皇帝。中国古代的皇帝就是孝顺。

　　武则天的脾气太平公主是最清楚的。在张柬之等五位大臣发动政变的时候，事先并没有通知太平公主，但她知道一些内情，是她在李显身边的心腹及时把情况报告她的。

　　她恨二张完全背叛她，进宫后就再也不搭理她，而且还把她的情夫赶出长安。她也不满意母亲，把自己推荐的美男子完全占有，不肯分一杯羹给自己。她知道，这次事变主要矛头是针对二张而来的。二张必死无疑。而紧接着的就是母亲政治生命的终结。如果在这个时候，她站出来抢先下手帮助武则天的话，鹿死谁手还真难说，因为武则天虽然躺在病榻上，可手中依旧掌握着大权。但太平公主没有帮助母亲，谁让母亲全部占有她所爱的人，又纵容二张赶走她的情夫呢！

　　结果完全在太平公主的意料之中。二张被杀，解了她的心头之恨。就在太子和张柬之等人撤出后宫一会儿，太平公主就出现在武则天的病榻前。两名服侍的宫女奉命退了出去。

　　这时，武则天闭着眼睛，脸上微露愁容。太平公主见母亲一副衰老疲惫的神态，心中一软，扑簌簌落下几滴眼泪，轻声说道："母后，女儿来晚了。女儿无能，不能保护母后不受惊吓。"武则天那疲惫的眼皮缓缓睁开，两个大眼角堆着一汪水。见自己的宝贝女儿坐在床边，武则天的精神似乎好了一点，想要坐起来，太平公主轻轻扶起母亲，武则天斜倚在病榻上。

　　"母亲，事已至此，不必伤心。颐养贵体要紧。您老人家也太累了，如今就好好休息吧。太子七哥也是五十岁的人了，会把天下治理好的。"

　　武则天默默听着，没有作声。太平公主继续说道："母亲无比英明，一切就顺天应人吧！"

　　"那你说现在该怎么办？"

　　"莫不如顺水推舟，把皇位传给七哥，您就安心休息养病。"

　　"你也这么说？"

　　"女儿完全是为母亲着想。何况，传位给七哥是早晚的事。何必不由母亲亲笔传诏，以表示是出自宸衷呢？"意思说得很清楚，你同意不同意，你签不签发诏书，太子都要登基当皇帝。识时务者为俊杰，何必不送个顺水人情呢？

"妙悟者不在多言"，聪明绝顶的武则天当然听清了女儿的意思，马上表态，下诏书褒奖太子一番。次日则正式签发传位给太子李显的诏书。

次日早晨，张柬之等大臣正在劝谏太子登基，而李显则坚持一定要有母亲亲自签发的诏书，要出自宸衷方肯即位，双方都有些为难的时候，太平公主满面春风地带着武则天亲笔签发的传位太子的诏书到了。众人皆大欢喜，太子顺利登基，是为中宗皇帝。

太平公主总是在最关键的时候能够办成最关键的事，这就是本事，就是智慧。

从这一天起，武则天就在病榻上安心养病了。她受到极为严密的保护和极为周到的服侍，正式退出了政治舞台。经她惨淡经营，一手创立的"武周"也因此而寿终正寝，只存在了十五年。

新的历史纪元开始了，一场权力重新分配也以此为开端。在新的权力分配中，何人欢喜何人忧呢？

迁居软禁，太平膨胀

专权一世的武则天被迁居软禁，大臣们多噤若寒蝉，不敢走近她身边，只有一名要人，涕泣相送被人斥责，他说……

当天，二张的兄弟张昌仪、张昌期、张同休都被拘捕杀头。家产抄没充公。张昌仪辛辛苦苦修建的豪华甲第只住了半年多就尽归他人。不过，这也比他本人的意愿要好多了。当初，别人讽刺他好景不长时，他曾批曰"一日亦足。"

二月甲寅日（公历3月3日），正式恢复国号为唐，取消"武周"之称。

五天后，武则天被移居上阳宫安心养病，不再过问任何军国大政了。在武则天被迁走的时候，其他大臣或幸灾乐祸，或躲得远远的，很怕沾边带来罪过。武则天感到冷冷清清，十分凄凉。

当她要上安车时，忽有一位大臣急匆匆赶来，向她请安，请她安心养病，不必伤心，流着热泪看她在侍女的搀扶下上车。武则天认识这是最近才开始渐受重视的姚元之。武则天深受感动，也流下几滴热泪。

姚元之此时是太仆卿同中书门下三品，也是宰相，是参与夺取武则天大权，扶立太子复辟的定策人物。张柬之和桓彦范见状，很不理解，就责备道："今日岂是相公涕泣的时候？恐怕会因此得祸的。"

姚元之回答曰："我侍奉则天皇帝很久，马上就要离别，实在难以忍耐悲伤之情。前日与诸君勠力同心诛除奸逆，是出于人臣之大义，今日哭别旧君，亦人臣之大义也。即使因此获罪，也心甘情愿。"当天，姚元之被贬为亳州刺史。这也可以看出张柬之等人心胸狭隘，心胸狭隘的人难以成就大事。

几天里，武则天更改的一切典章制度和名词全部被重新改了回去。太子和相王当然也又改回原来的姓氏，不再姓武。东都在武则天时代的十几年间曾改名叫"神都"，如今也不"神"了，又恢复东都的名称。其他所有的官府名称、官员名称也都恢复到高宗时的称谓。

在这次复辟的过程中，受益最多的当然是中宗及其一家。与中宗同甘共苦的韦妃顺理成章当上了皇后。韦皇后共生三个孩子，即儿子李重润和长宁、安乐两位公主。一年前，李重润已被武则天逼迫自杀，如今追封为邵王。相王李旦加号曰"安国相王"，拜太尉，出任宰相。太平公主因立有大功，加号曰"镇国太平公主"，赏赐无数。

太平公主比较畏惧的只有武则天一人，如今武则天如同被关进笼子的老虎，只有观赏价值和文物价值而没有丝毫的威风了。太平公主突然觉得自己一下子高大许多，她的野心极度膨胀起来。她要分掌国家的大权，她要拥有最高的地位和生活待遇，她要有泼天的富贵，她要成为天下第一富婆，她要……

在获得封号后，太平公主又软磨硬泡缠着七哥封丈夫武攸暨为定王，官拜司徒，争得了封爵和特权。中宗还赐给武攸暨铁券，保证其没有死刑。

同年十一月，在上阳宫养病的武则天在寂寞中死去。结束了她带有传奇色彩的一生，留下了许多发人深思的故事。临死时她提出埋在乾陵，和高宗合葬，所立碑文一个字也不要写，就立一块无字碑，其内容任凭后人去填充吧。武则天确实是位难得的聪明得出奇的女性。如今，那块无字碑和高宗皇帝的七节碑双双屹立在乾陵，虽然经受了一千多年的风风雨雨，但那块无字碑依旧无字，依旧挺立着，任凭游人想象当年的往事，凭吊这位中国历史上唯一的女皇帝的功过是非……

死亡并不能带走一切，死亡留下的空虚并不是毫无内容，而是充满了温情和智慧，如果生前有所作为的话。

相王和太平公主加实封皆满万户。王爷实封万户并不是首创，而公主加实封万户，可是历史上破天荒的举动。太平公主在此期间，借划归接管所封庄户的机会，派心腹恶奴大肆侵吞田野农庄，民怨沸腾。

金钱、田庄等并不能满足太平公主那无底的欲壑，她还想要参政议政，居然提出要开府设置官署的要求。她一提，中宗的两个公主即长宁公主和安乐公主也要享受同等待遇。

公主开府设置官署也是破天荒的事，但昏庸怯懦的中宗还真的都批准了。

太平公主的欲望越来越大，财富越多越不满足。她恨不得把整个天下都划归己有，成为天下的第一富婆，要超过历史上所有的富人。

一天，她到西市去购买外国货。买完东西从西市的北大门出来，偶然发现与西市只隔一条大街的醴泉坊中有一座豪华的甲第，青砖砌就的高大壮观的院墙，朱漆大门楼，院子里是绿荫掩映，楼台亭阁星罗棋布，斗拱飞甍。

经过询问，才知道这是当今大红人执政宰相中书令宗楚客的宅院。太平公主当即发誓道："这样的宅院才够气派，我太平公主的府第还不如他一个宗楚客，我一定建造一所比这还要豪华的甲第。"

回府后，太平公主马上派人到宗楚客宅院去参观测量，然后就在宗楚客宅第的西侧进行建造。可这里本来是个民居密集的地带，如果要建造和宗楚客一样规格的宅第就得动迁上百户居民，何况比宗楚客的宅第还要大很多呢。

可太平公主不管这些，她说办什么事就必须办到。她只发一句话，几百户住在这里的人家就被扒得房倒屋塌，乌烟瘴气，鸡飞狗跳，多少人家被迫离开了生活几代的故宅，百姓们怨声载道。

一个多月后，一所崭新的豪华大宅院竣工。无论从占地面积还是从辉煌壮观方面都大大超过宗楚客的宅院。太平公主心满意足地搬了进去。

太平公主把目光和心思过多地用在占有财富方面，朝廷中的政治局势已经在向不利的方向逆转。这倒是太平公主始料不及的。

中宗复辟后，连续做了几件不得人心的事。先是给韦皇后的家族封王，接着就是纵容太平公主和长宁公主、安乐公主开府，加实封万户等，令朝野失望。这些还不是致命之处，更要害的是他不能自己独掌大权，而是受制于韦皇后，开始出现大权旁落的苗头。

当然，这也是有原因的。当年他被废掉帝位后，长期流放在外，韦皇后跟他遭了很多罪，在生活上是颠沛流离，精神上是恐惧忧郁。那时，每当见到朝廷有专使到来的时候，中宗就吓得面如土色，要吃毒药自裁，都是韦皇后婉言相劝："祸福无常，早晚还不是一死，何必如此呢？"几次制止了中宗的自杀。

当时，中宗就向韦皇后发誓道："他日如能复见天日，我一定加倍报答你。满足你的一切要求，让你随心所欲，绝不加任何限制。"

中宗的儿女也跟着遭了不少罪，尤其是安乐公主裹儿，竟出生在一个偏僻的旅店中。中宗感觉自己欠妻子女儿的太多，这次当了皇帝，大权在握，就要实现当初的诺言，对她们当年的苦难加倍补偿。正是这种心理，中宗才不加任何限制地放纵韦皇后和安乐公主。不料，这样做的结果不但害了韦皇后和安乐公主，而且也害了自己本身。

四面楚歌，太子危机

韦皇后要当武则天第二，安乐公主要当皇太女，武三思要恢复武周天下，这几股势力都把矛头对准了太子，太子危在旦夕。

中宗过分放纵、娇惯韦皇后和安乐公主，而韦皇后和安乐公主又皆是贪得无厌、放荡荒淫之人，招权纳贿，以私情干政，朝廷政治很快出现危机。

中宗复辟后，张柬之等五位大臣掌握了朝中的主要权力。有人劝张柬之要果断除掉武三思以免后患，中宗不同意，张柬之也没有办法。而且中宗认为武三思如今就像刀俎上的鱼肉一样可以随时宰割，不必太在意。

武三思还有相当大的残余势力，他不但是武则天的亲侄儿，与中宗是姑表兄弟，而且安乐公主当年又由武则天做主嫁给了武三思的儿子武崇训，中宗和武三思又成了儿女亲家，关系更密切了。这还不算，还有更深层的原因，这就是中宗复辟后，重新找回了皇帝的尊严，他要尽情享受人生的快乐。于是他贪恋女色，频频临幸一些年轻貌美的嫔妃，不免冷落了韦皇后。

韦皇后本来就不是安分之人，又自以为对中宗有恩，中宗当初曾有过许诺，所以便胆大妄为起来。中宗冷落她，她要另寻欢乐，于是就通过上官婉儿的撮合和武三思通起奸来，这正是武三思求之不得的。

不久，二人打得火热。武三思长期在朝廷中掌握一部分大权，又是个权力欲极重之人。于是，他便用热烈的感情控制了韦皇后，而韦皇后又能控制中宗，这样，武三思便通过韦皇后这个中间环节间接地掌握了朝廷的大权。

太平公主要扩大自己的权势，自然要通过丈夫武攸暨来占领朝廷中的重要位置。韦皇后在武三思的怂恿和蛊惑下，做起了当女皇的美梦，想当武则天第二。武三思则从自己的立场出发要恢复武周的天下，武氏的势力大有死灰复燃的趋势。

中宗昏庸怯懦，而那些力挽狂澜的执政大臣就成了武三思恢复武周天下的最大障碍。如果把这几个大臣除掉，中宗就容易控制了，这叫釜底抽薪。一些软骨头的卑劣之徒又开始卖身投靠，倒向武三思一党，斗争日趋尖锐。

但是，是这些人舍生忘死把中宗推上皇帝宝座的，中宗曾赐给这五个人铁券，如果不是谋逆大罪不能处死。要说服中宗疏远这几人也很难。武三思想尽快剥夺张柬之等人手中的权力，却苦无良策。

一个奸诈小人郑愔提醒他用明升暗降的手段先把这五个人封为郡王，减少他们的实权。武三思几次向中宗进谗言，要免除几人的职务，都被拒绝。这次提出给五位定策功臣先封王，再免除其原有的职务，中宗马上同意了。

张柬之等五人在同一天被封为郡王，罢知政事，手中的权力都没有了，只有一个郡王的空衔。五个人马上陷入被动的境地，任凭武三思等人处置。不久，武三思便用莫须有的罪名将五人同日赶出京师，贬为边远地区的刺史。数日后，又把五人牵进一个谋反案中要处死，中宗没有同意，便再追贬为司马。

武三思知道中宗始终感激五人的定策之功，又赐给了铁券，不忍心杀死五人。可只要这五个人还活着，武三思就如芒刺在背，不甘心，而且他要为姑母武则天报仇，一定要置这五人于死地而后快。可怎样才能激怒中宗，使他下决心杀掉这五人呢？

武三思挖空心思，终于想出了一个激怒中宗的高招。这个高招一般人是想不出来的。一是一般人没有武三思"聪明"，主要是一般人不会这么阴损。武三思和韦皇后恋得火热，韦皇后被窝里的男人经常是武三思而不是中宗，这种情况朝野尽知，只有中宗皇帝不特别清楚，但也有些察觉。

武三思利用所有的男人都有自尊心，都最怕戴绿帽子这种心理，派人偷偷到闹市区一带去分别张贴匿名的揭帖，类似现代的通知。内容是说宫闱淫乱，说韦皇后和武三思通奸，要求废除韦皇后云云。尤其是把二人通奸的细节描绘得绘声绘色，因是出于武三思的手笔，他写自己通奸的情景自然要比任何人都有实际的体验，故写得还是蛮不错的。

揭帖的内容越细致生动就越能激怒中宗。果然不出武三思所料，中宗皇帝见到大臣转来的这个揭帖，龙颜大怒，严厉命令派人进行追查：揭帖是谁写的，谁张贴的。专门侦察此案的人都是武三思亲自安排的，结果也就不难想象。结论是：张柬之等人因被贬在外极度怨恨，派人从外地到京师里来张贴揭帖，以此发泄对圣上的不满。

武三思以为，这次五王必死无疑，可中宗还是没有下诏赐死五人，而是把五人再贬到更远的地方去。基本上都被赶到了天涯海角。可这五人还都活着，武三思依旧不死心，就派人带着假圣旨到各地去分别把这五人弄死。可惜这五位定策功臣，因当初除恶未尽，留下隐患，最后都成了屈死鬼。"当断不断反受其乱"，真是千古不替的经验之谈，对于武三思这样的小人恶人就要除恶务尽。张柬之等人真的不是政治家，否则，这么好的机遇，这么好的一把牌怎么打到这个份儿上，连自己的性命都不能保住！

武三思用栽赃陷害的卑劣手段害死五王，扫除了篡权谋逆的一大障碍。可还有一道障碍也必须排除，这就是已经立的太子。韦皇后只生了一个男孩，即李重润，早已被武则天赐死，神仙也没有办法使其起死回生再当太子了，只好立其他嫔妃所生的李重俊为太子。而这也是那五位定策功臣掌权时所干的事。

武三思对太子李重俊极为嫉恨,因为太子在客观上成为他恢复武周政权不可逾越的障碍。安乐公主是武三思的儿媳妇,也想要当一当女皇帝,她多次缠着中宗,要求父亲废掉太子立自己为皇太女。他们俩的目的虽然不同,但在要废掉太子方面是一致的。韦皇后想要效法婆母的所作所为,也必须废掉太子,这几股力量合在一起,太子李重俊面临着十分严峻的局面。

韦皇后冷落太子,动不动就斥责太子;武三思瞧不起太子,动不动就讽刺太子;安乐公主看不上太子,动不动就当众侮辱太子;中宗皇帝耳朵软,也动不动就批评太子。

太子本没有任何过错,他是真正的龙子龙孙,也是个二十多岁的男子汉,是大唐帝国的真正储君。他有很强的自尊心,不像父亲中宗皇帝那样懦弱窝囊,他不能忍受这么多的凌辱和不平,他要找回自己的尊严,终于爆发了一场激荡人心的殊死搏斗。

太子空缺,斗争激烈

太子李重俊矫诏发兵杀死武三思父子,出了一口恶气。但本人也死于此难,太子之位空缺,引起更激烈的斗争。

唐中宗神龙三年(707)七月辛丑日,太子李重俊在忍无可忍的情况下,终于下定决心以死相拼了。他与左羽林大将军李多祚、将军李思冲、李承况等人用假传圣旨的手段调动三百多名羽林军,突然包围了武三思的府邸。

李重俊亲自带兵入内,杀了武三思和武崇训父子及其亲党十几人。干得干净利落。

接着,李重俊命部下分守宫城的各个城门。他和李多祚亲自带兵自肃章门抢关而入,叩打后宫的宫门,向守门军兵喊话,说明要见父皇一面,有话要说,并提出索要逆党要犯上官婉儿。

这时,宫城的绝大部分已被太子控制,只是后宫没有太子的一点势力。外面人欢马叫的声音早已惊动了中宗和韦皇后等人,他们都非常惊慌,不知发生了什么事。守门军兵把太子的话如实传达到里面,中宗犹豫不决时,上官婉儿说话了："依臣妾之见，太子这是先索婉儿，次索皇后，最后才能索大家。"前文书提到过，"大家"是后宫中人在内部对皇帝的称呼。从这件事来看，中宗就是个昏庸透顶之人。

中宗一听此话，马上带上官婉儿、韦皇后、安乐公主等人登上玄武门城楼以避兵锋，命右羽林大将军刘景仁发兵前来保卫后宫。不和太子对话。

太子和李多祚已率领军兵来到玄武门城楼下，等着中宗来问，以便向父皇说明原委，自己此次起兵只是想铲除武三思的势力而已，别无他图。但等了一会儿，中宗却不肯出来对话。怎么办，太子和李多祚都有些犹疑。李多祚想要登楼，被严词拒绝，再试探着往前走，则被乱箭射回，局势一下子紧张起来。

这时，右羽林大将军刘景仁已经拿着圣旨发兵前来，距此不远。李多祚手下有一千多起兵，都是精锐部队。眼看这两支禁卫军的劲旅就要发生一场血战。正在这千钧一发的时刻，中宗的身影出现在城楼之上，手扶栏杆向李多祚的部队高声喊道："诸位将士听真，你们都是朕的宿卫之士，为什么跟从李多祚造反？如果谁能斩杀反叛之人，毋愁不富贵。"

这是皇帝的口谕，这几句话如同是晴空中响个炸雷，李多祚的军队一下子就乱了。站在李多祚身边的一个军官近水楼台先得月，一刀砍下李多祚的脑袋领功去了，其他军兵立刻放下武器。

太子见大势已去，带领少数亲兵出城向终南山方向逃去，半路被人所杀。

太子起兵，杀死了武则天死后武氏集团的两个骨干人物，即武三思和武崇训父子，对武氏集团是个致命的打击。从此，武氏的力量便彻底衰微了。

这场大的政治风波改变了朝廷各种政治势力的格局，各种政治势力又开始新的组合，争夺最高权力的斗争更加尖锐激烈。

韦皇后完全掌握了中宗的脾气禀性，已基本上控制了朝廷的实际权力。每天上早朝的时候，也像当年武则天垂帘听政一样，在中宗御座不远的地方挂一块布帘，韦皇后坐在帘后，细听群臣发表的各种意见。然后小声把自己的意见告诉中宗，中宗再向群臣宣布。很像是说双簧的演员。

太子一死，储君位置出现空缺，安乐公主加紧了要当皇太女的活动。虽然遭到大臣的反对，中宗也始终未明确表态，但安乐公主的美梦却一刻也没有停止过。

　　韦皇后和安乐公主都明白，她们母女要想真正获得皇帝的权力还有一块最大的心病，这就是安国相王和镇国太平公主这两个人物。太平公主在朝廷大臣中有一定的势力，而相王的势力更大，他那几个儿子也都是二十多岁的成年人。这也是不可忽略的问题。

　　韦皇后、安乐公主和她的心腹宗楚客等人密谋，一定要抓住太子李重俊谋逆一案，把相王和太平公主也都罗织进去。于是，派亲信侍御史冉祖雍诬奏，说相王和太平公主都参加了太子谋逆的罪恶活动，请收监审问。

　　因此事关系重大，中宗诏御史中丞萧至忠前来问询，命他审理这个案子。萧至忠听罢，流着眼泪劝道："陛下富有四海，就不能容一弟一妹，而允许他人罗织罪名相害吗？昔日相王为皇嗣，坚决请于则天大帝，把天下让给陛下。为此而累日不食，天下尽知。奈何以冉祖雍一言就怀疑其有反心呢？"

　　中宗本来就不是不通情理之人，于是就把这件事压下了。太平公主和相王这才逃过一难。

　　韦皇后、安乐公主、宗楚客等人急于抢班夺权的阴谋活动，只有中宗没有明确的认识，太平公主和相王都看得清清楚楚。相王是无可奈何，想不出办法来对付。太平公主则积极活动，她不甘心被人随意摆布。

　　太平公主是皇帝的同胞妹妹，在中宗面前说话是有相当分量的。她要培植自己的势力，一些大臣也愿意投靠到她的门下以求飞黄腾达。

　　在母亲武则天身边多年，太平公主得到了武则天的真传，她学会了使用政治手腕，尤其是学会了武则天在政治斗争中的两个高招，这就是使用间谍和酷吏。现在她还没有使用酷吏的资格，但在她的府中，她是绝对的权威，她的几个儿子也都被她管教得服服帖帖，下人们就更不用说了。

　　在使用间谍方面，没有地位的限制，她充分运用了这一点，在朝廷的一些要害部门和后宫之中，几乎都安排了她的眼线。萧至忠劝说中宗的情形都被她知道了。很快，她就秘密召见萧至忠，使萧至忠成为她的人。尤其是羽林军中，她更通过七哥对自己的信任安插进去不少亲信。她的势力在无形中强大起来。

　　武三思父子的灭亡，多数朝廷大臣的态度是喜笑颜开，这表明武氏已经完全失去人心，人心还是向着李唐王朝的，这一点太平公主非常明显地感觉到了。武攸暨尽管当上什么司徒，什么王爷，但没有一点实权。武攸暨在政治上已没有任何价值。太平公主对他也不抱什么希望。

这时，太平公主已经是四十多岁的人，但她深得母亲武则天的真传，也会养颜美容，稍事化妆后，就和二十几岁的少妇没什么两样，依旧很有风韵。对武攸暨厌倦了，前一个情夫高戬还被母亲给贬出京去。她一天也耐不得没有情夫的寂寞。换过几个后，她又找到一个比较固定的情夫，也可以说是她最后一个情夫，这个人就是崔湜。

太平公主之所以选中此人，除崔湜有勾引女人的手段外，还有一层重要的原因，这就是崔湜是韦皇后势力圈里的人。崔湜很有文采，会诗文，懂权术。武三思当政时，他是武三思的大红人。武三思用阴谋除掉张柬之等五人，有很多阴谋出自崔湜。武三思被杀后，他又凭他男人的姿色，成为上官婉儿的情夫。上官婉儿是韦皇后的智囊，可以触摸到韦皇后的脉搏。崔湜既然是上官婉儿的情夫，当然也就可以知道后宫中的许多秘密。

太平公主在积极网罗党羽，培植自己的势力。安乐公主要当皇太女，也不遗余力地拉拢大臣，培植亲党。亲姑姑和亲侄女各树朋党，相互倾轧，渐渐形成势不两立的态势。

中宗夹在这两人的中间很为难，他多次劝妹妹，可又不全怪妹妹。管自己的女儿又有些管不了，因为已经太晚了。而且，安乐公主还有韦皇后一党的支持，韦皇后又控制着中宗，形势对太平公主非常不利。但只要有中宗活着，这两个女人便都有绝对的安全保障。故斗争也就很难分出胜负来。

韦皇后要当女皇，安乐公主要当皇太女，娘俩都有野心，故紧密地勾结在一起。朝廷中一些势利谄媚之徒都投向她们的怀抱。其中最奸狡阴险的要数中书令宗楚客。

韦皇后、安乐公主、长宁公主、上官婉儿等人把中宗几乎完全架空。她们随意出卖官爵，花三十万钱就可买个朝廷官员当。贿赂公行，只用一封斜封的墨敕交付中书省注册就算数，其他什么手续都不用。当时官员数量骤增，人们都管这种官叫"斜封官"。

太平公主见到这种情况，多次进宫劝七哥应当独掌大权。中宗也有所觉悟，但不相信情况会像妹妹说的那样糟糕。然而，妹妹的话在他的心中产生了很大的震动。他要测试一下，权力是不是还掌在自己的手中。

武三思死后，韦皇后耐不了寂寞，又和散骑常侍马秦客、光禄少卿杨均通奸，并依靠宗楚客等死党为所欲为，根本不把中宗放在眼里，以为中宗永远是个随便捏弄的面团。可没有想到，在一次大的交锋后，中宗来了脾气，半个月也不肯到韦皇后的宫中去，而且也不准她再去听政。中宗还频频召相王和太平公主进宫密议，不知要干什么。双方的斗争形势骤然紧张起来。

"山雨欲来风满楼"，朝廷中充满了火药味，结果究竟会怎样呢？

第四章

先发制人

指斥皇帝，引发风波

忠臣惨死，中宗大怒

形势日紧，缺席早朝

中宗驾崩，未留遗诏

韦氏下毒，细节浮现

拟写遗诏，各怀鬼胎

遗诏变化，措手不及

韦氏掌权，太平被动

韦氏密谋，憧憬皇位

多方联系，暗中运作

肃清后宫，韦氏陨落

指斥皇帝，引发风波

一个州府的参军之职，竟敢在朝堂上公开指斥皇帝失德，公开指斥皇后秽乱朝纲，引起一场轩然大波，并由此引发更大的风波。

唐中宗景龙四年六月壬午日（初二，公历710年7月3日）。

早晨，下了一场多年不见的大雾，整个长安城笼罩在浓浓的雾气之中，能见度极低。走在大街上，听见对面传来人的脚步声却看不见人，要走到只离三两步远时才能知道对方是男的还是女的。

行驶在街面上的马车走的速度也特别慢，车夫紧紧地拽着马缰绳。瞪大了眼睛向前面看着，还不时地大声吆喝几声，或是抡起鞭子凌空使劲一甩，再往回一带，在空中传出"啪啪"的几声清脆的声响，以给对面来的人提个醒。

坐落在长安城北部的巍峨的皇宫内院，也被浓浓的大雾所笼罩，显得更加神秘，更加深不可测，给人以阴森恐怖的感觉。

这天夜里，太平公主睡得特别不好，心神不定，刚刚睡着就被噩梦惊醒。梦的内容也有些不着边际，忽而是她非常敬重佩服的母后武则天来埋怨她没有铁的手腕，竟让韦皇后随便摆弄天子，败乱朝纲；忽而是死去多年的父皇高宗前来，告诫她要帮助懦弱的哥哥掌握好大权，千万不要再让异姓人祸乱祖宗千辛万苦打下的江山；忽而又是七哥即当今天子李显满面愁容地向她诉说受制于韦皇后的痛苦，请她帮助夺回失去的大权……

天色已经放亮，太平公主躺在床上不爱动弹。她使劲伸了伸稍有些肥胖但很匀称的秀体，想再躺一会儿，便懒洋洋地问睡在外间早已起来的贴身侍女道：

"碧虚，现在是什么时辰了？"碧虚是太平公主新近选中的丫鬟。

"回公主，马上就要到辰时了。"

"什么？快到辰时啦？天色怎么还这么暗？"

"外面的雾气太大，我生来也没见过这么大的雾。"

一听已经快到辰时，太平公主一骨碌起床下地，并高声叫道：

"碧虚，快，快进来服侍我梳头。"碧虚赶忙小跑着来到内室。

碧虚先按照每天的程序拉开窗帘。太平公主这才发现，外面的雾气真是太大了，整个天地仿佛都被一块巨大的青纱遮住，朦朦胧胧的。

太平公主的心情更加黯淡，从来不知道忧愁的她也不免有些忧心忡忡。她之所以一听将到辰时这句话便马上一骨碌起床，是因为她心中有事，而且她还在等待一个人。

她心中有什么事呢？她所等的又是谁呢？

太平公主预感最近几天将要发生一场大的事变，十几天前在朝廷上发生的一件事便是一个预兆。而这场大雾仿佛是个暗示，给整个天下，整个朝廷的形势罩上一层面纱，使一切都显得模模糊糊，朦朦胧胧，让人摸不着边际。这是最令人感到迷惘焦灼的时候。

那是五月十七的早朝，中宗皇帝不知是出于什么目的，当着文武百官的面，追问许州司马参军偃师人燕钦融奏章中的一些内容。从来也没有威仪的中宗皇帝这天不知为什么如此严肃，板着面孔，命内侍传燕钦融到御案前回话。

州府的参军之职是州里的中层干部，充其量不过与县令的品级差不多，按上州、中州、下州不同而为从七品的上阶或下阶，是个不上数的小官。可这位燕钦融却在奏章中直接指斥皇帝，弹劾皇后和大臣，言辞激烈。

中宗看后，大吃一惊，不由得怒火中烧。如果奏章里的话全部属实的话，他又怎能容忍？如果不属实，燕钦融怎敢如此大胆？他要当众问明此事，敲山震虎，也给韦皇后和宗楚客等人一个颜色看，提醒他们收敛一些，我李显还是天子，大权还在我的手里。

燕钦融刚过三十，正是血气方刚之时，跪在太极殿的御案前，神态自然，绝无惊慌胆怯的表现。满朝文武不知中宗要问什么，预感到问题的严重性，个个都屏住呼吸，伸长耳朵仔细听着。殿庭中静得有些让人喘不过气来。

中宗略提高点嗓音，威严地问道：

"燕钦融，你上疏责朕失仪，朝纲不整。今日朕允许你当庭当面详细陈诉。如果说得有道理，朕便赦你无罪；如果说不出道理来，就是诽谤朕躬，定斩不饶！"中宗也是真的动了肝火，后面的几句话说得斩钉截铁，掷地有声。

燕钦融先顿首谢恩，然后抬起头来说道："吾皇万岁万岁万万岁！微臣谢陛下亲自召见，允许面陈之恩。微臣闻听陛下在元宵节晚上和皇后等微服出游，男女混杂，摩肩接踵。并允许几百名宫女随便出宫逛华灯，致使数百宫女走散民间，不再回宫。臣还听说，陛下在梨园里、球场上，不顾尊卑上下，与内侍和嫔妃宫女们恣意嘲谑，听淫曲，观亵舞。依臣所见，陛下这样做便是失仪。"燕钦融慷慨陈词，说完，又叩一个头。

中宗皇帝一听，燕钦融说得条条是道，都有道理。可他是从哪里知道这些内情的呢？但现在不是想这些事的时候，重要的是他所说的都是事实，令人无法反驳，当然也就无法治罪。

这些内容中宗还可以容忍，也不至于大动肝火。更令他生气的是奏章里还明确指出，韦皇后和安乐公主等人干扰阻挠朝政，宗楚客和武延秀等人图谋不轨，这可不是闹着玩的，弄不好自己的皇帝就当不成了，说不定还会身首异处。但此事非同小可，尽量不让全体大臣们知道为好，于是中宗略微压低点声音问道："你奏章中说后宫干扰朝政，可有什么根据？"

"皇后和其胞姐郕国夫人、崇国夫人，还有安乐公主、上官昭容等人招权纳贿，卖官鬻爵。无论什么人，哪怕是市井无赖，只要交三十万钱，就可以得到一个官职。这些官职不由三省有司任命，而是由宫中传出的用斜封的诰敕封赏。人们都称这种官叫'斜封官'。现在这种'斜封官'也不下几千人，京师里沸沸扬扬，何人不知？自从大唐建国以来，官职之乱，莫过于今日。而这种情况之出现，又全是由于后宫干预朝政所致。臣愿陛下收回大权，独揽朝纲。政由己出，裁汰滥官，严明法纪，则天下幸甚，万民幸甚，社稷幸甚！"说罢，再度叩头。

大臣们听了这番话，立刻出现不同的反应，有人交头接耳，窃窃私语。

站在最前边的中书令宗楚客气得下巴颏上的那几根小胡子直挓挲，眼睛瞪得溜圆，脸憋得通红，刚想要开口说话，中宗又开始发问了："燕钦融，你在奏章里说皇后秽乱后宫，外戚强盛，图谋不轨，可有真凭实据，速速奏来！"

这一问无异于晴天里的一个霹雳，整个朝廷里的人都感到格外震惊。虽然这是个公开的秘密，但在大庭广众之下，而且又是在这样庄严的早朝时向臣子问这个问题，怎能不令人感到突然？整个朝廷的眼睛都不约而同地转向燕钦融，都为他捏了一把汗。因为谁都知道，这样的事要拿出真凭实据来谈何容易。

燕钦融似乎做好了必死的准备，他抬头看了看中宗，又用两眼的余光看了看那些绷得紧紧的脸，然后有些激愤地说道："微臣自知罪该万死，但为苍生大计，也不得不言。皇后与陛下同甘共苦多年，如今陛下登基，皇后多享受些荣华富贵也在情理之中。可是皇后过于纵欲骄恣，先私通武三思，谋害故太子。才迫使太子起兵，父子失和，这是天下妇孺皆知之事。如今又私幸散骑常侍马秦客和光禄少卿杨均。皇后外戚韦氏兄弟窃据要职，把持朝政。中书令宗楚客和这些人结为死党，朋比为奸，招权纳贿……"

燕钦融越说声音越高，简直是法官在公布罪犯的罪行，绝不像是个受询问的人。事情挤兑到这个份上，也只能是一硬到底，反正不过是一死，死也要死得光明磊落，死得大义凛然，不能窝窝囊囊，缩一头夹一尾的。燕钦融倒真是个好汉。

整个大殿的空气简直要爆炸了。

忠臣惨死，中宗大怒

在皇帝面前，在众目睽睽之下，就有人敢假传圣旨，把敢于直面惨淡人生的斗士摔向大柱子，使其折颈而亡。这才激怒了中宗，他要收回大权，可还能做到吗？

没等中宗说话，宗楚客憋不住了，他大声喊道："燕钦融好大胆，竟敢在大庭广众之下，出此污言秽语，诽谤陛下，诬蔑皇后，陷害大臣，应当就地正法！"宗楚客站在离御案最近的地方，离燕钦融也很近。他听得最清楚，那颗贪婪的心早已气得突突直跳，听到燕钦融直接点出了他的名字，气得实在憋不住了，就不由自主地往前迈了两步，朝靴的前尖眼看要碰到燕钦融的屁股了。他万万没有想到这么一个小小的参军竟敢如此尖锐地揭发他的隐私，气得失了常态，竟在没有得到皇帝允许的情况下大喊大叫，下巴颏上的那几根小胡子和上唇的稀稀落落的一些短短的胡须又都挓挲起来，厚厚的嘴唇一翻一翻的……

燕钦融跪在那里纹丝不动，他知道，尽管宗楚客的靴子尖离他的屁股不远，但恐怕还不敢上来踢他，因为这里毕竟是殿庭，现在毕竟是庄严的早朝，当着文武百官的面再愚蠢的人也不会干这种傻事的。何况他是抱定必死的决心才上奏章的，又怎能怕宗楚客的靴子呢？

每次在出现这种情况的时候，宗楚客一表态，几乎就等于是圣旨，因为中宗每次都是照办，几乎是把宗楚客的话重复一遍。可这次却不同往常，中宗不但没有按照宗楚客的话说，反而先用眼睛狠狠瞪了宗楚客一眼，又看着跪在御案前的燕钦融，短时间里没有说话。

宗楚客不由自主地往后退了两步，回到原来的位置上。整个殿庭的空气仿佛要爆炸一样，一点儿声息也没有。这时，燕钦融又说话了：

"中书令宗楚客以前里通外国，已被御史弹劾过。陛下法外施恩，未予追究。如今他不知悔过，反而变本加厉，终日与皇后、安乐公主、武延秀等人图谋不轨。安乐公主要做'皇太女'，这个主意就是宗楚客出的。宗楚客自己亲口对人说：'我在当小官时，日夜盼望能当大官。当大官后又日夜盼望能当宰相。如今当上宰相，才知道宰相也不算尊贵，上面还有一个皇帝老子。人生一世，草木一秋，我要是什么时候能登上大宝，南面称孤，当一当皇帝，哪怕是那么几天，也就心满意足了。'窥测大宝，想要当皇帝，这不是图谋不轨是什么？"

宗楚客的脸色由红变白，嘴唇周围的那些小胡子又一次挓挲起来，嘴嘎巴几下却没敢出声。因为刚才被中宗狠狠瞪了一眼，他把张开一半的嘴又合上，好像要下蛋的老母鸡受了惊吓，把将要下出的鸡蛋又憋了回去，等着中宗表态。

听完燕钦融的一番慷慨陈词，中宗的内心一阵颤抖，宗楚客借助韦皇后的力量招权纳贿，营私舞弊，这都是中宗意料中的事。但他想要称孤道寡当几天皇帝的事可从来没听说过。但燕钦融说得明明白白，言之凿凿，恐怕不是为耸人听闻而编造的谎言。

想到这里，中宗倒很佩服面前这位冒死上谏、忠肝义胆的小臣，这是个忠臣，中宗从直觉上就感到了这一点，他要保护这样的忠臣，于是就非常愤怒地指着燕钦融道："完全是一派胡言。朕念你虽然昏悖，但是出于至诚。朕现在不治你的罪，速回许州待罪，立刻离开京师。"

燕钦融连续叩了几个头，谢过圣上的不杀之恩，起身快步出殿。

宗楚客对站在他身后不远的一名官员低声吩咐两句什么，那人马上离开，到殿下去向两名宫廷卫士低声吩咐几句，那两个宫廷卫士迅速出去。

"宗楚客，你可知罪？"老实人也有急眼的时候，懦弱人也有胆大的时候，中宗就是在平常日太老实太懦弱了，才使宗楚客等人为所欲为，肆无忌惮。刚才燕钦融的一番话如同给他兜头浇了一盆凉水，使他的头脑清醒了许多。他很严厉地质问宗楚客。

老实人一急眼更可怕，中宗那愤怒稍带有点犹疑的目光使宗楚客也感到有些毛骨悚然，这是他第一次对中宗产生畏惧心理。他连忙出班跪倒，就跪在燕钦融刚才跪过的那个地方。宗楚客的心里虽有些打怵，但还不算太惊慌，因为他有后台，有足以制伏中宗皇帝的后台，这就是韦皇后。

宗楚客知道，在中宗身后垂挂的帘幕后面就坐着韦皇后，韦皇后的一个眼神，一声咳嗽，都可以让中宗手足无措。韦皇后一定会给他撑腰，不会让他太难看的。于是宗楚客又壮了壮胆子，不但不认罪，反而诉说起自己的功劳来。

宗楚客絮絮叨叨地说他如何尽心辅佐，得罪了小人，反遭诬陷的话。中宗边听边生气。正在这时，殿堂下传来喧哗之声。宗楚客停止了他的陈诉，回头观看。中宗皇帝也有些惊讶地朝下面望去。

只见两名宫廷卫士用那粗壮的胳膊架着一个人走上殿堂。那个人的两条腿软绵绵地耷拉着，一看就知道是被打折了。中宗定睛一看，此人不是别人，正是刚刚被赶出殿堂的燕钦融。

中宗一怔营，刚要说话，只见那两名宫廷卫士稍微一屈身，各用另一只手抓起燕钦融那条失去作用的软绵绵的腿，二人同时一用力，就把燕钦融完全拎了起来，再用力向前一送，向后一摆，燕钦融被二人举在空中。

说时迟，那时快，两名宫廷卫士借着燕钦融被悠起来的惯性，把他向前面的一根粗大的柱子掼去。燕钦融仿佛被抛出的球，直向那根大柱子射去。

随着"咕咚""咔嚓"的声响，传来一声撕心裂肺的惨叫，燕钦融的脑袋耷拉下来，脖子被折断，脑浆迸裂。两只眼睛瞪得圆圆的，那情状令人惨不忍睹。

"痛快！痛快！"宗楚客连连喊叫。

中宗大怒，狠狠瞪了宗楚客一眼，又怒声问宫廷卫士道："好大胆的武士，你们怎敢在朕面前擅自行凶，杀害大臣？"

两名宫廷卫士一听，吓坏了，"扑通""扑通"跪倒，连连叩头说道："陛下恕罪，我二人岂敢如此大胆，我们是奉旨才这样做的。"

"谁给你们发的圣旨，朕就在这里，朕怎么不知道？"

"回陛下，是宗宰相宗大人传的圣旨，说是陛下口谕。"

"好大的胆子。在朕面前，在金殿之上，就敢假传圣旨，在朕的背后什么事不敢干？宗楚客，你可……"

"咳咳——哼！"帘幕后面传来韦皇后的咳嗽声，这是一个信号，暗示中宗该退朝了，无论什么事等回后宫再理论定夺。每当这种咳嗽声传到中宗的耳朵里时，他都会乖乖地宣布退朝。此次可能是事态比较严重，韦皇后还多加了一个感叹号，这就是那声"哼"。

这个声音确实管用，中宗的话说到一半就咽了回去。但一脸的怒色没有变，只是愤愤地一甩龙袍的袖子，说了声："退朝！"

当天，中宗皇帝没有回到韦皇后的宫中，而是自己独住一室。他要好好清静一下，反省一下自己复辟以来的所作所为。

几天里，中宗亲自批复奏章，亲自处理朝廷大政，他不见韦皇后，更不见宗楚客等一帮人。只是把仅仅在世的一个弟弟相王李旦和一个妹妹镇国太平公主请进宫里，兄妹三人密谈了好几次，每次都密谈了好长时间。

韦皇后害怕了，安乐公主也有些害怕了，宗楚客更害怕了，韦皇后的两个新情夫以及她周围的亲信死党都害怕了。太平公主劝七哥迅速下手，除掉韦皇后周围的亲信。可中宗顾虑重重，优柔寡断。而且，韦皇后的兄弟控制着禁卫军中的一部分武装力量，弄不好也会翻船的。

据太平公主安插在宫中的人密报，近几天来，韦皇后和安乐公主、马秦客、宗楚客等人接触频繁，恐怕会有异谋。朝廷的局势虽然表面上很平静，但如同在平静的水面下往往有漩涡和暗流一样，宫中敌对的双方都在磨刀霍霍，一场大的你死我活的搏斗随时都可能发生，鹿死谁手尚在两可之间。太平公主所焦虑的就是这件事，那么，她所盼望的又是谁呢？

形势日紧，缺席早朝

"山雨欲来风满楼"，朝廷中的形势日益紧张，崔湜带来天子没有临朝的消息，太平公主大为惊诧，到底发生了什么呢？

太平公主盼望的人就是新情人崔湜。崔湜还真是个人物，现在任中书侍郎之职。上中等的身材，白皙的面庞，刚过不惑之年。他有两个其他男人难以比拟的长处，这就是老天爷给了他一张有魅力的脸，略带长形的脸盘，两道浓浓的眉毛，眼睛虽然不大但非常有神，尤其是当遇到可意女子的时候，他的眼神中便含有一种色迷迷的神情。那种神情恰到好处，轻易就能引起异性的注意。再一个就是老天爷还给了他一张乖巧的嘴和多诈的心。他充分地利用了自己这两方面的长项，在多年的政治动荡中一直处在优越的地位上。

他把两方面的长项综合起来，就变成一种本事，这就是勾引女人。当男性主宰天下的时候，善于献媚邀宠的美丽的女人往往大有用武之地。只要把主宰天下的男子迷恋住，这个女人就可以翻天覆地，就可以运天下于掌心，商纣王的宠妃苏妲己，西周末年周幽王的宠妃褒姒，春秋时期晋献公的宠妃郦姬，西汉后期成帝的皇后赵飞燕，都是这方面的杰出人物。

当女性主宰天下的时候，又为善于献媚邀宠的有魅力的男人提供了大展身手的历史舞台。而崔湜生活的时代正是武则天主宰天下的时代。武则天死后，如今又是韦皇后、上官婉儿、安乐公主主宰天下，中宗虽然是天子，可大权不在他的手里，这是整个天下除了傻子都知道的，何况精明的崔湜呢？

正是这样的历史机遇，才使崔湜的天赋没有丝毫的浪费。凭着他的长项和勾引女人的高明手段，他很快就和炙手可热的上官婉儿勾搭在一起，成了一对双宿双飞的野鸳鸯。这样，他成为韦皇后势力圈子里的大红人。韦皇后等人无论有什么秘密，从来也不背着他。

可崔湜另有心思，在张柬之等五大臣帮助中宗复辟和一年多前太子李重茂起兵杀武三思的两次重大事变中，他发现一个道理：天下还是李氏的，武则天惨淡经营二三十年，想要把天下的姓变过来，可在临死的时候还是发现天机，主动提出废除武周的年号，恢复李姓的唐朝。

韦皇后的所作所为已经是"司马昭之心，路人皆知"，这就是要效法她的婆母武则天，先挟天子以号令天下，待时机成熟再取而代之。可是，她的城府和机智都和武则天不可同日而语，其最后结果实在是难以预料。他从冯谖帮助孟尝君营造"狡兔三窟"的谋略中得到启发，这就是自己也要营造三窟，以便永远立于不败之地。

他知道，一旦韦皇后失手，取而代之的必定是相王李旦和太平公主。相王李旦也是男性，与自己性别相同，无法施展才能，于是他便把目标转向了太平公主。几次色迷迷的眼神和心灵的暗示，再凭他在韦皇后圈子里的特殊地位，太平公主很快就接受了他。他又成为太平公主床上的常客了。

几天来，朝廷的形势日益紧张，这是所有知道内情的人都感觉得出来的。所以，崔湜每天下朝，一定要拐几个弯，钻几条僻静的小巷到太平公主的府第来，向她仔细汇报当天朝廷发生的最新情况，太平公主通过这条线索来掌握整个斗争的动向。

当然，太平公主在朝廷还有其他的眼线，她把这两方面的情况综合起来加以判断，就可以完全掌握主动权了。经过几次考察，她发现崔湜对自己很忠心，因为他所提供的情报和自己通过其他渠道所掌握的基本一致。

辰时已过，即将到巳时了。巳时就是如今的上午九点钟。每天的这个时候，崔湜已经到来，可今天怎么还不来呢？太平公主感到一阵阵的耳热心跳，右眼皮也一个劲儿地跳。她感到焦灼不安，有一种不祥的预感。

心里越烦躁，右眼皮跳得越厉害，太平公主在地毯上踱来踱去，望眼欲穿地盼望崔湜的到来。

到巳正也就是十点钟左右，崔湜才急匆匆地来了。可能是走得太急，也可能是心情太紧张，崔湜有些气喘吁吁。也顾不上让座，太平公主忙问："宫中的情况怎么样？可有什么异常？"

"圣上今天没有临朝，早朝全是韦皇后主持的。"

"怎么？皇上今天没有临朝？说没说为什么？"

"没有。我看韦皇后今天的表情有些紧张。虽然她装得若无其事，可谁都看得出来，她心事重重。刚上朝不一会儿就散了。"

"那你为什么才来？你见过上官昭容了吗？"

"没有。我看今天情况异常，怕有人发现我到你这里来，故意绕了一个大圈子，躲开宗楚客的大门，穿了好几个小胡同才从后门进来的，所以晚了一会儿。"崔湜才把气喘匀净，看着太平公主那张严肃的脸，等着她表态。

"碧虚，传二公子马上到我这里来。"碧虚应声而出。

中宗驾崩，未留遗诏

高明的棋手常常采用出其不意的手法致对方于死地，太平公主就走出了这样一着好棋。她似乎可以稳操胜券了。

太平公主所说的二公子就是她的二儿子薛崇简，现在正做北军首领，统领一支强大的禁军，这是保卫皇宫的主要力量。既然能保卫皇宫，就可以控制皇宫，从而也可以控制整个京师。如果控制了整个皇宫和京师，实际上也就等于控制了整个天下。

薛崇简马上来到，听从母亲的吩咐。

"简儿，你马上微服到军营中去，把中下级军官都召集起来。随时待命。我马上进宫，如果我在未时过后还不回来，立刻统领军队进宫平逆，营救为娘。"

"母亲，这是为什么？发生什么事啦？"

"不要问。按照我的吩咐去做。我这就走。崔侍郎，你先就待在这里，等我回来再做定夺。"

太平公主就是这个风格，言出行随，马上带上贴身的几名卫士进宫去。

太平公主在京师里就有两所宅院，一所在宣阳坊，一所在醴泉坊。现在她住在醴泉坊的宅院中。前文提到过，醴泉坊在长安城的西北部，在皇城南大街的北面，东边只隔着一个布政坊就是皇城。

太平公主带着几个随身侍卫，乘坐她自己专用的画着孔雀图案的装饰豪华的车辇，急匆匆地从大门出来，向北走过一坊之地，往东一拐就进了安福门。由于她是个特殊人物，中宗皇帝曾经给所有守门的军官传达过旨意：相王和太平公主进宫不得阻拦。而且京师里的人谁不知道这是个炙手可热的人物，又见她面带怒容，就更无人敢加以阻挡了。

连续通过六七道戒备森严的宫门，太平公主来到坤宁宫的朱明门外。这里是韦皇后的寝宫，守卫当然都是韦皇后的亲信。但这些人也都认识这位举足轻重的公主，很礼貌地拦住了太平公主和从人。

太平公主见状，也不多说话，只说了一句："快进去禀报皇后，就说我特来求见，有要事相商。"门房的人答应着连忙向里面走去。

稍过片刻，只见韦皇后带着她的心腹贺娄氏慌慌张张地迎了出来，面带戚容。韦皇后一见太平公主，连忙微微一躬身算是施礼道："不知公主驾临，有失远迎。公主快请进。"

韦皇后是个很有主见很有心计的女性，她可以把丈夫中宗皇帝摆弄得服服帖帖，也可以使许多大臣看她的眼神行事，仰她的鼻息求取高官厚禄。对小叔子相王李旦她也没放在眼里，但就是太平公主，也可能是日久天长所形成的一种惯性。

那还是她十岁的时候，上元节那一天，她跟着父亲到朱雀门大街上看花灯。两个相貌凶恶，还会几手武术的地痞无赖因调戏一个瘦弱美丽的女孩，被恰巧碰上的一个只比自己大一两岁的女孩愤怒地斥责了几句。

那两个无赖不服，女孩一声令下："给本公主狠狠教训教训这两个无赖，往死里打！"几个家丁上来，一顿大棒，两个无赖毙命。

这两个无赖是在这一带横行霸道的恶棍，大罪不犯，小错不断，经常瞎转悠，成天捅猫蛋，极坏无比，一般百姓怕他们，真正有本事的人也不屑于跟这种人争锋。这种人见到有钱有势的人也不敢惹，专门欺负凌辱弱小的百姓，所以一直肆无忌惮，像一摊臭狗屎，没人愿意踩。两个人也就更加胆大妄为，欺男霸女，什么坏事都干，是千人恨万人烦的人渣。

见一个小姑娘敢下令打死这两个无赖，她悄悄问父亲："那个女孩是谁？她怎么这么大的胆子，敢打死这两个大地赖？"

"那是太平公主，别说这两个地赖，就是达官贵人犯到她手，她也敢打。"

从那一天起，韦皇后幼小的心灵中就知道权势的重要，埋下了酷爱权势的种子。而且，在潜意识中，她对太平公主产生了一种畏惧感。

她和中宗李显成婚之后，就一直受婆母武则天的气。在武则天的面前，她大气不敢出，有时显得手足无措。而太平公主比她还大一岁，虽然也管她叫嫂子，但无论什么事都要抓个尖，无论什么场合都要压她三分。

当她和太平公主有什么摩擦的时候，婆母武则天又总是袒护太平公主。而且在武则天的面前，太平公主总是显得那么随便，那么放纵，无拘无束。

在中宗李显被流放的那些年，太平公主一直非常受宠，武则天有许多事都很重视这位公主的意见。在中宗流放受监视的日子里，太平公主甚至可以决定他们夫妇的生死存亡。久而久之，韦皇后就养成了一种习惯，这就是从内心打惧或者说是害怕这位小姑子。

"皇兄现在在何处？我要见皇兄！"开门见山，半句客套的话也没有，太平公主劈头就问，好给对方来个猝不及防。那语气根本不像在和皇后说话，而仿佛是在询问一个下人。

"大家今日身体不适，故未上朝。"

"我没问上朝不上朝，我只问皇兄在哪里，我要见皇兄。"

"在……在……在……神龙殿。"韦皇后有些语塞，一听就好像是在说谎话。

"好，请皇后带我这就去见皇兄。"太平公主步步进逼。

"嗨——"韦皇后长长打了一个嗨声，紧接着呜呜咽咽哭泣着说："大家他……他……"

"我皇兄怎么啦？"

"他今天早上突然就丢下我们母子撒手而去了。他的心好狠啊，就这么说走就走了。我……怕朝廷……不稳，所以未敢发丧。"韦皇后终于把中宗已死的消息如实告诉了太平公主。说完，斜眼偷看了太平公主一眼。

太平公主听完这句话并没有惊讶，反而显得异乎寻常的平静。她的柳叶眉略微皱了一下，便很沉稳地问："我皇兄患的是什么病？"

"我也不知道。这些天大家一直住在别的殿里。听说昨天还好好的，今天早上突然发病，等我赶到时，已经气绝身亡了。他的心真狠啊，就这么说走就走了。"说完，韦皇后又抽搭几下。

"可有遗诏？"

"没有。等我赶到的时候就已经咽气了。哪有什么遗诏，连一句遗嘱也没有留下来。他的心真狠啊，就这么说走就走了。"韦皇后又抽搭几下。但就是干抽搭没有眼泪。因为来不及思索，韦皇后据实而言，总是那几句话。

"皇兄突然归天，又没留下遗诏。国不可一日无君，没有皇帝怎么行。得赶快起草一个遗诏，确立新君。"

中宗之死，已在太平公主的意料之中，她早有了这种预感和思想准备，所以听到中宗驾崩的消息她并没有惊慌失措，反而显得镇定从容。她一路上就已考虑好一旦皇兄驾崩的情况属实后自己应当采取什么对策。这好像是在走一盘棋，一着失算，满盘皆输。现在似乎已经到了将要收盘的时候，双方都要计算得十分精确，只要有一个"劫"可打，也不能轻易放过。

皇兄之死，肯定是非正常的，是被人害死的。但这不是现在急切需要解决的问题，现在最关键的问题是谁来当皇帝，只要她韦皇后不公开出来当女皇帝，只要还是李家的人当皇帝，一切就都可挽救。而这一问题的关键又在于死去的皇兄是否留下遗诏，哪怕是假的。如果有遗诏，问题就严重多了。

由于她的突然出现打乱了韦皇后的阵脚，几句连珠炮似的追问，就把实话问了出来，即中宗没有留下遗诏，这就给太平公主提供了机会。

"是的。公主说得对，没有君主是不行，是得立一个。"韦皇后心里乱得成了一团麻，什么主意也想不出来，只是一个劲儿地顺着太平公主说。

说话间她们来到太极殿，上官婉儿也奉命来到，以共同商定遗诏的内容，然后由上官婉儿执笔起草。

韦皇后、太平公主、上官婉儿这三个女子在为一个刚刚死去的男皇帝起草遗诏，她们各怀心腹事，都不是省油的灯。这个遗诏的内容又将会是什么呢？谁能登上天子的宝座呢？将对哪一方更有利呢？

韦氏下毒，细节浮现

在权力巅峰上而又一向糊涂的人如果一旦明白过来，就要面临非常严峻的局面。不是致政敌于死地，就是被政敌弄死。

让这三个女子再研究计较一会儿立谁为皇帝的问题，我们回过头来再说一说中宗皇帝到底是怎么死的。

六月壬午日的早晨，内侍服侍中宗起床。每天在早朝前，中宗都要吃几口点心垫补一下，因为有时散朝要到九点多钟，龙腹不免有些太空，有饥饿感。所以临上朝前，中宗都要吃上几口。

这天的雾气特别大。已经穿好龙袍，扎好玉带，戴好冕旒，套好龙靴。御厨准时派人送早点来了。一个亭亭玉立的宫女端着一个食品盒，袅袅婷婷地来到他的身边。

他无意中抬头一看，不由得一怔营，送点心的怎么是珠儿？忙问："珠儿，怎么是你？你不是在安乐公主府吗？什么时候回宫来啦？"

"昨天早晨，公主硬说奴婢和驸马私通，就把奴婢痛打一顿，撵回宫中，罚在御厨烧火打杂……"说到此，珠儿两眼垂泪，很是委屈。中宗这才注意到，珠儿的两只眼睛有些红肿。

中宗闻听，暗自高兴。珠儿是一个官员的女儿，因父亲犯法而没入掖庭为奴。当时很小，聪明伶俐，服侍中宗。当然，那时中宗还不是皇帝，是庐陵王。十三四岁时，珠儿出落成一个十分标致的美人。庐陵王很是喜欢，但碍于韦妃，不敢有非分之举。可韦妃也有漏眼的时候，庐陵王和珠儿还是睡到了一张床上。

韦妃知道后，醋性大发，把珠儿责骂一顿后就把她赶出庐陵王府，给安乐公主当奴婢去了。以后的日子里，珠儿随着安乐公主进宫时，中宗见过几次，但也只不过是多看几眼罢了，想要重续旧欢是比登天还难。

今天，就是这个珠儿，却又活生生地回到了宫中。这就有机会了，中宗喜不自胜。他轻轻一挥手，身旁的小太监退出门外。

中宗迫不及待地把珠儿搂在自己的怀里，轻轻地为她揩拭粉腮上的泪花，爱抚地哄着说："珠儿，莫哭！莫哭！你到宫中来就好了，朕给你做主。

你今天就不必回御膳房，到甘露殿去喂鹦鹉。"

"谢陛下！"珠儿破涕为笑。

"等一会儿你就到甘露殿去，先在那里等朕，朕马上就去上朝，退朝后马上就到那里去。"十几天来，中宗因为心情不好，一直独自住在神龙殿，别说韦皇后那里没有去，就连一个嫔妃也没召幸过。今天见了往日的心上人，心情当然格外的畅快。

"陛下，您还没吃点心呢！"珠儿提醒道。

"好，还有点时间，你就服侍朕吃吧！今天给朕送的是什么点心？"

珠儿依旧坐在中宗的怀里，她娇嗔地努着小嘴说："是'五福饼'。"

"朕最爱吃'五福饼'。来，你服侍朕来吃。"中宗确实挺喜欢吃这种点心，更主要的是今天送点心的人他更喜欢，所以胃口就特别好。他张开御口，笑眯眯地等着珠儿来喂。

珠儿把点心盒轻轻启开，饼还热乎乎的，冒着气，温度正可口。珠儿捏起上面的一张饼，送到中宗的御口中。中宗咬一口，珠儿转动一下。二人配合得相当默契，仿佛是多年的老搭档。

有时，中宗还故意轻轻地咬一下珠儿伸进御口的纤纤手指。珠儿则撒娇地一笑，说了声："陛下谗了，想吃我。"中宗便顺势说："你真的使朕谗死了，朕恨不得一口吃了你。"说着，狠狠地亲了珠儿一下。

这种五福饼，是武则天时从西域传进来的一种食品。用酥油调和粳米面经过精心加工而成。外沾芝麻，里面夹进各种味道的馅。每张饼里是一种馅，五张饼就是五种味道的馅，吃起来又香又甜，酥软可口。

饼本来就非常好吃，何况一个会喂，一个会吃。中宗的胃口特别好，吃得特别香，一口气就吃了三张。如果在平时，他顶多能吃一张半。剩下的两张五福饼中宗又赐给珠儿吃了一张多。

"珠儿，你马上到甘露殿去等朕，朕下朝立即就去。"

"奴婢遵旨。"珠儿下怀，喜滋滋，恋恋不舍地离开中宗而去。

看着珠儿出了神龙殿，中宗心中荡起一阵幸福的涟漪。他要夺回自己的尊严，他是一个堂堂天子，他有权爱皇后以外的女人。他不能再像父皇高宗那样窝窝囊囊，被一个女人摆布了一辈子。既然喜欢珠儿，就要大胆地爱她，召幸她，何必要看皇后的脸色？等一会儿下朝，我就到甘露殿去召幸珠儿，看你皇后能把我怎么样。

自从发生上次的事，就是宗楚客在朝廷上肆无忌惮，假传圣旨，摔死燕钦融后，半个月了，中宗再也没到皇后的坤宁宫去，而皇后也没有派人来请。二人是在暗中较上劲了。所以中宗最近几天曾想要废掉韦皇后，撤掉几名宰相，也向兄弟相王、妹妹太平公主透露过这个意思。他准备今天下朝，召幸珠儿后立即就传相王和太平公主进宫，再商议大事。

珠儿已经出了门，中宗还在想入非非。见上朝的时间将到，他起身要走，忽然觉得胃肠之中翻腾起来，顷刻间就如翻江倒海一般，紧跟着是撕心裂肺般的疼痛，他马上意识到自己是中了毒，是五福饼里有毒。他要大喊，可喉咙里仿佛被什么东西堵住了，怎么也喊不出声来，但他的意识还是清醒的。

这时，只见韦皇后带着心腹贺娄氏等人来了。韦皇后的表情很阴险，往日的温柔和多情被狰狞和冷酷所取代。她来到中宗的面前看了看，说道："大家，你不要怪我，我也是……"以下的话中宗就什么也听不清了。他只觉得眼前有一道白光，接着出现一个五彩缤纷的世界，他轻飘飘地飞升起来，飞升起来，离开了污浊沉闷、充满肮脏的俗世，向着另一个世界飞着，飞着……

在临死的一刹那，中宗才真正清醒过来，可是一切都晚了。

中宗的死，是韦皇后极其死党上官婉儿、宗楚客、马秦客、杨均、安乐公主等人精心策划的杰作。

在那次早朝后，中宗是真生气了，从此再也没到皇后宫中去，又召见相王和太平公主等人，韦皇后这才感到问题的严重性。但她又没有婆母武则天的本事，武则天也曾经惹恼高宗，高宗也萌生过废掉武则天的念头，但被武则天略施手段就化解了。而韦皇后则吓得手足无措，最后才下决心害死丈夫中宗皇帝。

她先用激将法激怒安乐公主，再许诺自己当上女皇之后就让女儿当"皇太女"，以此取得了贪婪狂妄而又幼稚的安乐公主的支持。接着，她让安乐公主把珠儿怒打一顿赶回宫来，让这个至死也不知内情的屈死鬼去给中宗送下好毒药的五福饼。

让珠儿去送饼，这是韦皇后比较高明的一招棋。她知道中宗喜欢珠儿，而且中宗又已经十几天没有接触女人，在这种情况下，一个曾经喜欢过的女孩儿突然出现，中宗一定会忘乎所以，放松警惕。

果然不出韦皇后所料，中宗一见珠儿就如同馋猫看见了小耗子，马上就什么都忘了，中了圈套，一口气吃了三张饼。

中宗一死，韦皇后倒没有主意了。她不敢发丧，因为一切都没有决定。是自己马上就出来当女皇帝？不行，大臣不能服，相王和太平公主也不能甘心。怎么办？她忙着先到朝堂上去应付一下，把大臣们先打发回去，等回来静一下再秘密召见宗楚客等心腹来商量对策。

正在心慌意乱时，被突如其来的太平公主的一连串追问把没留遗诏的实情全部说了出去。她虽然有些后悔，可也只能如此，她要在拟定遗诏方面找些便宜，以便取得主动权。

拟写遗诏，各怀鬼胎

三个女人为一个死去的皇帝拟写遗诏，确定由谁来当皇帝。三人各怀心腹事，谁的意见能占上风呢？

上官婉儿的屁股刚刚贴上绣墩，气还没有喘匀，韦皇后就说话了："把你找来，主要是商量一下起草遗诏的事。由你执笔，你把内容记清楚。"

"奴家明白。请皇后和公主说具体内容吧。"上官婉儿道。

"温王重茂，知书达理，仁义忠孝，待人宽厚，可继大统，立为新君。"太平公主先声夺人，首先提出新皇帝的人选。

她所说的李重茂是中宗李显的小儿子，又不是韦皇后所生，在感情上容易争取。而另一方面，重茂又是个乳臭未干的毛孩子，用他当皇帝，也容易为韦皇后所接受。现在韦家的势力太大，只要是老李家的人当皇帝，就有主动权，其他的事以后再说，所以太平公主马上提出这一最关键的问题。

韦皇后低头沉思着，没有表态。上官婉儿看看太平公主，再看看韦皇后，没有落笔。

沉默了一会儿，见韦皇后还不表态，太平公主又补充一句："重茂太年轻，恐怕难以独自处理军国大政，我看可以由皇后'训政'，再写上这一条。"

韦皇后一听，马上表态说："刚才我所顾虑的就是这一点，公主考虑得很是周到，就这样写吧。"很明显，太平公主做了让步，而韦皇后也不得不依从。

上官婉儿迅速地记下立温王李重茂为皇帝，由韦皇后训政这两句话。写完后，又是片刻的沉默。上官婉儿说话了，她道："新君年轻，皇后又身处后宫，有诸多不便，相王是新君的亲叔叔，又是多年的亲王，有丰富的经验，应当由相王'参谋政事，参与处理军国大政'。"

"好！提得好！就这么定了！写上吧，由相王参谋政事，参与处理军国大政。"太平公主马上表态，态度非常鲜明而又坚决，好像不允许别人反驳。韦皇后内心里不同意这一条，可又说不出反对的理由，只好勉强同意，道："嗯，嗯，既然公主也同意，那就这么定吧。"

"好！就这样确定下来，三个要点：一是立温王重茂为新君，二是由皇后训政，三是由相王参谋政事，参与处理军国大政。其他的文辞就劳驾昭容费心了。"

"好吧。"韦皇后无奈地答复。

看着上官婉儿把那几句最关键的话写完。

"那我就回去了。皇后张罗处理后事吧。"太平公主说完，带着从人扬长而去，头也不回。

上官婉儿的提议令韦皇后很生气，而这也可表现出她是个非常狡黠的女人。她是高宗朝大诗人上官仪的孙女，天资甚高，聪明过人。她还在襁褓中的时候，爷爷上官仪和父亲上官庭芝都被武则天利用酷吏害死。她母亲抱着她进宫为奴。婉儿长大后，出落得亭亭玉立，而且才思敏捷，很有文才，深受武则天的重视和喜欢，当然更受高宗的喜爱。

有一次，高宗在一座偏殿里正在跟她做爱时被武则天堵了个正着。武则天哪里会允许这种事，随手拿起给高宗削水果用的一个小刀照着婉儿的脑袋刺来。高宗拼命护着婉儿，连忙用胳膊来遮挡，婉儿下意识地一躲，脑袋一偏，水果刀划在偏左的前额上，血当时就流下来。武则天再下手，就被已经起来的高宗挡住，婉儿趁机披着衣服狼狈逃跑。

从此，婉儿的前额就留下一个疤痕。为了遮掩这个疤痕，婉儿把前额的头发特意留出来一绺，向左偏着一梳，倒增添许多妩媚。不少宫女见她的头型挺好看，竟有许多人来模仿。

从此，上官婉儿再也不敢和高宗接触了，武则天到底是个了不起的人物，很大度，从此再也没有找她的麻烦。凭她的聪明才智，长时间在宫中渐渐地悟出了一些道理，她也学会使用权谋了。从高宗朝的后期一直到武则天当政的整个过程，她一直都很得势。

中宗复辟后，她又凭机智和权谋同时赢得高宗和韦皇后两方面的信任和宠爱，高宗还晋封她做了昭容，正式进入后妃的名册中，又成了大红人，非常得意。由于她精通文墨和宫中的规章制度，所以，从武则天时代起，就有不少诰敕出自她的手笔。韦皇后把她作为自己的左膀右臂，和那位贺娄氏一样受重用。贺娄氏是宫中女卫队长，会几手武术，正式的官衔是"尚宫"，实际上成了韦皇后的贴身保镖。

虽然同样受宠，但两个人的内心却不一样。贺娄氏没有什么头脑，跟着韦皇后是死心塌地，而上官婉儿非常有心计，她给自己留了一条后路。今天，她首先提出让相王参谋政事，就是向太平公主暗送秋波献殷勤，讨取太平公主的欢心，以便在韦皇后失败时自己可以逃过一劫。

再说太平公主回到自己的府邸，马上派人给二儿子薛崇简报信，告诉他自己已经安全返回。当天晚上，她仔细回忆着白天发生的一切，回忆着每一个细节，感到万无一失，她开心地笑了。只等明天早朝时宣布遗诏后，她再进行下一个步骤的行动。

遗诏变化，措手不及

一夜之间，假遗诏的内容发生了重要变化，这使太平公主大为恼火，使她一下子变得非常被动，将要任人宰割。她由主动变成被动，只能等待时机，采取"后发制人"的策略了。

翌日的早晨，晴空万里，霞光万道。这一夜太平公主睡得很香甜，也没有做噩梦。

　　又到了昨天的那个时辰，崔湜又来到太平公主的内室。太平公主再有地位和权力，也不能去参加早朝，而且她也不愿意受那份苦，故只能在家等待消息。见崔湜满脸阴云，太平公主感到有异，开门见山地问道："怎么？皇帝殡天的消息不是公布了吗？遗诏是怎么说的？"

　　"公布的遗诏上说：由温王李重茂继位为新君，由皇太后临朝摄政。"

　　"由皇太后临朝摄政？"

　　"是的，就是这么说的，千真万确。"

　　"相王呢？相王怎么安排？"

　　"相王加封太子太师。"

　　"没有参谋政事，参与处理军国大政的话？"

　　"没有！没有！没有这样的内容。"

　　片刻的沉默。太平公主的两道柳叶眉紧紧皱起，两个眉头拧成一个疙瘩，两只杏眼狠狠瞪圆，射出两道仇恨的光芒。

　　崔湜看着，一言不发，也不敢发。

　　"哈哈哈……"太平公主一阵冷笑，接着一咬银牙，轻蔑地说道："这个婊子，她好大的胆子。她敢跟姑奶奶我动心眼儿，敢跟我玩。咱们走着瞧，看谁笑到最后。哼！"

　　"这……这……"崔湜似懂非懂，有些语塞，不知该说什么好。

　　太平公主略带歉意地对他轻轻一挥手，说："崔侍郎，今天我心情不好，你先回去吧。"崔湜诺诺而退。

　　太平公主是个非常精细的人，虽然和崔湜是情人，可以在一个床上睡觉，但并不能把所有的机密都告诉他。昨天她和上官婉儿、韦皇后私自拟定假遗诏的事她就没有告诉崔湜，也没有告诉任何人。因为此事一旦大白于天下，对她也是不利的。所以，当着崔湜的面，她没有把自己已经知道遗诏内容这一点说出来，更不能说出自己参与拟定假遗诏的经过，只能是暗暗憋气。她一下子又悟出一个道理：地位太重要了，韦皇后所处的地位比她有极大的优越性。这步棋是韦皇后占了上风，自己现在已经非常被动，下一步棋该如何走呢？她苦苦思索着。

　　那么，遗诏的内容经过一个晚上怎么就变了呢？

　　韦皇后的头脑也不简单，太平公主走后，她越想越不是滋味。李重茂当皇帝她倒不在乎，令她最头痛的是"相王参谋政事，参与处理军国大政"这句话。相王已快到五十岁，早年曾经当过太子、嗣皇多年，中宗又封其为"皇太弟""安国相王"，在朝野颇有众望。而且他那几个儿子也都长大成人，个个都是机灵鬼，难以对付。他一旦参与国政，自己恐怕就连权力的边都摸不着了。怎么办？事不宜迟，她马上命人去传自己的族兄、太子少保同中书门下三品韦温和中书令宗楚客速速进宫商议对策。

宗楚客的鬼点子最多，遇事也有主见。韦皇后先把上官婉儿起草的那份遗诏交给他看。

宗楚客一目十行，几眼看完，把脑袋摇得像拨浪鼓一样，连连说："不行！不行！不行！让相王'参谋政事，参与处理军国大政'，吾辈休矣！相王对皇后所作所为非常不满，只因先帝在世没有办法。如果让他参谋政事，我们就等于把自己放在俎豆之上，把刀把子交给人家，将要任人宰割了。"

"那怎么办？"韦皇后又看看韦温。韦温眨巴眨巴眼睛，沉思着，没有说话。

"现在已到水火不相容之势，不是鱼死，就是网破。马上把上官昭容叫来，重写遗诏。"宗楚客当机立断。

"那能行吗？这个遗诏可是老皇姑跟着一起拟定的。如果变样，她能答应吗？"韦皇后顾虑重重。

"可这个遗诏也是假的。反正都是假的，再造一个假的有什么关系，俗语说'以毒攻毒'，咱们这叫'以假制假'。太平公主非常精明，我估计她不敢把共同拟定假遗诏的事说出去，因为那样她也有罪。咱们这样做，倒可以攻其不备，让她哑巴吃黄连，有苦说不出。别说明天她还不来参加早朝，就是来了，她也不敢说她参与制造的假遗诏不是这个内容。"说完，宗楚客得意地点了点头。

"对，对，老皇姑不敢把她知道遗诏的事公开，就这么办！"韦皇后被宗楚客点破迷津，立即表态。

"好主意！好主意！"韦温完全赞成。

上官婉儿奉命来到，同样是出于她的手笔，但遗诏的内容却大相径庭，相王被明升暗降，只空加太子太师衔，而"参谋政事，参与处理军国大政"

的字样不见了，没有丝毫的权力。而韦皇后的"训政"则变成了"临朝摄政"。

由于这个遗诏内容的修改，韦皇后一下子掌握了主动权，而太平公主和相王李旦则完全处于被动，斗争形势更加复杂，出现扑朔迷离的局面。

韦氏掌权，太平被动

毒死中宗，韦皇后一党全部控制了大权和禁卫军。相王和太平公主已经成为刀俎上的鱼肉，还能"安国"和"镇国"吗？

韦皇后和几个亲信用篡改假遗诏的办法给太平公主来个措手不及，太平公主无论怎样恼怒也无济于事，韦皇后在宗楚客和韦温的谋划下开始了她当武则天第二的实际的步骤。

在毒死中宗以前，韦皇后已经暗中传急信或发假圣旨，把她在外地做官的亲属和亲信全部调回长安。

六月三日为中宗发丧，早朝发布遗诏后，韦皇后马上就以临朝摄政的名义命小皇帝发布几道圣旨。其中当然也有什么"大赦"了，对一些朝廷老臣加官晋爵了，包括加封相王为"太子太师"这样的内容。但其中最关键的则是任命韦温总管京城宫廷内外防务，把保卫京师和皇宫的大权交给了韦皇后的堂兄韦温。这是很关键的一步棋。

晚上，乾宁宫旁边的一个偏殿里，韦皇后和几个心腹正在开庆功会。

韦皇后坐在上位的正中间，左边是安乐公主，右边是上官婉儿。下面是韦温、宗楚客二人，另两个则是最近暗中调回京师的新面孔，但却是这里的熟人。

这两个人一个叫韦播，一个叫高嵩。韦播是韦温的侄儿，高嵩是韦温的外甥，都是圈里的人，当然会死心塌地为韦皇后卖命。

韦温担任京师防务后，第一件事就是派韦播和高嵩去主管左、右万骑营，控制了京师里战斗力最强的两支禁卫军队伍。至此，京师里主要的武装力量都被韦皇后一党控制起来。

当时，守卫宫廷的部队，主要是两个部分。驻在宫城南门外的称十六卫，有骑兵也有步兵。通常称之为"南军"。驻在宫城北门外的有羽林军和万骑营两支部队，统称为"北军"。

在这些保卫宫廷的部队中，万骑营的战斗力最强。这支队伍创建于唐太宗贞观年间。当初主要职责是陪同太宗皇帝外出打猎，只有一百人，身穿画有虎皮图案的衣服，马的鞍鞯上画着金钱豹的花纹，佩戴着强弓硬弩，盔明甲亮，装备精良。平时就驻扎在玄武门外。

太宗出猎时，这一百骑兵就跟随他在御苑中驰骋，号称"百骑"。因经常陪伴皇帝，各种待遇都大大超过其他禁卫军，相当于太宗皇帝的亲兵，非常受宠。

武则天时，这支部队增加到一千多人，依然是由皇帝直接控制的武装力量。因为武则天不再去打猎，所以就把它划归羽林军管辖，不再单独成编。

中宗复辟后，这支队伍又独立出来，而且大量扩编，增加到万人，称作"万骑"，由朝廷派人专门统领，成为一支保卫宫廷的最重要的武装力量。由于这支队伍人员精干，武器装备精良，又全部是骑兵，机动能力强，所以成为几支宫廷卫队中作战能力最强的队伍。这支队伍又分为两个大营，分别驻扎在玄武门北的东西两侧，东面的叫右万骑营，西面的叫左万骑营，简称为"右营"和"左营"。

万骑营的最高统帅称将军，由皇帝直接任命，不归卫尉卿统辖。同样属于"北军"的羽林军和南军十六卫则由卫尉卿指挥。

这时，卫尉卿便是太平公主的二儿子薛崇简，但他所能调动和指挥的也不过是羽林军和十六卫的部队，而且现在又由韦温直接管理京师和宫廷防务，薛崇简要取得韦温的同意才能调动队伍。

这样，韦温再派自己的亲信韦播和高嵩去统辖万骑营的左右二营，即使是其他部队发生哗变的话，这支队伍也完全可以控制住局面。整个京师里的武装力量都直接或间接地掌握在韦皇后集团的手中。韦温和宗楚客考虑得也非常周到。

俗语说："没有好骑驴的，还没有好掌鞭的？"言外之意就是说即使是主人不行，他也可能会有个好奴仆。而韦温和宗楚客这时也就成了韦皇后的"掌鞭人"。韦皇后只是骑在君主大权这个高深莫测的大驴的背上，任凭韦温和宗楚客两个掌鞭人在后面吆喝和指挥。

象征性地喝过几杯酒后，韦皇后对宗楚客和韦温的功劳赞美几句。上官婉儿帮着唱了几句颂歌。宗楚客和韦温客套一番。然后他们很快接触正题：下一步怎么办？

经过一番详细的研究，决定暂时先稳定住京师的形势，然后再造舆论。如果没有什么强烈的反应，就再设计除掉太平公主、相王和五王子，然后就可以正式取消唐朝，建立韦氏新皇朝。

在全面控制京师的武装力量后，韦皇后加强了对相王李旦和太平公主的监视。在相王府和太平公主府的几个大门口，经常可以看到一些身份不明的人探头探脑。韦皇后最怕的就是这两个人，这是她的心病，如眼中钉、肉中刺，必欲除之而后快。

另外一块心病就是五王。所谓的五王就是相王李旦的五个儿子。当初，长安城东，皇城南大街之北，居民王纯的家中出现了怪事，不知什么原因，一口水井里的水一个劲儿地往出冒，数日后形成了一个大水池，足有几十顷地大。当时叫"隆庆池"。

这种现象可能就是由于地质方面的某种原因形成的，但却被一些风水先生和江湖术士渲染成是千载难逢的祥瑞。

那时，中宗还以庐陵王的身份被流放外地，而相王李旦以皇嗣的身份居住在长安。武则天听说这件事，就把自己的五个孙子，也就是皇嗣李旦的五个王子，寿春王李成器、临淄王李隆基、衡阳王李成义、巴陵王李隆范、彭城王李隆业的住宅定在这里，人们称这里为"五王子宅"。

中宗复辟后，有人会望气，说隆庆池的上方总有云气笼罩，经常郁郁葱葱，有帝王之象。近日来此气日益旺盛。还有人说看到过在这个大水池中出现过黄龙的身影。这自然要引起中宗和韦皇后的忌讳，在中宗被毒死的前两天，中宗还带着韦皇后和几名大臣专门行幸五王子宅。

皇帝驾临，相王李旦不能不前来陪王伴驾。接到圣旨，相王安排人做了充分的准备，临时在宅的东南角搭起一座彩楼，装饰精美，富丽堂皇。中宗率随从在彩楼上享用了丰盛的酒筵，然后又率韦皇后和大臣乘龙舟在隆庆池里游了两圈，据说这样可以起到镇压的作用。用真龙天子的龙威把尚未成气候的龙气镇压下去。可是，中宗的做法没有起到什么效果，龙气是否被压下去了他并不知道，他自己这个真龙天子却死在自己的老婆手里。

但五王子当时还很年轻，最大的也不到 30 岁，在大臣中还没有什么威望，似乎还没有形成什么气候，所以，韦皇后和韦温、宗楚客等人的眼睛紧紧盯着的还是相王李旦和太平公主，在他们二人的住宅周围布置了严密的监视网络。而对五王宅虽然也进行了监视，但因为人力有限，故没有对相王和太平公主的监视那样严密。

一切安排就绪，韦皇后和上官婉儿、韦温、宗楚客等人天天在一起密谋。十天过去了，一切都按照计划有条不紊地进行。

六月的望日，却偏偏是个阴天。韦皇后等人又在那个偏殿里密谋最后的步骤。宗楚客还懂一些占卜之术，他白天在家仔细算了一卦。夜间，他把自己算卦的结果简单说明一下，提出在七天后，也就是在"壬寅"日（二十二）的早朝，发布圣旨，宣布相王和太平公主密谋造反，卫尉卿也参与逆谋，同时把他们和五王子都抓起来杀掉，然后宣布改朝换代，取消唐朝，换成韦氏的天下。这几天是非常时期，韦播和高嵩要严密监视左右万骑营的动向，不得轻易离开部队，只要控制住万骑营，就什么也不怕。

又过几天，十六卫和羽林军的首领也都换上韦皇后一党的亲信，这些都没有通过卫尉卿薛崇简。宗楚客和另外几名趋炎附势的大臣已经暗中上书，称引图谶，谓韦氏宜革唐命，要求韦皇后效法当年武则天，取代唐朝自立。

一切信号都已经发出来，刀已经架在脖子上，可太平公主的宅院早已被严密地监视着，怎么办？

韦氏密谋，憧憬皇位

韦皇后一党在后宫中密谋：两天后把相王和太平公主的势力一网打尽，再一次改朝换代。她憧憬着自己登上皇帝宝座时的幸福情景。

前文提到，太平公主在京师有两所宅院。一所在宣阳坊，那是她和驸马薛绍结婚时的住宅。一所在醴泉坊，紧靠宗楚客的住宅。这些年她一直住在醴泉坊这里。

这所宅院的周围有大小不等七八个门，但在每个门的门口都有韦温派来的人。太平公主只要迈出大门一步，就会被这些人发现。

　　连续十多天，也没有发现太平公主的车驾出这个宅院。一切都是那么平静，那么正常，只是有一些买卖物品或者是到菜市上购买鱼肉蔬菜之类的人时有出入，其他什么情况也没有。

　　庚子日（二十）的傍晚，夕阳刚刚没入西方的地平线，余晖染红了西面的半边天，血红血红的。

　　太平公主宅院的后门打开了。韦温派来在此门盯梢的人连忙隐身在一棵大树的后面，瞪大眼睛盯着。

　　大门开处，只见里面停着一辆装饰豪华，车厢前面画着一只色彩艳丽的蓝孔雀的马车，这是太平公主专用的车。

　　这些奉命来这里执行特殊任务的人都经过专门的短期培训，当然都认识太平公主的车舆。他们最主要的任务就是严密监视太平公主的一举一动，只要她离开住宅就在暗中紧紧跟着，发现她到什么地方去后，马上就去报告。其他的就不是这些人的职责了。

　　一见太平公主专用的车停在院子里，盯梢者的眼睛瞪得更大了，一眨也不眨，很怕漏掉什么。只见一个衣着华丽，身材修长，举止雍容的女子在丫鬟的服侍下，袅袅婷婷来到车后，车夫拿个小板凳放在地下，那位高贵的女子用右脚轻轻登着小板凳上了车。接着，那个丫鬟也跟着上去。

　　车夫起来，习惯性地弯腰拿起那个板凳，放到车上。然后来到车前，他先一猫腰把横在两个车轮前的一根木头抽出来，放在车厢前固定的位置上。紧接着手扶车辕，纵身一跃跳上车，坐在两辕中间御者的座位上，把插在右边车辕上的鞭子拔出来，操在右手，高高举在空中，一甩大胳膊的同时再一抖手腕，凌空来了个清脆的响声，"啪——"

　　"驾——"，随着车夫的一声命令，马车出了后门，向右一拐，走进了一条不宽的街道。四名佩带腰刀的便衣家丁紧随其后。

　　"这是太平公主的车，车上的人就是太平公主，看你往哪里去，走到天涯海角我也要跟住你。该着我有发财的好运气。"盯梢者心中暗暗高兴，因为他们如果侦探到重要情报是有重赏的。

　　那个盯梢的人刚刚离开，这扇大门上的小门开了，出来一个人机警地向左右前后的地方都看了看，然后向门里的人打一个手势。这时，大门轻轻推开半扇，一辆用来上街办货的小形厢式马车迅速地被赶了出来。车刚一出来，大门马上就被关上。前后也不过喝半杯水的工夫。

车夫是个精明的小伙子，车辕上只套了一匹不太大但却很壮实的小母马。车一出大门便迅速地拐进往北去的一个非常僻静的小胡同。一看街面上没人，那车夫拿鞭子的把一捅小马的屁股，小马立刻放开四蹄，"嘚嘚嘚"地疾走起来。一直向着北面的方向奔去。

这辆小马车刚刚离去，大门刚刚关好，接到流动哨通知的另一个暗哨的眼睛又出现在这个后大门的对面。

再说盯梢的人紧紧跟着那辆大马车，只见车又拐了一个弯，走上一条宽敞的大街。从车走的方向可以看出来，这是去相王府。盯梢的人远远跟着，又走了好长的一段路程，那辆车果然进了相王府的大门。

相王府的大门外，暗哨更多。相王和太平公主是韦皇后集团监视的两个重点，而相王府则是重中之重，所有的门外都有双重的暗哨在紧密地监视着。每个门，包括侧面边上仅能走人的小角门，甚至是大的狗洞也在监视者的目光控制的范围之内。

太平公主进去之后，尾随着的那个人与在这里负责监视的人接头交代几句后，马上飞步到韦温处去报告。

还是在坤宁宫旁边的那个偏殿里，已经到了人定的时候，也就是现在夜晚的九点钟左右。这里灯火通明，乐曲悠扬，十几名舞女正在翩翩起舞。韦皇后、上官婉儿、安乐公主、韦温、宗楚客都在这里。他们在为即将取得的伟大胜利而欢欣鼓舞。

一曲过后，韦皇后笑眯眯地一挥纤手，舞女们飘飘退去。这时，韦温的一个心腹进来，到韦温旁边悄悄耳语了几句，韦温听后，团乎乎的脸上露出了笑容，连着点头说好。那个人也喜滋滋地退出去。

韦皇后斜靠在带靠背的凤墩上，半眯着笑眼看着韦温，等他向自己汇报是怎么回事。可大扁脸的宗楚客有点等不及了，忙问："韦大人，是怎么回事？有什么新动向吗？"

"下人来报，镇国太平公主刚才到相王府去了。"

"相王府里有什么动静吗？"韦皇后问。

"没有。"韦温答。

"那好，太平公主到相王府是最好不过的了。正好让他们姐弟俩一勺烩。现在离我们正式起事只有两天时间。这两天是非常时期，要进一步实行特殊措施。韦温。"韦皇后道。

"臣在。"

"从现在起，对太平公主府和相王府实行封锁，所有的人，许进不许出。韦爱卿直接传达朕的口谕，如果谁放出一个人，定斩不饶。"韦皇后的两道扫帚眉立了起来，非常威严地命令。虽然还没有正式登基，但韦皇后已经开始自称为"朕"了，因为她觉得再过两天，她就可以像当年的婆母一样，堂而皇之地坐在象征最高权力的龙墩上，号令天下，她就可以称"朕"，现在只是早了一两天。

"遵命！皇后英明！皇后英明！"韦温和宗楚客连连表示赞成。

"时候不早了，公主就留在宫中吧。二位爱卿马上回去，各负其责。咱们现在是坐到了一条船上，一荣俱荣，一损俱损。一旦翻了船，谁也别想活命。"

"皇后放心，皇后洪福齐天，闯过那么多磨难，此举必定成功无疑。再凭皇后之英明，臣敢保万无一失。"宗楚客的嘴虽然有点瘪，可说拍马屁的话一点儿也不耽误。

回到坤宁宫，贴身宫女服侍韦皇后摘下凤冠霞帔，脱去外衣，她一下子躺到凤榻上。去掉首饰的安乐公主就依偎在她的身边。韦皇后感到一阵轻松，几天来紧紧绷着的神经终于可以松弛一下了。

她长长出了几口气，爱抚地用手轻轻摩挲着安乐公主的脸蛋，深情地说："裹儿，为娘这几天可累坏了。再过两天就好了，等娘像你奶奶那样当上女皇，马上就立你当皇太女。"

"母后，你真好。"裹儿紧紧依偎在母亲的怀里，开心地笑了。

因为女儿一下生就跟自己遭了不少罪，中宗和韦皇后总感觉自己对不起女儿，因此在以后漫长的岁月中便对这个女儿格外的宠爱和偏袒。久而久之，裹儿就养成了唯我独尊的品性，给她个太阳她嫌热，给她个月亮她嫌冷。永远也没有满足的时候，稍不称心，就大吵大闹。

因为太疲乏，母女俩很快就进入甜蜜的梦乡。

也不知睡了多长时间，忽然，从皇宫的北面传来三声尖锐的响箭的声音。母女俩同时惊醒。

"怎么回事？"二人几乎同时发问。

多方联系，暗中运作

太平公主在韦皇后暗哨的监视下进了相王府。可她又出现在羽林军大营中，这是怎么回事？难道她有分身术不成？

就在韦皇后和几个亲信欢天喜地欣赏歌舞的时候，太平公主已经神不知鬼不觉地进入驻扎在玄武门外不远的羽林军的营房。但她的身份还没有公开，只有两个军官知道她的到来和来到这里的目的。

那么，太平公主是怎么脱身的呢？想必读者诸君已经猜出来。前文提到的进入相王府的太平公主是个替身，这是太平公主使用的调虎离山计。

韦皇后私下里把假遗诏又改了，确实给太平公主一个重重的打击。她知道问题已经非常严重，她曾经想去找八哥相王李旦商量对策。但她很快就打消了这个念头。李旦的脾气禀性她太了解了，多年来被母亲武则天管教得窝窝囊囊，一点儿主见也没有，耳朵特别软。他的处世哲学就是什么也不要争，任凭天安排。大哥李弘的知识才学都那么高，又那么有主见，曾经当过太子，可最终还不是因为这些而丧命了。二哥李贤的水平还在大哥以上，不也被母后害死了吗？自己和三哥李显从中吸取了教训，再也不敢有什么主见，像一个任人揉搓的面团，随便让母后捏弄，今天让姓李就姓李，明天让姓武就姓武。今天让当太子就当太子，明天不让当了，就当什么庐陵王、相王。这才保住了性命。

长期受压抑使其形成了心理上的惯性：这就是多一事不如少一事，什么皇帝不皇帝的，只要太太平平就行，活一天快乐一天。所以，这个皇家宗室的亲王反而不太关心那个龙墩和那身代表最高权力的龙袍。

太平公主有心要自己动手，但又觉得势单力薄，她把二儿子薛崇简找来商量计策。薛崇简说他现在也处在非常危险的境地。羽林军和十六卫的两个头目都换上了韦皇后的亲党。如果动手，最起码是无法保住秘密。看来光靠自己和儿子的力量是肯定不行了。

太平公主一度十分焦躁。让他儿子想办法和相王的五位王子联系，共同起事，平定诸韦，保住大唐江山。

昨天夜里，儿子薛崇简化装躲过门口的暗哨，来到她的内宅。儿子给她带来了令她振奋的好消息：三王子临淄王李隆基也正在积极活动，要起兵平定韦皇后一党，并且已经做好周密的安排。让他来通知太平公主，希望能得到姑姑的全力支持。

太平公主一听，大喜过望，忙问临淄王的具体安排，以及需要自己做些什么。薛崇简说，临淄王与他约定，在明天夜间三更天后起事。只请他提前控制住南军十六卫和北军中的羽林军，使这两支军队不要出营抵抗。到时候只要鼓噪呐喊助威即可，如果能出兵助战更好。但最起码的是稳住两军，大事即可成功。

到时候，以三声响箭为号，千万不要提前动手，以免打草惊蛇，更不可走漏一点儿风声。薛崇简提出，为了把握起见，明天晚上他和母亲必须亲自到这两个军营中去，这样才可应变，随时处理发生的难以想象的突发事件。

太平公主听后，见马上就要动手，非常兴奋，提出她到羽林军去，因为那里有三名军官是她一手提拔的，是她的心腹，只要她进到军营，就有十足的把握。薛崇简又把新君关于讨逆的圣旨交给母亲。当然，这份文件都是假的。太平公主见李隆基安排得如此周到，心中大喜。她让儿子尽管放心到十六卫去，她保证羽林军方面万无一失。

宅院受到严密监视的情况太平公主早就掌握得清清楚楚。她经过一番周密的安排，先让一个和自己个头体型相仿的女仆穿上自己的服装，戴上自己的首饰，乘坐自己的专用车从后门出去，把暗哨引开。然后自己戴着面纱，乘坐平常用来买货的小车悄悄而迅速地从后门溜出去。由于当时已经是暮色沉沉，小车很快就被渐渐降临的夜色遮掩。当韦皇后集团的人得到她到相王府的假情报兴高采烈时，她便在心腹的接应下悄悄地进入羽林军的大营，躲藏在羽林校尉的内室。

这时，太平公主是女扮男装，身挎佩刀，是羽林军士卒的打扮。三个心腹已经分别见过她，向她随时报告营中的情况。太平公主的这三个心腹可不是一般人物，原来是这里的正副指挥。

十几天前，韦温派来个新统领，叫什么韦璇，位置在这三个人之上。

三人心中不服，但也只能虚与应付，不能公开对抗。就在太平公主进军营前不一会儿，那个统领带着他的亲兵到韦温的宰相府去，不在军营，这更给太平公主提供了方便。这里简直就是她一统的天下。

不到二更天时，韦璇回来。把全营的几名正副军官都召集到他的幕府中开会，说有重要命令传达。三个心腹当然在内。

这是事先没有估计到的情况，三个人有些紧张，问太平公主该怎么办。太平公主沉思片刻，马上说："三位不必紧张，看来韦璇现在并没有听到风声。你们留下一人，暗中把你们三人的心腹亲兵都集合好，如果情况有变，咱们就提前起事。凭本公主在军营士兵中的威望，咱们的力量还足以对付这个韦璇。真正死心塌地跟他的恐怕只有他带来的那五个人。你们二人前去，对韦璇多客气多恭维，如果能劝他共同饮酒，把他灌醉则更好。"

那两个人领命而去。太平公主心中有数，羽林军中的中下级军官大都受过她的恩惠，中宗刚复辟的时候，曾经任命相王过问北军事宜，即原则上统领北军。相王为人宽厚，在整个北军中有很高的威望。当然，北军除羽林军外，还包括左右万骑营。

两个人走后，太平公主也有些忐忑不安，紧锁眉头在地上踱来踱去。片刻间，一个随从悄悄溜回来，报告说韦璇传达宫廷防务大总管韦温关于加强军营管理的指示，说三天内不得有任何人离开一步。并没有什么别的事，那两名校尉和另外几位军官都向韦璇表示了忠心，韦璇一时高兴，命伙房马上做些下酒菜，他要和这几位下级饮上几杯。

太平公主听后，心中暗喜道："大事成矣。"

夜色沉沉，大半圆的月亮已经从东方冉冉升起，向人间洒下素辉。整个大地仿佛镀上薄薄的一层银。太平公主望着窗外的景色，心情激动而又有些紧张。

随着滴漏声的渐渐清晰，一切声音都没有了。只有韦璇的营帐中还有灯光，其他营房都被浓浓的夜色所笼罩。整个军营的人除了营门口的哨兵和偶尔走过的几个流动哨外，一点动静也没有，一切都那么平静。

眼看马上就要到三更天了，可北面还没有传来响箭的声音。太平公主的心情越来越紧张，外面滴漏"滴答、滴答"的声音仿佛在敲击她的心，只有夏虫偶尔发出一点声音，穿插在滴漏的声音里。她在焦急地盼望着响箭的声音。

负责看滴漏的士卒悄悄向她报告，根据漏壶上刻箭的标志指示，现在已经到了三更。怎么一点动静也没有，留下的那位心腹焦急地问她怎么办。太平公主的心情虽然非常紧张，但却不露声色，只说一句话："不要轻举妄动，耐心等待信号。"

滴漏还在不停地滴，月亮还在缓缓地上升，已升到高空。三更已经过去一半，再过半个时辰就到四更天了。如果到四更，天已开始麻麻亮，再起事恐怕就不好办了。太平公主的心简直要提到嗓子眼儿了，她内火中烧，感到自己有些口干舌燥。如果到四更天还没有动静……她不敢往下想。总之，即使是那种情况发生，她也不能就此罢休。她深深吸了几口气，努力稳定自己的情绪。

那名心腹实在有些沉不住气了，马上要带已经暗中集合好的几十亲兵前去韦璇的营帐，被太平公主拦住，要求他再耐心等待片刻。

"吱儿——啪！""吱儿——啪！""吱儿——啪！"

三声尖锐清脆的响箭的声响划破夜空，一场惊心动魄的血洗宫廷的武装政变正式拉开了帷幕。

肃清后宫，韦氏陨落

在李隆基血洗后宫的过程中，有两个胆大机警的女性都以独特的方式向他求救，但结果却迥然不同。

三声响箭在寂静的夜晚特别刺耳。全军营的官兵被这突如其来的声音惊醒，动作快的片刻间就已披挂完毕，操起武器等待命令。其他人则忙乱着穿衣摸刀，出现了一阵骚动。

太平公主和那名心腹迅速带领几十名亲兵包围了韦璇的营帐。韦璇正在命令饮酒的几名中下级军官各回本部集合好自己的部下整装待命，一切都要听从他的统一指挥。太平公主的那两个心腹早已站在韦璇的左右。

其他几名军官不知发生了什么情况，刚要走。这时，全身戎装的镇国太平公主突然出现，大声喝道："诸位军校，本公主奉皇帝圣旨和相王钧旨讨弑君篡国之贼。韦璇就是贼党，还不给我拿下。"

韦璇本来没什么武功，更没见过这样的局面，早已吓得哆哆嗦嗦，被站在旁边的一名军官一刀砍掉脑袋，尸身"扑通"一声向前倒在地上。就在向前倾斜的瞬间，腔子里喷出的血也跟着画了半个弧。太平公主的脸上也被喷上几滴鲜血。她也顾不上这些，用左手揩拭一下，继续指挥。

韦璇带来的五名亲兵也看出了门道，扔下刀剑跪地投降。几名军官见是镇国太平公主，谁敢不服，整个军营兵不血刃，马上就被太平公主控制住了。

就在这同时，附近不远的万骑营方面传来人欢马叫的声音。太平公主知道那面已经得手。她的羽林军离玄武门最近，自己是不是应该指挥羽林军去攻打玄武门外面的重玄门？但她十分清楚宫城及各个城门的情况。玄武门是宫城的北大门，守备最为牢固，外面还有一道重玄门，更增加了攻打的难度。如果没有内应，要想凭借这些羽林军去攻打这道城门简直无异于儿戏。

"不能轻举妄动，要听三郎的统一调遣和指挥。"想到这儿，太平公主命全营将士点起火把，鼓噪呐喊，以助声威。她立刻派人前往万骑营的方向去和李隆基取得联系，以便一致行动。

这时，太平公主发现，左右万骑营变成两条长长的奔腾的火龙，向宫城北面的两个侧门卷去。南面十六卫和守卫太极殿前的军营方向，也传来呐喊鼓噪的声音，表明那里也控制在自己人的手里了。太平公主抑制不住内心的喜悦和激动，向军营大门处望着，盼望前去联系的人尽快回来，明确自己的战斗目标。

火光中，几匹战马飞快朝这里奔来，太平公主率领一队人马向营门迎去。待来人到达眼前，太平公主不由得大喜过望，原来来人中跑在最前面的竟是自己的亲侄儿三郎李隆基。

只见李隆基顶盔掼甲，手持利剑，坐下一匹花青色大战马，威风凛凛。他借着火光看见了太平公主，一勒马缰绳，速度慢了下来。在离太平公主几步远的地方甩蹬离鞍下马，双手抱拳，深施一礼道：

"甲胄在身，恕侄儿不能大礼参拜。姑母辛苦了，为我大唐江山，姑母披肝沥胆，戎装上阵，立下汗马功劳，功高日月。"

"三郎，都是自家人，何必如此客气。天下本来是我们李家的嘛！我当然也有一份儿。"

"姑母深明大义，令侄儿十分敬重。"

"三郎，除恶务尽，此举一定要斩草除根。"

"姑母放心，侄儿已经发布命令：韦氏一党，凡是比马鞭子高的人全部杀掉，一个不留！"

"好！有魄力。这才是我的侄儿。快说，现在姑姑我该怎么办？"太平公主异常兴奋，脸色在火光的映照下，神采奕奕，仿佛年轻了许多，根本不像是快到五十岁的女人。

"现在左右两个万骑营正在攻打两个侧门，里面也有我们的人。他们进去后，马上会打开玄武门和重玄门，姑姑随侄儿一起进宫讨逆。咱们现在马上率队伍向重玄门方向前进。"

"好！传我的命令，骑兵全部上马，步兵跑步，向玄武门方向火速行进！"说罢，太平公主接过亲兵递给的马缰绳，纫蹬攀鞍，一纵身跨上那匹枣红色的高头大马，动作矫健灵敏。

见太平公主如此英武，李隆基显得异常兴奋，不由自主地赞叹一声："姑母好威风！"说罢也攀鞍上马。太平公主是一身黑色戎装，李隆基是全身甲胄，姑侄儿二人并马在一起，双手同时一提缰绳，两匹战马同时"咴——"一声长鸣，前蹄腾空而起，在火光中显得非常威武。

沉睡的天地被这姑侄儿二人扰醒，寂静的长安城被这突如其来的举动惊醒。太平公主和李隆基率领羽林军的骑兵将要奔驰到重玄门前的时候，先行攻进城的部队已经把玄武门和重玄门大打开。二人大喜，率军直扑坤宁宫。

还没到坤宁宫的大门，忽见宫门大开，一位后妃打扮的人领着一群宫女提着灯笼迎了出来。

太平公主和李隆基都感到有些诧异，待走近一看，原来是昭容上官婉儿带着她的亲信。只见上官婉儿不慌不忙地来到二人的马前，飘然跪倒，说道：

"皇后和宗楚客他们谋逆，臣妾实在出于无奈。篡改遗诏都是他们干的，与臣妾无关。臣妾起草的遗诏原文还在这里，完全可以证明。臣妾早就盼望能有人诛除逆党，澄清天下。暗中准备随时打开宫门迎接公主和王子。这是遗诏原稿，可以证明臣妾所说是实。"说罢，上官婉儿把一卷遗诏的原稿双手捧过头顶，等人来拿。

紧随李隆基身后的刘幽求上前一步，接过遗诏原稿略一浏览，便把它递交给李隆基，并悄声说道："是真的。看来上官昭容是有苦衷的，是否可以考虑赦免……"

李隆基双眉紧锁，没有表态。这时，太平公主一伸手把那卷遗诏原稿拽了过去，根本一眼也不看，一绷嘴，稀里哗啦撕个稀烂，往跪在地上的上官婉儿的头上狠狠摔去，怒斥道：

"好一个奸狡刁滑的上官婉儿，快收起你的小把戏。你这一招只能哄小孩子，能骗过你姑奶奶吗？你祸乱宫闱，助纣为虐，毒死皇帝，十恶不赦。又阳奉阴违，首鼠两端，心怀叵测。如果韦皇后一党的逆谋得逞，你还能把这个原稿拿出来吗？三郎，还犹豫什么，她是逆后的死党，万不可赦。"

刘幽求看着李隆基，等他最后表态。因为李隆基是这场政变的总指挥。太平公主最后的几句话点醒了李隆基，他一咬牙，只说了一个字："杀"。

随着上官婉儿的那十几个宫女早吓得魂不附体，哆哆嗦嗦，卫士们正是杀人杀红眼的时候，见临淄王下令杀，便一拥而上，随着上官婉儿的被杀，几名宫女顷刻便倒在血泊中。这时，一个宫女不顾一切地冲到李隆基的马前，跪下哭道："王爷大慈大悲，罪不及无罪之人。皇后和昭容为逆，与我们这些宫人何干，为何要把我们也杀啦？"声音娇柔，口齿伶俐。

李隆基低头仔细观看，只见这个宫女正是豆蔻年华，十二三岁的年龄，长得白白净净，柳眉杏眼，樱口桃腮，颇有姿色。李隆基不由得怦然心动，有一种异样的感觉，但他没有表态。

其他的宫女均已倒下，因为她跪在临淄王的马前，没有临淄王的示下，谁也不敢杀她。见临淄王有些犹疑，刘幽求劝道："王爷，除恶务尽，此女不可留！"

"为什么？"

"下官认识此女，她是罪人武三思的女儿，万不可留。"

"留！"李隆基又是一个字。刘幽求一怔营，马上就反应过来，命随从将其押送到临淄王府。

其实，两个女人同样哀求活命，一个被杀一个活命，并不完全是因为太平公主和刘幽求的力量不同，最关键的因素还是二人的年龄差距太大。当时，上官婉儿已经四十多岁，再会保养也是半老徐娘，如同是开得过了劲儿的花，已经有些打蔫，自然也就缺乏光彩，而武三思的女儿刚刚十三四岁，如同是含苞待放的花蕾。而李隆基当年才 26 岁，怎么能看上一个四十多岁的女人呢？

被留下的武三思的女儿就是后来深受李隆基宠爱的武惠妃，也像她的祖姑母武则天一样，工于心计，善于献媚邀宠，把好色的唐明皇迷得五迷三道，曾几次提出要立她为皇后，多亏当时执政的几名大臣张九龄、裴耀卿等坚决反对才制止了她的阴谋。

后来，她见当不成皇后，便想要当太后，与当时还处在下位的李林甫内外勾结，用尽许多阴谋，害死太子李瑛和二王，为立她亲生的儿子寿王李瑁扫清道路。不过，因为李瑁在李隆基诸子中的名次太靠后，所以，她和李林甫机关算尽也未能如愿，她也带着重重的遗憾被屈死的太子和二王追索去了性命。

她虽然未能当上皇后或皇太后，但对李唐王朝的历史演进还是有一定作用的。李林甫受到重用，与她的枕头风大有关系。而李林甫取代张九龄，又是李唐王朝政治由开明转向黑暗的关节点，甚至可以说是中国封建社会由盛转衰的关节点，可见她确是一个颇有作用的角色。这是后话，在此带过不提。

火光映红了整个宫城，喊杀声、刀剑撞击声和哭喊声充满了整个宫城，宫城内外拼命抵抗的卫士已经被全部消灭。韦皇后、安乐公主授首。

只用了一个多时辰，整个后宫就被肃清。坤宁宫的里里外外，留下许多殷红色的血迹。

这时，东方的鱼肚白已经渐渐出现淡淡的玫瑰色，随着玫瑰色越来越浓，在玫瑰色的边缘，有一道稍微含有蓝灰色的过渡色，然后就是湛蓝湛蓝的天空。一丝云彩也没有。

　　渐渐地，一轮鲜明的朱红色的朝阳从东方的地平线冒出头来。开始只是一个弧形的小边，渐渐扩大，变成半圆，大半圆，最后很快离开地面，冉冉升起。

　　大唐帝国又迎来一个无比晴朗灿烂的早晨。

第五章

权势富贵的巅峰

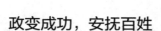

政变成功，安抚百姓

崔湜上位，献身献女

劝说李旦，终登帝位

共商国是，权力巅峰

郑愔怂恿，谯王造反

崔湜献金，为子求官

太平碰壁，天子欲退

太平贪权，欲废太子

政变成功，安抚百姓

政变非常成功，相王和皇帝登上城楼安抚百姓。一个官员舞蹈称贺，却被就地正法，其尸体被百姓分割而食。

相王李旦这几天来也是坐卧不宁，哥哥中宗皇帝死得蹊跷，凭直觉也知道不是正常死亡。可哥哥的遗诏中并没有让他辅政的字样，只是给他的头上又加了一个太子太师的虚衔，一点实权也没有。

他猜测到那个遗诏有可能是假的，可又有什么办法？如今整个大权都控制在嫂子韦皇后一党的手中，他被严密地监视起来。他一阵阵焦躁不安，有时候又进行自我安慰：这么多年，这么多的风风雨雨都挺过来了，这次真的就要大难临头？哎，活一天算一天吧。这样一想，也就不那么焦灼了。这位相王也算是一个人物，一切听天由命，不管了，天天照样吃喝玩乐，拥姬抱妾，倒挺快活。

昨天晚上，妹妹太平公主府中突然派人来，告诉他夜里增加王府的警卫，说可能要发生重大的事变。他曾设想要派人去问一问，可谁也出不去大门，他只好关紧大门，命令王府中的所有武装人员都严阵以待。究竟要发生什么事，他一点也不知道，反正是福不是祸，是祸躲不过，爱怎么怎么，就这么挺着吧。

相王的心就是再大，也必定是个有心肝的人，这一夜他睡得也不安稳。将到四更天时，突然从南边传来三声尖厉的响箭声，紧接着从宫城方面传来呐喊嘈杂之声，那是千军万马厮杀作战的声音。

他一下子从床上坐起来，披上衣服到外面询问是怎么回事，可全府的人谁也不知道。全府的兵丁早就准备好了，人人感奋紧张，各个拉弓上弦，刀出鞘，如临大敌。

半个多时辰过去，并没有人来惊动王府。相王李旦的心稍微平静了一些。

天色大亮，门人突然进来报告，说是从宫城方面来了一哨人马，大约有几十人。李旦的心一下子又紧张起来，命兵丁们做好战斗准备。

人马越来越近，李旦的心情也越来越紧张。忽然，蹬着梯子趴在墙头上瞭望的兵丁有位眼神好的，手搭凉棚望了一望，惊喜地喊道："王爷，是自己人，是自己人，是临淄王和镇国太平公主带兵来了。"

"是吗？再好好看看。那可太好了。"相王高兴得说话的声音都有些发颤。

"正是临淄王和镇国太平公主，一点儿不差。"

"马上打开大门。"

说话之间，李隆基和太平公主已经到来。李旦使劲揉了揉眼睛，仔细看，果然是自己的儿子和妹妹。这时李隆基已跪倒在他的脚下给他叩头请罪，说道：

"儿子不孝，没有请示父王，擅自起兵平定弑君逆贼，已经肃清宫掖。惊动了父王，请父王恕罪。"

相王李旦这才明白发生了什么事，一下子把李隆基抱在怀里，老泪纵横道："三郎！三郎！我的好儿子！国家赖你而安，社稷赖你而存，你有大功于天下，何罪之有。"这时，相王才想到妹妹也来了，知道她也参与了此事，忙扶起李隆基，转脸对太平公主道："妹妹为国操劳，辛苦了。这里不是讲话之所，快请到客厅里去。"

"父王，现在不是我们讲话之时，赶快进宫，处理善后事宜要紧。"

"好！好！说的是。"

李隆基和太平公主出门上马，相王坐车，带着卫队快速返回宫中。

太阳升起来，整个长安城完全恢复了平静。

惊恐不安的人们不知道发生了什么事，见没有了军兵，好事的人们渐渐往宫城附近聚集。

　　将近巳时，也就是今日的九点左右，忽然有人发现皇帝的黄罗伞盖出现在皇城西面安福门的门楼上，人们立即向那里聚拢。

　　只见在年少的小皇帝李重茂的身边，坐着老成稳重的相王。相王一直深得民心，百姓都知道他是个仁德君子，宽厚仁慈。

　　这时，一位嗓音洪亮的小黄门向围在城楼前的百姓们宣读圣旨道：

　　"奉天承运，皇帝诏曰：临淄王和镇国太平公主奉朕密诏，平定叛逆，大功已成。特谕士农工商，全城百姓，勿要惊慌，各归本业。钦此。"

　　围观的百姓听完，一齐跪倒在地，齐声高呼："万岁圣明，吾皇万岁万岁万万岁！"

　　这时，只见一个穿着深绿色官服的官员兴冲冲来到城楼前，欢天喜地，庆贺平定逆党的胜利，舞蹈再拜，三呼万岁，满面媚色。在旁边的百姓有认识他的，恨得咬牙切齿，暗暗骂道："天下竟有这样不知羞耻不要脸皮的人。"

　　皇帝还没有表态，从不生气的相王却发怒了。大声喝命武士将此人就地正法。武士闻命，立时过来十几人，围成一个圈，形成一个临时法场。执行的刽子手不容分说，一刀将那个人的头颅砍下。

　　这个人是何许人也？为何前来庆贺还被砍掉了脑袋？

　　原来，此人是将作监少匠赵履温。将作监是负责全国土木建筑的部门，也负责各种建筑材料的生产和质量监督，但最主要最直接的还是主管京师中各项工程的建筑。

　　中宗复辟后，大权旁落，安乐公主恃宠而骄，贪贿弄权。赵履温见她有权，便极尽谄媚之能事，不惜动用国库中的钱财，为安乐公主起造豪华的宅第。强占民地，强拆民居。楼堂馆舍分布其间，并为之堆假山，穿凿水池。工程浩大，强征民夫，弄得民怨沸腾。

　　为了讨取安乐公主的欢心，他还身着紫色的牛犊皮式样的衣服，模仿小牛犊的样子，一边用脖子驾着安乐公主的小车拉着走，一边挤眉弄眼，逗得安乐公主哈哈大笑，一挥手就赏赐给他金银无数。让他再拉一程，并让他学牛犊叫，他便一边缓步行走一边伸了伸脖子，"哞——哞——哞——"地发出几声牛的叫声。学得还真像。安乐公主笑得前仰后合，竟笑出了眼泪，再一挥手，顺手给他一个斜封着的东西。他的一个痴茶呆傻的弱智儿子就当上了朝廷的命官。

围着的武士一撤，赵履温的尸体立刻被愤怒的百姓争抢着分割了，只剩下带着血肉的白骨，其情状令人惨不忍睹，这就是鱼肉百姓的贪官污吏的必然下场，用百姓血肉来营造自己富贵的人绝不会有好结果。此生不报，来世必报。自身得逃，子孙难逃。天理昭彰，绝不会便宜坏人。

不一会儿，有人来报，太子少保同中书门下三品韦温已经服法，被处斩于东市之北。秘书监汴王李邕娶韦皇后的妹妹崇国夫人，御史大夫窦从一娶的是韦皇后的奶妈，二人杀了自己的妻子，提头来献。马秦客、杨均、叶静能均被枭首示众。

"中书令宗楚客呢？怎么还没抓到？"相王问站在自己身旁的儿子李隆基。

"他跑不了。我早已命令关闭所有的城门和宫门，他绝对跑不出去。"李隆基很有把握。

这时，刘幽求上城楼来到李隆基身旁，悄声报告说："宗楚客的府第已经搜过两遍，可还是没有搜到。其他地方也没有发现他的踪影。"

"马上传令所有城门的守门军兵，严格盘查一切过往行人。"李隆基知道，宗楚客是个阴谋家，无论如何也不能让他漏网，可他又藏到哪里去了呢？

崔湜上位，献身献女

"托庸才于主第，进艳妇于春宫。"自己成为贵公主的情夫，让自己的妻妾女儿献身于临淄王，实行双保险，真是"聪明绝顶"的人。

癸卯日（二十二）的清晨。

太平公主刚刚离开香甜的梦境，正在朦朦胧胧之际，一个热吻使她完全醒了过来。是情夫崔湜正在笑眯眯地用那充满诱惑力的嘴唇轻轻而亲热地吻着她的面颊。

太平公主的实际年龄已经快五十岁了，但由于平常注意保养，各种护肤保颜的化妆品应有尽有，各种滋阴补肾的营养品一样不缺，生活环境又非常优越，所以她依然是细皮嫩肉，脸上的皱纹少且又很细，故非常年轻，冷眼看去也就三十岁左右。而且不但面容俊俏，身体状态也特别好，天癸不绝。

连续忙了两天，她感到很疲乏。昨天晚上，崔湜又准时来到。二人的心情都轻松舒畅，精神也就格外兴奋，几度的巫山云雨，一夜的缱绻缠绵，二人如同瘫软了一般，进入无限甜蜜美好的梦境。

梦境同样是甜蜜的，但梦的内容却是不一样的。太平公主为平定诸韦而兴奋，她又可以保住极其崇高优越的地位，又可以拥有泼天的富贵。

太平公主的一生没有受到过大的打击，她一直深受母亲武则天的宠爱和娇惯。中宗复辟后，对她也是另眼相看，虽然韦皇后和安乐公主跟她作对，但还拗不过哥哥中宗。只是在中宗死后的十多天里，她受了不少窝囊气。这也使她悟出一个道理：权力是高于一切的，谁掌握权力谁就可以拥有一切，谁丢失了权力谁就丢失了一切。庄子所说的"窃钩者诛，窃国者为诸侯。诸侯之门，而仁义存焉"的话，真是放之四海而皆准的千古不替的真理。如今，她又拥有了大权，拥有了一切，她又可以为所欲为了，梦境怎能不甜蜜呢？

崔湜是个非常聪明而又有实际本事的人。在中宗复辟后的政治旋涡中，他仿佛是水性异常的高手，在这个旋涡中任意游玩而又不被卷入水底。他的拿手好戏是勾引女人。天生的身材，天生的美貌，天生的媚眼，天生的口才，天生的灵性，使他身上有一种特殊的吸引女人的魅力。他便充分开发自己所具有的这种独特的资源，利用它来为自己谋取官职和利禄。

中宗虽然复辟了，但真正的大权并不在他的手中，最有实权的是韦皇后和上官婉儿及安乐公主三个女人。韦皇后处在深宫，不太容易接触。而且当时已经和武三思搞得火热，他崔湜是没有办法进行第四者插足的。安乐公主才二十几岁，而自己已经快四十岁了，年龄方面没有优势，不太容易得手。于是他把目标选定在上官婉儿身上，很快便如愿以偿，成了上官婉儿的情夫。

上官婉儿先和武三思搞在一起，可后来见韦皇后对武三思有那种意思，就主动让贤，创造条件使韦皇后和武三思成为热恋的一对情人。韦皇后非常感谢上官婉儿的盛情美意，便把她视为心腹，格外重用，上官婉儿用牺牲情夫的代价换来了参与朝廷政治的机遇，这真是个心计十足的女人。

但情窦已开的上官婉儿无法忍耐失去情夫的寂寞，就在群臣中寻找替代品。正是在这种情况下，崔湜的长项才充分发挥了作用，取代武三思而成为上官婉儿的第二任情夫。二人的感情发展得还很神速，几次偷欢，就有些割舍不得了。几天不见，就相互思念。

可就在这个时候，他又思考要为自己寻找一条后路。看韦皇后那个折腾法，不是个好兆头，不是大富大贵，就是杀头。通过深思熟虑，他又发现了太平公主这个宝贝。

太平公主和韦皇后是死对头，将来一旦韦皇后失势，太平公主就一定得势。上官婉儿和韦皇后是一条船上的人，如果韦皇后得势，上官婉儿就不会有任何问题。如果自己和太平公主再成为一对野鸳鸯的话，无论哪一方得手，我崔湜都可以永保富贵。

想到了就做，崔湜很快就实现了愿望，成为太平公主床上的常客。果然，不出所料，韦皇后失败，上官婉儿也跟着成了殉葬品。而他崔湜照样又出现在太平公主的床上，享受着荣华富贵和美人。他又怎能不心满意足？

仅仅这些，还不足以使他的梦境如此甜蜜，他又为自己下一步棋的得手而兴奋不已。在这次惊心动魄的宫廷政变中，他发现了又一个杰出的政坛上的风云人物，这就是临淄王李隆基。别看仅26岁，但其胆识、魄力和组织才能方面都表现出超乎寻常的本领。这可能是以后执掌朝廷大权的人物。可他偏偏是个男性，自己的特长显然没有用处。于是，他的脑瓜一转，马上就想出一个办法。手段是同样的，只是出场人物有了变化。他决定贡献自己的一个美貌而又有姿色的小妾和自己的女儿前去临淄王府。小妾刚过二十岁，而女儿则正是二八破瓜的妙龄，小模样极其标致，虽不能说是天姿国色，也是绝代佳人。

昨天晚上，他以祝贺为名，亲自带着小妾和女儿到临淄王府，一阵美妙动听的阿谀奉承之后，小妾和女儿先后出场侑酒助兴，小妾和女儿还真有手段，几个媚眼过去，几句动听的话说完，便使得临淄王王颜大悦，立刻重赏了崔湜，并把小妾和女儿都留在了王府。两个政坛的要人都和自己有千丝万缕的联系，自己还有什么后顾之忧呢？一想到这里，崔湜就情不自禁地暗自微笑。

忽然间，崔湜觉得自己是古往今来最聪明的人。以往的人们都盛赞冯谖为孟尝君田文营造"狡兔三窟"的举动，而那只是为了生存。而我呢，虽然只有两窟，但却可以长保富贵。又不像冯谖那样还要烧什么借钱的债券，损失一些钱财，而自己的做法是无本万利，真是太精彩太高明了。

心情愉悦情感就特别的热烈，太平公主被他充满温情的热唇吻醒。二人并没有马上起床，说起了悄悄话。

"朝廷的一切大事都处理完了吗？"崔湜问。

"都处理完了。前天上午，先把诸韦在城中的亲党都诛灭了。韦皇后被废为悖逆庶人，陈尸街头。下午派崔日用带兵到韦曲诛杀韦皇后的家族。就连襁褓中的小孩儿也一个没留，这次是斩草除根了。"

"听说宗楚客也抓到正法啦？"

"抓到了。他真是个老滑头。在家中的地窖里藏了一天多，昨天午后，穿了一身重孝的斩衰之服，牵着一条灰色的小毛驴，头上缠着白色的孝带，谎称是个小买卖人，父亲在家中死去，急于出城奔丧。不料被守城的军兵认了出来，当即被逮捕。他的住宅在这边，却想从东面的通化门混出去，真够狡猾的。"

"噢——这就好，这就好。"崔湜连连赞叹。

"大局是没有什么问题，可是……"太平公主忽然好像想到了什么十分严重的问题，轻轻一推崔湜说："这样不行，我得立即到相王府去。"

劝说李旦，终登帝位

一个糊里糊涂被推上皇帝宝座的小皇帝只当了半个月的皇帝，就被糊里糊涂地拉下皇帝的宝座，他感到糊里糊涂，莫名其妙。

见妹妹镇国太平公主前来，相王格外高兴，忙命下人上茶，厨房备饭。

相王李旦已经49岁，但面容苍老，比他的实际年龄大了许多，看上去起码也有五十六七岁。他虽为人随和，与世无争，可老天爷仿佛偏偏和他过不去，总是把他推到政治斗争的浪尖上。

这次宫廷政变，事前他什么也不知道，事后他也是尽量不管事，让儿子三郎和妹妹太平公主掌管。可他这个位置是别人无法取代的，所以他又理所当然地处在了浪尖上。

"妹妹来啦！妹妹这几天辛苦了。我们李家的江山多亏妹妹了。"太平公主今年是 48 岁，比相王只小 1 岁。李旦是从内心里感谢这位足智多谋、很有魄力的妹妹。

"家国多难，这些年来，经过多少风风雨雨，我们同胞兄妹六人，如今只剩下咱们兄妹两人了。唉，真不容易啊！"太平公主感叹道。

"可不是嘛！这些年可把咱们兄妹几人折腾苦了。这回可好了，天下被你和三郎又夺了回来，咱们总算可以安享几天清福了。"相王微笑着说。

"八哥，依我看事情可不这么简单。韦庶人一党虽然都灭掉了，可新君太小，天下形势未稳，八哥应当以社稷为重，不应拘守小节而误天下苍生。应登大宝君临天下。"太平公主说。

"不行！不行！那可不行！新君是我的亲侄儿，刚刚继位不久，我怎能从亲侄儿的手中抢夺皇位。"相王连连摆手，坚决不同意。

小皇帝李重茂是中宗的儿子，但不是韦皇后所生，刚刚 16 岁，确实没有什么主见。韦皇后立他本来就是想利用他的出身做一个过渡，来堵塞相王和其他人的口。所以他只不过是个任人摆布的傀儡而已。

太平公主见哥哥不同意，马上又劝道："重茂是七哥的骨肉，也是我的亲侄儿。可他太年轻，没有人望。现在人心未稳，万一再有赵高之类的奸人从中弄权，指鹿为马，咱们李家恐怕就没有噍类了。那时，后悔可就来不及了。"太平公主顾虑重重，十分忧虑。

"能那么严重吗？那可怎么办？"

"这是明摆着的事。我七哥是五十多岁的人，大权尚且旁落。如果不是妹妹我和三郎先下手为强，恐怕你我兄妹连今天也活不到了。"

"是啊！方才大郎成器和三郎隆基也来劝我登基，说这是许多大臣的一致要求。我说什么也没答应他们。可听你这么一说，倒也有道理。可从亲侄儿的手里抢江山，我怎么也不想做这种不义之事。"

"八哥，我说你咋这么糊涂。这哪里是从重茂的手里抢江山，而是从韦庶人的手里夺回江山。似想，如果不是妹妹我和三郎，重茂现在不早就被韦庶人一党害死了，哪里还能当什么皇帝？"

"噢……噢……也是这么个理……"相王有些犹豫了。太平公主没等他说完，马上接着说道："再说了，我刚刚从宫中来，已经去见过皇帝重茂。重茂让我转达他的意思，他说他自己太年轻，没有能力，恐怕难以胜任，希望叔叔能出面当皇帝，他情愿把皇帝让给您。"

"是吗？皇帝是这么说的？"

"那还有假。一个是我亲侄儿，一个是我哥哥，对于我来说，都是一样的骨肉至亲。我只是为了我们李氏的天下着想才如此操心的。"

"那我就——"

"那还有什么可犹豫的。就这么定了，你就准备登基当皇帝吧。一切事由妹妹我承担。"

"那……那……能好吗？"

"怎么不好。你就别再犹豫不决了。当仁不让。"

"好吧！我听你的。不过我总觉得……"

"事不宜迟，明天就办此事！"太平公主说得非常肯定，不容商量。

甲辰日（二十三）的早朝在太极殿里进行。

因为中宗皇帝的梓宫在这里，所以小皇帝李重茂就不能坐在正面，而是坐在东面的角落，面向西。相王李旦站在梓宫的旁边。新任命的几名宰相站立在相王的身后。太平公主站在小皇帝李重茂的身边。所有的人都是全身重孝，每个人的表情都异常的严肃，气氛很是肃穆。

所谓的梓宫就是皇帝的棺材。封建社会里，皇帝的东西有一套专有名词，棺材当然也不能例外。

李重茂刚刚16岁，虽然生长在帝王之家，可从来也没享过什么真正的福。他一出生就随着倒霉的父亲中宗在贬所过清苦的日子，连谁是自己的亲生母亲都不知道。他和因起兵杀武三思后兵败而死的太子李重俊一样，都是宫女所生。韦皇后是个非常善妒狠毒的女子，在他生下后就把他的母亲害死了。从此，他没有母爱，也没有什么父爱，在冷冷清清中苦度时光。

中宗复辟后，他虽然被封为温王，但日子也没好多少，尤其在精神方面更是如此。眼睁睁地看着姐姐安乐公主等人享受无比的尊荣，在家里是花天酒地，一出门则前呼后拥，而他却没几个人搭理。

父亲中宗死后，他糊里糊涂地被人推上了皇帝的宝座。穿上那身不太可体的肥肥大大的绣着衮龙的衣服，戴上前边有不少串珠子的冕旒，坐在那雕刻精美，还有大靠背的龙床上，接受文武百官的朝贺，他觉得真不舒服啊，而更令他不舒服的则是韦太后对他的态度。他什么也不敢说，一切都要看韦太后的眼色行事。

他战战兢兢地做了不到半个月的皇帝，就发生了李隆基平定诸韦的大事变。当天夜里，他的魂都吓丢了，好在李隆基没有听从下属的意见连他也杀掉，派人把他保护起来，他那吓丢的魂才又回来。

那天，除被人簇拥着登了一回什么城楼，像一个没有台词的演员在城楼上坐了一会儿外，他一直在宫里待着，没有人来找他的麻烦，可也没有人来和他商量什么事。当天和第二天的一切举措却都是以他的名义发出去的。当然，这些他都不知道。

今天早朝，他又被当值的太监领着来到太极殿，一看太极殿里的格局也变了，他的御座被摆在了一边。

他在太监的搀扶下再一次坐到了御座上。不过，对这一切，他都感到莫名其妙，像一个观众在看戏法，不知道下一场戏是怎么回事。

这时，只听站在自己身旁的姑母镇国太平公主先说话了："众位大臣，皇帝欲把此位让给叔父，可乎？"

小皇帝李重茂心里有些纳闷："我也没说要把这个座让给叔父啊！姑母怎么这么说呢？"他感到有些莫名其妙，可那是他的亲姑母，跟他父亲中宗是同父同母的兄妹，这一点，他知道得清清楚楚。

这时，站在众大臣最前边的刘幽求往前跨了一步，跪倒上奏道："国家多难，皇帝仁孝，追踪尧舜，诚合至公。相王代之承担如此重任，慈爱尤其深厚。"于是站起身来，从旁边一个太监手中接过少帝李重茂的诏书宣读起来。其内容不外乎是什么天下多难，需要大圣人方可治理，朕要效法尧舜云云。

宣读完毕，群臣跪下高呼万岁。李重茂坐在龙椅上有些发懵，心想我也没让人写什么圣旨啊。他更感到莫名其妙，不知这是什么节目，傻乎乎地看着不吱声，更不知道自己该怎么演。

太平公主见小皇帝不知道起来让位，相王看着她有些为难，场面有些尴尬，就上前一步说："孩儿啊，天下之心已归相王，这个位置不是孩儿所能坐的了。"小皇帝李重茂还不太明白她的话是什么意思，坐着不动。太平公主只好伸手把小皇帝从座位上拽起来。这时，上来两名太监把他的冕旒摘下，把龙袍脱下，小皇帝见还没退朝就有人来服侍他脱衣服，更莫名其妙。但他不敢问，他已经被韦皇后训练出来了。他被人领了出去。

接着，太平公主和众人簇拥着相王李旦登承天门，宣布就位，大赦天下，这就是睿宗皇帝。

太平公主心满意足地回到府邸的内室，忽然看到一个人，不由得吃了一惊。

共商国是，权力巅峰

情夫已被贬外地，太平公主只一句话就留在京师，官复原职。她更感到权势的重要。这是她一生中最得意的时期。

来人是情夫崔湜。前天，崔湜和赵彦昭、萧至忠等几名韦皇后执政时的宰相一样，都被贬出了长安。这几人在韦皇后执政时虽然不像宗楚客和韦温那样罪大恶极，可也都是当时的执政大员。任凭韦皇后等人专权乱政，祸败朝纲，都有一定的责任，故相王在李隆基的提议下，把这几人都赶出了京师。

中书侍郎同平章事赵彦昭贬为绛州刺史，中书令萧至忠贬为许州刺史，吏部侍郎同平章事崔湜贬为华州刺史。

一般来说，被贬外地的官员都是战战兢兢，如履薄冰，在接到被贬的圣旨后要尽快离开京师，可崔湜还没走，而且到自己的府中来，这令太平公主又惊又喜。

"崔郎，你没有离开京师？"

"有公主在，我还用离开吗？何况，我也离不开你啊。怎么样，能不能想办法把我留在你身边？"崔湜笑嘻嘻地商量道。

"如果把你留下来，你拿什么感谢我？"

"我把整个人都给公主了，难道这还不够吗？还想要什么？"

"别耍贫嘴了，我乏了，咱们休息吧。"

二人解衣上床，侍女碧虚早就知趣地退了出去。

三天后，崔湜接到圣旨，他和赵彦昭、萧至忠三个人都官复原职，又当上了宰相。当然这都是太平公主的力量，赵彦昭和萧至忠也都得到崔湜的指教，私下到太平公主府中表达对公主的无比敬意和忠心，并表示以后要效忠于公主。太平公主到宫中跟八哥一说，这三个人的紫袍又穿在身上。

睿宗即位后，当然要有一番新的人事变动，这是权力重新分配的最好时机，一切人都不会轻易放过这个良机。

这次平定诸韦，功劳最大的是临淄王李隆基和太平公主，权力再分配的主要人物便取决于这两个人。临淄王李隆基被封为平王，兼知内外闲厩，押左右厢万骑。平王虽以平州为其国名，但主要的是以平定内乱而赐予的佳名，是个虚衔，而后面的两个职务可是控制京师和宫廷武装力量的实权。

所谓的知内外闲厩是指掌管宫廷内外马圈里的仪仗马。这些马匹是供皇帝出行或举行大型典礼时装潢门面的，与战马不同，故称"闲厩"。

当时有"六闲"，一曰左右飞黄闲，二曰左右吉良闲，三曰左右龙媒闲，四曰左右骐驎闲，五曰左右駚騠闲，六曰左右天苑闲。共有几百匹膘肥体壮的良马。而左右厢万骑就是这次李隆基发动兵变的主力。

太平公主的二儿子薛崇简被赐爵为立节王，三儿子薛崇训当上右千牛卫将军。这一职务是高宗龙朔二年（662）设置的，从三品，掌宫廷侍卫及供御兵仗。另两个儿子薛崇行、薛崇敏，都封王爵。太平公主本人则加实封满到万户。更主要的是当皇帝的八哥和几个侄儿对她十分亲近，一见面总是喜笑颜开，太平公主就像喝了蜂蜜一样甜美。

太平公主感到心满意足，平生以来她是第一次这么扬眉吐气。八哥对她的话是言听计从，只要她一张口，八哥没有不答应的。崔湜等三个人已经被贬，可就是她的一句话，三人马上就官复原职了。她的话几乎就等于圣旨，许多官员都看出了这个门道，到她的府中拜谒送礼的人络绎不绝。

她几乎是天天进宫，和睿宗商讨军国大政，一进去就是大半天，时常与睿宗共进御膳。她虽然不能像母亲那样登基做皇帝，但她可以拥有皇帝的一切生活待遇。懦弱的八哥没有什么主见，一切都听她的。此时，太平公主真正尝到了掌握权力的神圣魔力，她已经成了背后的掌握实权的女皇帝，而睿宗只不过是受她操纵的傀儡。

这一天，太平公主又来到宫中。见礼后，她发现八哥总是愁眉不展，唉声叹气，便问道："八哥，天下已经安定了，我们正应该安享快乐，还有什么事让你这么不开心？不知能告诉妹妹我吗？"

"唉，可也不算什么大事。就是立谁为太子的事，几名大臣都催我赶快定夺，免得再生事端。可我一时又有些拿不定主意，不知立谁好。按常理应当立长子成器，可这次平定内乱全是三郎的功劳，但三郎又不是长子。立成器吧，觉得有些对不住三郎，立三郎吧，又觉得对不住成器。可真让我难心。你说怎么办？"

"八哥，这没什么可难心的，好办。"

"怎么办？"

"按照常理，嫡长子当立，没有任何疑问。你先征求一下他们哥俩的意见。如果成器推辞，就立三郎。成器不推辞，就立成器。"

"嗯，可也行，这也是个法。如果成器推辞，我也就没什么不安的了。"

睿宗李旦立即传旨，让宋王李成器和临淄王李隆基分别来见驾。

宋王李成器态度非常坚决，认为是三弟安定的国家，自己没有功劳，不敢居太子之位，并说："国家安则先嫡长，国家危则先有功。苟违其宜，四海失望。臣死也不敢居平王之上。"

睿宗再征求李隆基的意见，李隆基也表示应当立大哥，自己是弟弟，不当居哥哥之前。睿宗似乎悟出了什么，最后确定立平王李隆基为太子。

李隆基当上太子，开府置官。睿宗只是担个皇帝的名分，什么事也决定不了。一有大臣奏本，他就说："你去问一问太平公主和三郎，他们俩说行就行，说不行就不行。"

于是，宫廷中出现两个中心人物，一个是太子李隆基，一个是太平公主。李隆基知道自己当上太子虽然不是姑姑的意思，但最起码姑姑没有反对，而且在平定诸韦的过程中，姑姑的杰出表现令他敬仰钦佩，所以对太平公主特别尊敬。姑侄儿二人相处得很是亲热融洽。

可就在宫中朝中相安无事，呈现出一派和平景象的时候，一股潜流正在涌动，要掀起大风浪……

郑愔怂恿，谯王造反

"江山如此多娇，引无数英雄竞折腰。"成功了，黄袍加身，称孤道寡；失败了，身首异处，满门抄斩。"成者王侯败者贼"，古今一理。

郑愔是这些年来一直活动在政治舞台上的活跃人物。当初他是依附酷吏来俊臣爬上高位的；其后来俊臣被诛，他又依附张易之；张易之失败他又依附韦皇后；韦皇后瞧不起他，就把他从吏部侍郎的高位上撤下来，贬为江州司马。

他一直是受宠的人，此次被贬，实在不甘心，就没有到江州去，而是悄悄进了均州。

郑愔将近知非之岁，形象极其丑陋，胡须多而乱，但口若悬河，诡辩风生，善于揣摩人的心理，故屡屡得势。

他到均州后，直接到谯王兼刺史的李重福的府邸。李重福是中宗的长子，虽非韦庶人所生，可也是正宗的龙子龙孙，又处在长子的位置上，按常理说应当是皇权的合法继承人。中宗死后，韦皇后偏偏立比他小得多的李重茂当皇帝，反而对他严加监视。

谯王早就认识郑愔，见他不期而至，而且还带来一个陌生人，有些诧异。经郑愔介绍，谯王才知道此人叫张灵均，洛阳人，是个志士。郑愔和张灵均都对韦皇后的倒行逆施愤愤不平，劝谯王起事，夺回失去的权力和地位。经过一番密谋，三人制订一个计划，想在一个月里起兵，重定江山。可下手晚了一步，太平公主和临淄王李隆基占了先手。

不久，京师来人传达圣旨：相王即位。他依旧还是谯王。

听完圣旨，谯王一时没了主意。郑愔和张灵均则积极鼓吹，劝谯王立即准备起事。郑愔道："先帝驾崩，本来就应当是大王继承大统。是韦庶人倒行逆施，废长立幼，终遭天谴。韦庶人被诛，从天理上说也应当是大王入继大统。相王是先帝的弟弟，不应当继承大统。今趁其人心未附，马上起兵。臣敢保证大王只要能进东都，大事必成。"

张灵均也极力主张起兵，不能如此窝窝囊囊地当个藩王而任人宰割。最后决定，由郑愔先悄悄进洛阳做好准备。张灵均和谯王在这里秘密组织人员，相机进东都洛阳起事。

郑愔悄悄来到老朋友驸马都尉裴巽的宅中。裴巽的妻子是宜城公主，生身母亲不详，故与谯王是否是同母姐弟不可而知，但肯定都是中宗的孩子，是同父姐弟。而且这姐弟俩都受韦皇后的气，故在反对韦皇后专权这一点上，立场是绝对一致的。

宜城公主虽然在皇宫中不得势，受人的白眼，可在裴巽家中则可以盛气凌人，倚仗自己是皇帝的女儿便对丈夫也颐指气使。在她结婚之前，裴巽曾和家中的一个丫鬟热恋。可皇帝要招其为驸马，他也不敢不娶。婚后，由于宜城公主的盛气凌人和霸道，缺乏女人应有的温柔，裴巽便和以前的恋人旧情难断，鸳梦重温，背着宜城公主又搞在了一起。他还在外面专门买了一处房宅，把那名小妾养在里面，如同是金丝笼里的金丝鸟，偷偷摸摸总去喂养和爱抚。

没有不透风的墙，裴巽的这个秘密还是被宜城公主发现了。一次，二人正在做爱的时候，被宜城公主带着几个亲信家丁堵在了床上。宜城公主醋性大发，竟命下人割掉情敌的鼻子，真够狠毒残忍的。

就中国历史来看，女人间因争风吃醋而割掉情敌鼻子的开创者并不是这位宜城公主，而是战国时期楚国的著名美人郑袖。但郑袖的手段十分高明，不像宜城公主这样赤裸裸的当场下手。

郑袖是楚怀王的宠妃，貌美心妒，非常有心计。当时，楚是大国，魏国献一个二八美人给怀王。怀王非常喜欢这个美人，经常召幸。郑袖专宠的局面受到严重的威胁。郑袖很不情愿，想要夺回专宠的地位，可又不想让怀王生气，于是便想了一个计策。

她对魏国的新美人十分亲热，在怀王面前也经常夸奖魏美人。怀王本来担心忌妒成性的郑袖会争风吃醋，没想到她如此大度，心花怒放。魏美人也很感激这位宽宏大量的姐姐。

怀王有腋臭，无论怎么用麝香熏，依然有轻微的难闻的气味。这是怀王的一个心病，很怕别人因此而瞧不起他。郑袖当然知道怀王的这种心理，魏美人可一点也不晓得。魏美人的嗅觉不太灵敏，对于怀王的腋臭一点没有察觉。魏美人虽然极其美丽，但鼻翼旁有个小瘊子，或者说是美人痣，不但不难看，反而增加许多妩媚和风韵。

过了一段时间，郑袖很关切地对魏美人说："大王曾跟我说，对你非常喜欢。可就是不太喜欢你的鼻子，说你鼻子上的那个小痣不太好看。下次再召幸你的时候，你可用手适当地遮挡一下鼻子。"魏美人对郑袖的关心好一番感激。

几次之后，怀王又到郑袖的宫中来。巫山云雨过后，借怀王心满意足的时机，郑袖问道："人心真是难以琢磨。可惜大王您的一片心意，妾都有些替您不值。""爱妃，你说的是谁？是什么意思？"

"我早就想告诉大王，可又怕伤了大王的心。现在实在有些不忍心看到大王再受欺骗。"

"说！快说！究竟是怎么回事？"怀王有些急了。

"大王您是真心喜欢魏美人，可魏美人不但不喜欢您，而且还嫌您——"郑袖说到这里，故意停顿了一下，她在吊怀王的胃口，同时也在观察怀王的反应。

"她嫌我什么？"怀王确实着急了，紧追着问。

"她嫌您身上有味儿。说您一和她合房时她就有些不好受。有时还要捂一捂鼻子，若不然的话就有些恶心。"

"这个贱人，她竟敢这样侮辱我。怪不得我看她动不动就捂鼻子，原来是嫌我。来人！传我的话，派人去把那个小贱人的鼻子割下来，看她还嫌不嫌我，看她还捂什么。"就这样，魏美人好端端的一个漂亮鼻子就被割掉了。同样是割情敌的鼻子，郑袖的手段就比宜城公主高明多了。

人人都有自尊心，常人最怕别人触及自己的短处。俗语说："当瘸子别说短话，当秃子别说光和亮"，就连一千多年后的头顶稍秃的"阿Q"，一听别人说"光"或"亮"的字眼还要与人打架，何况是一国之君的楚怀王，又怎能容忍有人敢厌恶他呢！郑袖所利用的正是这一点，可见郑袖的心理学知识还是相当丰富的，其高明之处就在这一点。

宜城公主的这种做法当然也影响夫妻感情，所以和裴巽不十分和睦。但裴巽毕竟是谯王的姐夫，当然要站在谯王这一边。他听完郑愔的安排后，马上表态，生死与共，把他的宅院交给郑愔，做谯王发动政变的大本营。

郑愔大喜，命裴巽派家人赶快置备登基大典的用物。他则先起草好诏书，内容是：立谯王李重福为皇帝，改元为"中元克复元年"，尊相王李且为皇太叔，以温王李重茂为皇太弟。以郑愔为左丞相，掌管内外文事；以张灵均为右丞相天柱大将军，掌管内外武事。其他器物如香案，供品和临时的龙袍等也都置备齐全，只等谯王一到，新皇帝登基大典即将举行。

郑愔只觉得自己马上就要当宰相了，美的总是咧着个嘴，有些忘乎所以，也没有特别安排注意保密的措施。

八月庚寅这一天，洛阳县令亲自带着四名衙役到裴巽家去按问。

听说县令来到，郑愔连忙躲了起来，裴巽出来应付。

"不知县令大老爷光临，有失远迎，恕罪！恕罪！"

"听说驸马爷近两天购买不少御用之物，可是为了什么？"

"没有！没有！大人是听什么人说的？"

"准备香案可是为了什么？"

"这……这……"裴巽有些语塞。这时，忽有门人来报，说谯王带着一哨人马已经到了门口，请驸马赶快出去迎接。县令一听大惊，忙说："即是王爷来了，本官得赶快回县衙安排准备迎接。"说罢，忙带着从人起身从后门离去。

街上已经出现混乱。

县令匆匆忙忙回到县衙，一刻也没有停留，连忙带着那几个衙役骑马赶到留守处。东京留守一听，立时没了主张。留守府里也开始出现慌乱，有的官吏已听到了风声，许多人吓得逃跑躲藏起来。

洛阳县令连忙又到州衙来报告。洛州长史崔日知颇有主见，他马上集合队伍，独自率领州里的所有捕快和武装役吏去讨伐谯王李重福。

说到这里，读者诸君或许发生疑问：这里先后出现三个官职，一个是洛阳县令，一个是东京留守，一个是洛州长史，这三人都是干什么的？他们三人之间又是什么关系？

洛阳是东京，是李唐王朝的两个首都之一。这里有内城和外城之分，内城便是皇城和宫城，即皇宫所在，三省六部的衙门都在皇城中，是皇帝和文武大臣办公的地方。如果皇帝不在这里，则任命一个重臣为留守，负责皇城的保卫工作，是个要职。

整个外城的市区则归洛州知州管辖。整个市区又以天津桥为界，南北划分成两个县：河北的区域叫作洛阳县，河南的区域叫作河南县。可知这里的县相当于现代意义的市区，与我们今天县的概念有所不同。这在前文已有过简单的交代，此处不赘。

裴巽的住宅在洛阳县界里，归洛阳县令管辖，所以他亲自到那里去按问。当他知道谯王已经进城后，首先去向东京留守报告，然后又到州衙报告，因为这两个衙门都是他的顶头上司。

崔日知为洛州长史，主要工作职责就是负责地方治安，缉捕罪犯的。全州的捕快和一切地方武装力量都归他直接领导，其工作职务大体相当于现代市一级的公安局长兼武装部长，所以他能马上集合队伍行动。

这次，谯王李重福带来三百多人。他带着这些人本想先去占领东京府和洛州的知州衙门，可听说崔日知率领捕快和武装役吏已经封住洛阳府和州衙的大门，他便临时改变主意，连忙带人直奔左右屯营而来，想要进兵营调动军队。只要有了军队，洛阳就不在话下。

一路上，不断有人加入谯王的队伍，已经有七八百人了，谯王大喜。形势万分危急。谯王有特殊的地位和身份，此次起事蓄谋已久，早已准备了假圣旨之类的东西。真王爷拿的即使是假圣旨，也有很大的蛊惑力。

正当此时，东京留台侍御史李邕有事要到府中去，将要走到天津桥的时候，发现了谯王及其人马。李邕认识谯王，一见大惊，连忙掉转马头疾驰到左右营的营门，对把门军士喊道：

"谯王得罪先帝，今无故入都，又带兵前来，此必为乱。请诸君转告主帅，千万不要打开营门放他进去，更不要助他为乱。诸君欲取功名富贵，正在今日。"

对两营守军喊完话后，李邕又骑马转告皇城各门，令守城军兵立即关闭所有的大门，不得让谯王及其人马进入皇城。

谯王带领人马来到左营的营门，只见营门紧闭，他高声喝令让打开营门。守门军兵已经听过李邕的告诫，又请示了主帅，不但不开营门，反而射出箭来。

谯王见状，大怒，有心要攻打军营，见整个大营戒备森严，军士们各个盔明甲亮，再看看自己身后的这些人，各个獐头鼠目，衣帽不整，根本没有经过正规的训练，知道不是对手，连忙率人马离开，直奔皇城的左掖门。

来到城门下，只见城门紧闭。谯王命令打开城门，守城军兵已经听过李邕的告诫，有了思想准备，又接到留守的紧急通知，命严守城门，当然不肯开城门。谯王见自己的命令根本不起作用，大怒，命手下人马攻打城门，放火烧城。皇城非常坚固，又有军兵把守，凭谯王这些乌合之众如何打得下来。倒暴露了他自己是个反叛。这时，左营的军兵在主帅带领下向这里杀来。

谯王见大势已去，忙带着几个亲信逃出城去。其他的人马立时作鸟兽散，腿长反应快的趁乱逃跑，腿短反应慢的则束手被擒。

第二天，留守派兵马在城内外大肆搜捕，谯王藏身不住，自己投河而死。张灵均因跟着谯王李重福，当即被擒。

郑愔在裴巽宅中，听说谯王失败，忙跑到一个熟人家中躲起来。次日，郑愔用剪刀把乱草似的胡须剪了剪，穿上一身女子的服装，把头发梳了一个大疙瘩鬏，穿上一件花衣服，男不男，女不女。他坐着一辆带篷的车，企图混出城去，在城门处，被守城的军兵识破。

郑愔和张灵均是这次叛乱的发起者之一，当然是重犯。他们俩先后被带到大堂审问。张灵均是怒目而视，立而不跪，对叛乱之事供认不讳，而且还振振有词，说什么相王李旦抢夺侄儿的江山，谯王本来就应当当皇帝云云。倒还真有点大义凛然的味道。

郑愔不是被带到大堂的，而是被拎到大堂的。他全身瘫软，脸色煞白，两眼发直，两手耷拉着，两条腿根本就不能动弹。带他的两名衙役算是倒了霉，用力提着他的两条胳膊，像拖死狗一样硬把他拽到大堂的堂口。往地上一丢，两个衙役用袖口擦了擦汗，骂道："带你这么个倒霉蛋，真他妈累。"

不论怎么审问，郑愔也说不出话来。只见他浑身抖似筛糠，只嘎巴嘴说却不出话来，离他近的几名衙役先抽了几下鼻子，然后用衣袖轻轻把鼻子掩住。

一看他这副德行，张灵均狠狠瞪了一眼，说道："我当初真是瞎了眼，与你这样的熊包软蛋共举大事，怎能不失败！"

张灵均和郑愔都在洛阳被杀。郑愔因为劣迹太多而被灭族。

崔湜献金，为子求官

赌博是一种赌运气的带有魔力的游戏。赌场上，房、子、地乱颤，这是百姓之赌。大贵族之赌，则有异于此。

夏末秋初，暑热消退，和风徐来，一艘高大豪华的画舫在长安东南角的曲江池中缓缓行驶。

湖面上，一片一片的荷花正在开放，在伞盖一样大小的绿叶的映衬下，娇艳欲滴、玲珑剔透的花朵显得格外美丽。随着驰荡的轻风，飘来一阵阵花的清香，直往人的鼻孔里钻，沁人心脾，那感觉真是舒服极了。

湖面上，还有一些小巧玲珑的游船陪伴着这艘大画舫，那些小游船与这艘大画舫相比，就像是凤凰身边的小麻雀，就像是老虎旁边站着一只小猫，仿佛就是为了衬托它的高大和豪华才出现的一样。记得人们为了显示出四川乐山大佛的庞大，专门摄取四个人在这尊无与伦比的大佛的一个大脚拇指的指甲盖上打扑克的镜头。这些小船所起的就是那四个打扑克之人的作用。

画舫上，传出一阵阵悠扬的乐曲声和男男女女的调笑声。

太平公主带着自己的乐队，乘坐能工巧匠花费许多时日，由内务府拨专款，花费三千多两白银专门为自己建造的这条船，在这风和日丽的大好时光，来到曲江池游玩。她的心情比天气还要晴朗和明亮，这是她一生中最开心的日子。

自从和三郎李隆基联手平定诸韦之后，她的权势达到了顶峰。八哥做了皇帝，她是皇帝的亲妹妹，而且又有功于国家，八哥对她的话是言听计从。

前些日子听说出了点小麻烦，就是被贬到均州的谯王李重福居然不自量力起事造反，只一天多就被平定了。如今更是天下太平，万事皆无，所剩下的就是怎么享受了。

一想到这里，她的心中就感到格外的舒畅。她的八哥对她可真是没说的，她也充分利用自己和八哥是一母所生的同胞兄妹这层任何人都无可比拟的关系，紧紧拉住八哥，她就可以有永远也享受不完的泼天的富贵和无比的尊荣。因为他们同胞兄妹六人，而如今活在世上的只有她和八哥两人了。

八哥自从当上皇帝以后，在处理政事方面比以前精明多了，这使她感到既高兴又有些蹊跷。八哥的脾气禀性她早就摸得透透的，遇事没主张，好搞折中，耳根软，谁的话都听，处事缺乏魄力。可有一件事的处理却令她大吃一惊。

那是几天前发生的事。直接服侍睿宗皇帝的宦官间兴贵嘱托长安令李朝隐为他办一件事，说事成之后如何如何，如果敢不办就如何如何。他本想用大话吓一吓李朝隐，没想到李朝隐还真是个不怕邪的人，居然把他关进大狱。

八哥听说后，不但没有怪罪李朝隐，反而亲自召见了他，当面褒奖道："卿为赤县令，能如此，朕复何忧！"

次日早朝后，八哥特意在承天门召集百官及诸州朝集使，下诏曰："宦官遇宽柔之代，必弄威权。朕览前载，每所叹息。能符朕意，实在斯人。可加一阶，为太中大夫。赐中上考，及绢百匹。"百官齐声赞颂。

这是八哥有生以来做得最露脸、最英明的一件事。就凭八哥的心性，他顶多不怪罪李朝隐就是了，怎么在当面褒奖之后还能专门为此事召见文武百官和诸州朝集使呢？显然这是一种高明的政治手腕，这是八哥本人的意图呢，还是太子的意图呢？如果是太子的意图，可以看出这个年轻人太有心计了。不知为什么，每一想到这层，太平公主内心就有一种说不出的滋味，总感到不愉快。

又一曲悠扬的前奏开始了。一个嗓音非常轻柔的歌女随着悠扬的乐曲唱起了刚刚由太乐府中的乐师为张若虚的名作《春江花月夜》谱的曲，那歌词是：

春江潮水连海平，海上明月共潮生。
滟滟随波千万里，何处春江无月明？
江流宛转绕芳甸，月照花林皆似霰。
空里流霜不觉飞，汀上白沙看不见。
江天一色无纤尘，皎皎空中孤月轮。
江畔何人初见月，江月何年初照人？

人生代代无穷已，江月年年望相似。

不知江月待何人，但见长江送流水。

…………

太平公主一边欣赏这美妙的乐曲，一边和另外的三个人玩着叫作"樗蒲"的游戏。这三个人便是太平公主的心腹大臣崔湜、萧至忠和赵彦昭。他们每个人的后面各站着两名丫鬟给扇扇子。

"樗蒲"是在汉魏时期产生，在唐代非常盛行的一种赌博游戏。由子、马、五木和棋盘组成。每人执六马，用五木掷采；采又分成十种，其中以卢、雉、犊、白为贵采，其他的为杂采。掷得贵采可以连掷、打马、过关，掷得杂采则原地不动。最胜采是"卢"。所谓的卢就是五木都出现黑色，也叫"五卢"。

南朝宋武帝刘裕在与人樗蒲时，把五木拿在手中摇了摇后马上掷出，同时厉声大喝："卢！卢！卢！"结果果然是个卢采，便赢了关键的一局。

连胜两局，太平公主的脸上露出笑容，如朝霞般美丽。崔湜等三人也都兴高采烈。这时，崔湜从衣袖中拿出两根金光闪闪的金条来，说道："不好意思，下官现在和公主单来，以此为注。请二位大人旁观稍待。"

太平公主一见，笑了，说道："崔大人今天是怎么啦？为何下这么大的赌注？本公主也没有这个准备，没带金条来，怎么和你玩？"

"没关系。今天公主手气好，不会输的。如果公主赢，金条就归您。即使是一时失手，让下官碰巧赢了，下官也不需要公主的金条，只是请公主说一句话就行了。"

"此话怎讲？"

"下官有一犬子，已到加冠之年，可就是不务正业，终日里斗鸡玩狗，无所事事。如果下官赢，只请公主在圣上面前美言几句，给安排一个官职即可。"

"我的话就这么好使？这么值钱？"

"公主的话一言九鼎，说一不二，谁人不知！今天就请二位大人做个见证，下官和公主就这样赌，可以吗？"

"好！既然是你下注，当然我就是庄家，我先来。"太平公主说完，拿起装着五木的小银碗，用纤手堵上碗口，举在空中摇了好一阵，然后一松手，五木骨碌碌在桌案上转个不停。太平公主连喊："五卢！五卢！"等五木全都停止不动时一看，哪里是什么五卢，是个杂采。

该崔湜了。崔湜虽没有喊叫，却偏偏掷出个五卢。几次之后，太平公主便输了这一局。崔湜面露喜色，太平公主微微一笑道："崔大人的手气真好，看来本公主这句话是非说不可了。"

崔湜赔上一笑，朝太平公主递了一个眼色道："其实公主无论是赢是输，这句话都要说的。这金条下官是拿来孝敬公主的，请笑纳。"

"这就不必了。话我明天就去说，你就给贵公子准备官服吧！"

"好哩！"崔湜的眼睛都笑没了。

太平碰壁，天子欲退

一山不存二虎，一水难容二龙。专制制度不能容许两种势均力敌的政治势力同时存在。

没有想到的事发生了，太平公主的话并没有好使。她派到吏部去的人碰了个软钉子，新任吏部尚书宋璟对她的亲信非常客气，但就是不答应她的要求，说无论什么人都必须经过考核方能量才录用。亲信无奈，如实回话。

自从平定诸韦后，这是太平公主第一次说话没起作用，也促使她从近乎狂热的巅峰上冷静下来，开始认真思考问题，原来自己也有办不了的事。

前些日子，自己和太子共同向八哥建议，韦庶人乱政时，斜封官太多太滥，应当全部作废。八哥采纳了这个建议，把前朝通过非正当途径拟封的斜封官全部停止，又把不称职的一些庸官俗吏裁汰一部分，这样使朝廷中出现了许多空位。

如何安排新的官员，补充这些位置，她并没有考虑。这段时间，她把全部精力都用在为自己再建造一所豪华的道观方面，而根本没有往这方面想。

但她根本也没有想到这是个问题，只要是八哥当皇帝，自己还不是说什么算什么嘛。她万万没有想到安排这么一个小小的官员也会碰钉子。

废除斜封官，百姓们拍手称快，朝纲为之一振。在重新起用新官员的时候，睿宗完全采纳太子李隆基的意见，把权力交给具体负责的官吏。按照以前的旧制，三品以上的官员册授，五品以上的官员制授，六品以下的官员敕授。都委托尚书省提名奏拟，文职官员归属吏部，武职官员归属兵部。

中宗之末，选举法乱，斜封官甚多。这时，在太子的建议下，起用宋璟为吏部尚书，姚元之为兵部尚书。二人忠正耿直，秉公办事，任人唯贤。参加铨选的有二万多人，经过全面公正的选拔考核，只录用三千多人。人心悦服，齐声赞颂公平廉明。

太平公主输给了崔湜，答应给他儿子在朝廷安排一个职务，又有赵彦昭和萧至忠知道这件事，如果最后没有办成，自己岂不是太丢面子了吗？就凭她太平公主，整个天下都有她的一半，她怎么能这样就服输？

于是，她亲自出马，到宫中去找八哥，直截了当地提出要安排一个人的要求。睿宗一看妹妹有些动气了，连忙赔笑道："妹妹不必生气。没有妹妹帮助太子，哪会有今天。朕这就起草一个词头交给吏部，命他们照办就是了。"这是出自睿宗皇帝本人的意见，宋璟当然不敢驳回。太平公主的面子总算找回来了。

但这件事给太平公主一个信号：大权虽然还在八哥手里，但已经开始向太子手里转移。太子英明勇武，非常有主见，很得人心。一旦太子继位，自己的权势将要受到极大的限制。不行，我要说了算，我要永远享受泼天的富贵，我要永远享受人世间最高的尊荣。从个人品性看，宋王李成器老实厚道，优柔寡断，很像八哥的脾气。他又是嫡长子，占有利位置。得想办法把太子换了，否则……

数日后，朝廷的官员间，市井上的百姓中，渐渐有些传言：说太子不是长子，不应当立。太子平定诸韦，多半是天意，又有镇国太平公主的力量。长子宋王仁德有道，应当立为太子。人心有些混乱，太子李隆基心中也有些恐慌。

这些日子里，几名宰相如萧至忠、赵彦昭、崔湜，还有窦怀贞都经常到太平公主的府中去，太平公主家中的客厅几乎成了研究决定朝廷大事的政事堂。可另外的三名宰相却从来也不到太平公主府中来，其中的姚元之和宋璟是太子提拔起来的，太平公主也不对他们俩寄予什么希望。另一个重要人物就是太子少保韦安石。此人虽然不是宰相，可其地位和分量决不在宰相之下，此时他的政治态度还不明朗。太平公主曾经让自己的门婿唐唆想办法邀他前来，可韦安石却怎么也不肯。

景云二年（711）正月。一天午后，太平公主进宫来见八哥。

睿宗一见妹妹到来，非常热情，边命内侍上茶，边说道：

"妹妹，你这几天怎么没来，真想煞哥哥了。"看到睿宗苦笑的脸上微露愁色，太平公主似乎觉察到了什么，便试探着问道：

"八哥，您现在为九五之尊，贵为天子，难道还有什么不称心的事吗？"

"嗨，妹妹还不知道我吗，生来就不爱操心，总想图个清静。可就是不行，天天有些个乱头事，扰得我不得清静。"

"近来又有什么乱头事，能让妹妹我帮你拿拿主意吗？"

"唉。"睿宗轻轻叹了口气，略微思忖了一下，说道："几天来，有几个大臣说太子专横，又不是长子，不当立。说宋王成器应当立为太子。可太子已经立一个多月了，这么大的事，怎么能说变就变呢？有时候啊，我就想，还莫不如干脆就让太子登基，我当个太上皇，什么心也不操，真正闹个清静，那该多好。你说行不？"

听到这里，太平公主不由得一愣，略一怔营，答道：

"八哥好糊涂，怎么会有这样的想法？"

"太子已经成人，继位登基只是早晚的事，有什么不可以的呢？"

"唉。"太平公主继续说道："妹妹说你糊涂，你真是糊涂。咱们同胞兄妹六人，只剩下你我两人了。咱们李家的江山，就靠咱们俩支撑了。可你光图清静，妹妹我就愿意操心吗？可不行啊，八哥！三郎太让我失望了。他在你面前假仁假义，假装孝道仁爱，可背地里培植党羽，独揽朝纲，巴不得你早点让位呢！"

"有这种事？"睿宗半信半疑。

"嗨，糊涂的八哥，只有你想不到的事，没有发生不了的事。前车可鉴，你想想隋炀帝的所作所为吧，隋文帝又怎么会想到他那个孝顺的儿子会干出那样伤天害理，猪狗不如的事呢？"

"能吗？能吗？嗯。"

"万岁，太子少保韦安石请求见驾。"一个小黄门进来通报，打断了兄妹俩的谈话。

"宣他立刻前来。"还没等睿宗答话，太平公主已经表了态，那个小黄门领命而去。睿宗看着妹妹，不知她葫芦里卖的是什么药。

"八哥，既然有大臣来，妹妹坐在这里不方便，我到屏风后面去躲一躲。"

韦安石前来见驾，太平公主要听一听他到底是干什么来了。

太平贪权，欲废太子

为了掌管一部分大权，太平公主突然出手，要废掉太子李隆基，可她却未能如愿。脸皮一旦撕破，矛盾便开始公开和升级。

韦安石可不是一般人，到这时候也算是三朝元老了。武则天时他就是大臣，敢于和张昌宗、张易之、武三思这几位武则天宠信的大红人进行坚决的斗争，显示出很大的魄力和斗争策略。

中宗时，他也没有依附韦皇后一党而有独立的人格。睿宗登基后不久，他由侍中同平章事转任太子少保，实际地位是太子的老师兼顾问。太平公主千方百计要拉拢他，主要就是看中他的这个特殊地位。如果他站到太平公主的立场上，对太子的威胁就不是一般人所能比的了。可太平公主的门婿几次邀他到府，都被他婉言谢绝。故不知道他对自己到底是什么态度。今日在这个时候到来，正是一个观察他态度的好机会。

韦安石叩拜落座。睿宗略压低点声音问道："听说大臣中有很多人倾心东宫，卿可注意细心查访一下。"

韦安石矍然道："陛下何出此亡国之言？这一定是太平公主之谋。太子有大功于社稷，仁孝友爱，聪明睿智……"

"朕明白了，不要往下说了。"睿宗忙向韦安石摆了摆手，制止了他的话。

"韦爱卿，还有什么事要进奏？"

"臣别无他事，就是关于太子之事。现在朝廷内外有一些不利于太子的舆论，臣想都是出自太平公主……"

"朕明白你的意思，不要往下说了。"睿宗再次制止了韦安石的话头。

"陛下既然已经明白臣的意思，臣告退。"韦安石感到睿宗的态度有些异样，不知是怎么回事，疑惑着退了出去。

太平公主从屏风后面转了出来，还没等屁股坐稳就急着说话了："八哥，不要听他的胡言乱语。这个人不可靠，是个阴谋家。他是太子少保，当然要帮太子。而且，一旦太子登基，他就可以享受无穷的富贵。"

"妹妹不必着急，有话慢慢说，哥哥我心中有数。"睿宗似乎从来也不知道着急生气，总是慢条斯理的。

"你心中有数就好，就怕你心中没数。妹妹我也不是愿意操心，还不是为了祖宗的基业和天下百姓着想吗！一旦让隋炀帝那样的昏君得志，唉——"太平公主深深叹了一口气，一副忧心忡忡的样子。

"妹妹忧国忧民之心可嘉，可也不必如此忧虑，哥哥我心中有数。"

哥哥心中的数是什么，太平公主并不知道，但她也不好深问，只好告退。

几天后，御史台连续收到几封弹劾韦安石的密告信，列举一些韦安石的罪状，什么图谋不轨，包藏祸心了，什么横行邻里，强占民产了，都是些子虚乌有之事。御史台准备要收审韦安石，幸亏新任宰相郭元振极力营救，韦安石才免于这场灾难。

快到正月末了，这一天是二十九，正是惊蛰。这年的春天来得特别早，因为是年前腊月二十九立的春，所以刚过元宵节就已经春意盎然，老百姓把这种年头叫作"春脖子短"。

昨天夜晚，下了一场牛毛细雨，整个长安城仿佛被轻轻地洗过一样，呈现出一派清新宜人的景色。朱雀门大街上，人来人往，车水马龙。大街两旁的绿草坪已经出现了淡淡的绿色，远远望去，如同新铺了一片淡淡的葱绿色的地毯一般清新可喜。可走近一瞧，又看不出什么绿色了。那种神韵，只可意会难以言传。后来的韩愈在诗中写道："天街小雨润如酥，草色遥看近却无。最是一年春好处，绝胜烟柳满皇都。"表现的就是长安初春美景带来的喜悦心情。

天气好，季节好，刚刚从混乱的政治环境中摆脱出来，人们的精神面貌也特别好。刚刚下朝，几名宰相按照惯例来到政事堂议事。

唐代规定，早朝是由皇帝亲自主持以处理各种军国大政的。早朝后，宰相要到设在中书省的政事堂集体商讨一些大事，中午在政事堂旁边的小餐厅里集体共进午餐，叫作"会食"。一方面是工作需要，一方面是便于这些朝廷大员们联系感情。当然，这顿饭的费用由公家报销，不用宰相们自己掏腰包。

午餐后，大约在未正（相当于今天的午后两点钟）的时候，如果没有什么事就可以回家了。所以，整个上午，宰相们一般是不会离开政事堂的。

宰相们刚刚坐下不一会儿，有人来传：说镇国太平公主乘辇前来，在光范门内等候，请诸位宰相前去，有要事商议。众宰相一听，不敢不前去，大家都知道，这位皇姑可不是好惹的，皇帝对她事事都让三分，她特意前来，想必是有什么要紧的事。

光范门离政事堂也不远。宣政殿前面西廊的门叫月华门，一出月华门的西面就是中书省，中书省西南是所谓的昭庆门"南值"，出了昭庆门就是光范门了。这些门都是皇宫中各个小建筑单位的门户，每道门都有一些军兵把守，也都有相当宽敞的门房和客厅。太平公主正在这里的客厅等着众位宰相。

宰相中有宋璟、姚元之、郭元振、窦怀贞、崔湜、张说等人。太平公主是盛装打扮，头上戴的虽不是凤冠，却也珠光宝气耀人眼目，身穿绣着金孔雀，镶嵌珠宝的百褶珍珠孔雀裙。浓妆艳抹，一眼看去，简直就像是二十几岁的少妇，颇有姿色。

见宰相们到来，太平公主暗露喜色，她开门见山，直接说道："今天本公主请众位大人前来，要和众位商量一件有关天下社稷的重大事情。我和圣上商议过，圣上让我先和众位打个招呼。这就是太子专横，不仁不孝，又不是长子，不当立。应当废除今太子，立宋王为太子，不知众位爱卿意下如何？"

各位宰相没有想到太平公主一下子提这样一个严峻的问题，面面相觑，片刻的沉默后，宋璟最先开口说话："太子有大功于天下，真宗庙社稷之主也，公主为何忽有此议？此事非臣等所敢议论。"

　　一有开头的就有跟着的，姚元之马上表示支持宋璟的意见，认为这等事没有万岁在场，别人是万万议论不得的。众人不欢而散。

　　回到府中，太平公主十分恼怒，立刻派人找崔湜来商量对策，她不能眼看着自己失去权势。

第六章

欲进先退

棘手问题，睿宗心烦

欲擒故纵，欲进先退

太子让步，欲平争斗

重回长安，心情愉悦

培植势力，抗衡太子

大权在握，心满意得

睿宗召见，欲传皇位

太子登基，太平心灰

睿宗闲暇，太平怒访

审时度势，丢卒保车

棘手问题，睿宗心烦

　　太平公主要废掉太子，太子之股肱大臣要赶走太平公主。刚刚稳定不久的政局又出现严重危机。鹿死谁手，尚难预料。

　　当天午后，宋璟和姚元之两人秘密进宫觐见睿宗皇帝。

　　睿宗这两天来心情极其焦躁不安，他不明白，命运为何总和自己过不去。自己就想过一种清静平淡的生活，可却偏偏得不到。从小到四十多岁，一直在母后的挟制下苟且偷生，大气不敢出。母后让当王爷就当王爷，让当皇嗣就当皇嗣；让姓李就姓李，让姓武就姓武。在母后面前，大气不敢出，说话不敢高声，脖子上总像架着一把刀一样，终日战战兢兢，如履薄冰，稍有不慎就会坠入深渊。那日子，真不是滋味。

　　后来可盼着哥哥当了皇帝，可又大权旁落，自己则陷入更困难的境地。多亏是三郎和妹妹拼着性命夺回了江山，只想从此能消停平静，自己可以过清静平安的日子了。可没过多久，妹妹和三郎就闹起矛盾来。妹妹明里暗里几次提出要废太子，大臣中也有提这件事的。一个是儿子，一个是妹妹，又都是这次平定叛乱的功臣，他真不知怎么办才好。

　　睿宗心乱如麻，唉声叹气。这时，一个小黄门来报，说是宋璟和姚元之两位宰相前来求见，有要事禀报。

　　"要事！又是要事！谁来都说是要事，也不知道哪来的这么多要事，真是烦死人了。"睿宗一边自言自语，一边不耐烦地应了一声："传他们俩进来。"

"吾皇万岁万岁万万岁！臣宋璟叩见陛下。"

"吾皇万岁万岁万万岁！臣姚元之叩见陛下。"完全是同样的动作和敬语。睿宗看着这两个深受太子器重的大臣，官服束带，手执笏板，恭恭敬敬地跪在下面，看来是从政事堂直接来的。

"两位爱卿免礼平身，赐座。"

"谢陛下。"二人起身落座。

宋璟先把上午在光范门发生的事向睿宗如实进行了汇报。睿宗听后感到非常惊讶，他没有想到妹妹打着他的旗号背地里就召集宰相要废除太子，他觉得有些过分，但没有说出来。

通过察言观色，宋璟和姚元之察觉出睿宗不知道要换太子的事，更不是他的想法，心中就有了底。接着，两人便提出了他们的看法，他们相互补充着向睿宗进言道：

"宋王成器是陛下的长子，豳王守礼是高宗皇帝的长孙，按道理这两个人都有继承皇位的权力，其地位都比太子有利。太平公主又在这期间煽风点火，唯恐天下不乱，千方百计欲谋害太子，对太子极其不利。请把这二位亲王都安排到外地去做刺史。另外，请罢岐王、薛王领导羽林军之职，为太子左右率，以侍奉太子。亲王驸马一律不得掌管禁兵。这样，可防备万一。太平公主和其丈夫武攸暨也应该离开京师，请安排到东都。"

宋璟和姚元之所说的豳王李守礼是章怀太子李贤的长子。李贤是高宗和武则天的二儿子，是睿宗皇帝的同胞兄长，而李守礼则是高宗和武则天的亲孙子，在诸孙中年龄最长。如果从高宗和武则天那儿论起的话，他也算是最有资格当皇帝的人。

"两位爱卿所说也有道理。可朕亲兄妹六人，只剩下镇国太平公主一个妹妹了，岂能让她离朕太远。朕一旦想她了，连见一面都困难。其他人一切可以由你们俩和太子商量去处理，只是太平公主不能到东都去。具体到什么地方，你们重新考虑一个地方。再向朕来请示定夺。"

宋璟和姚元之对视了一下，没敢反驳。

崔湜原本是一个考功员外郎，由于善于钻营，仕途上一帆风顺。多年的官场经验，使他悟出一个当官的道理：脸皮不能薄，良心不能好，金钱不可少，后台最重要。忽然感觉到：自己的四句话 20 个字还真的精彩，自己是真有才啊！

这些年来，他按照自己总结的 20 字秘诀在充满荆棘和陷阱的官场中左右逢源，从来没有失手过。当年，在武则天病重，中宗复辟之初，他受右宰相敬晖的密嘱，监视武三思的动静。

后来，他发现武三思的势力日益强大，敬晖等人的势力在逐渐缩小，心眼儿一活，就把敬晖的安排和盘托了出来。武三思一高兴，就提拔他当上了令许多人垂涎的中书舍人。他的内心虽然也曾掠过一丝丝的愧疚，但马上就消失了，"良心不能好"嘛，只要能当官，还管得了这些。

在武三思被杀后，他又摇身一变，成了韦皇后一党的大红人，还和上官婉儿打得火热，成了一对野鸳鸯。

韦皇后一败，他重新寻找靠山，便全家出动，让一个美貌的小妾和两个如花似玉的女儿到东宫去慰问太子，正在当年的太子当然接受了他的这番美意。而他本人则成了太平公主床上的常客。

有好事的人在他家大门贴上一副对联，写道："托庸才于主第，进艳妇于春宫。"横批是："不要脸皮。"他看见后，一阵冷笑道："嘿嘿嘿，脸皮？脸皮值多少钱？要脸皮的纯粹是呆子。"

写到此处，我忽然感到唐代人们的文化水准就是高，从给张昌宗四哥家大门上贴的诗句和给崔湜家大门贴的对联，都可以看出水平是真的不错，而都没有作者的姓名，大概就是普通百姓的杰作。

见崔湜到来，太平公主的小嘴一下子撅了起来，满脸不高兴的样子。崔湜到太平公主的府邸，从来不用通报，可以直接进入内宅，而且只要他一进来，屋里其他的人马上就躲出去，也不用吩咐。多年在府中的下人们早就熟悉了这里的一切业务，不用主人操心。

别看太平公主在公开场合如何专横跋扈，对大臣们都可颐指气使，可在内宅里，崔湜却可以把她揉捏得像个面团，几乎是让她怎样她就怎样。这就应了俗语的一句话："卤水点豆腐，一物降一物。"

"又怎么啦？我的心肝宝贝。"崔湜把太平公主抱在怀里，温情地抚摸着她那细腻柔软的酥胸，一边关切地问，仿佛在哄一个大孩子。

"太子现在根本不把我放在眼里，我想要废了他。"太平公主狠狠地说。

然后又把今天召集宰相议论的事一五一十地告诉了崔湜。

崔湜听后，沉默一会儿说："弄到这个地步，已经没有退路。现在是箭在弦上，不得不发了。你和太子如今是难以两存，我看应当这么办。"崔湜压低了声音，两人窃窃私语好一会儿，太平公主露出了笑容，说道："没想到你这个人这么有本事，有这么多鬼点子。"

说笑一会儿，二人脱衣，拥衾上床……

欲擒故纵，欲进先退

欲擒故纵，欲进先退，这是军事家常用的策略。太平公主把它运用到政治斗争方面，效果又将如何呢？

近几天来，几乎天天有事，睿宗皇帝十分心烦。

昨天，妹妹没有通过自己就召集几名宰相商量要换太子，下午宋璟和姚元之又来提出那么多方案。

今天刚退朝，又有内侍密报说：外面有一个十分灵验的江湖术士在瞭望皇宫后神秘地说："皇宫上方有凶气笼罩，五日之内将有流兵入内。"朝廷里不少官员知道这件事，外面人心惶惶。

睿宗一听，觉得这几天是不同往日，事情太多，立时又没了主张，马上命内侍去传宋璟、姚元之和张说进宫议事。

三人不敢怠慢，又都在政事堂，离这里不远，很快即到。行过君臣大礼后，睿宗说道："三位爱卿想必也听说了，术士说五日之内将有流兵入内，你们要想办法为朕备之。"

张说反应最快而且又机敏过人，睿宗的话音刚落，他马上回答道：

"陛下不必惊慌，这一定是谗人欲离间东宫，请陛下令太子监国，谗言自然熄灭。"所谓的"监国"，往往是皇帝外出时，留下太子或重臣代理军国大政，可以说是临时代理皇帝。

有时，皇帝在京也可任命太子监国，这又往往是皇帝准备传位给太子时的一个信号。总之，这是临时执掌皇帝大权的专用名词，让太子监国，实际就等于把军国大权的一大部分交给了太子。

张说的话刚说完，姚元之马上赞成道："张说之言，社稷之至计也。请陛下采纳。"宋璟也极力赞成，睿宗恍然大悟，道："三位爱卿所言极是，朕就按照你们的意见办。"

书到此处，顺便交代一下，睿宗皇帝找的这三个人都是在中国历史尤其是盛唐时期有重要地位的人物，是后来佐助唐明皇李隆基开创开元盛世的几名重臣。可见睿宗确实是心中有数，几次抉择，他找的都是这几个人，不可能是偶然的想法，而是他相信这几个人。

姚元之原名叫姚元崇，武则天时，突厥叱利元崇造反，武则天不愿意姚元崇的名和一个反叛的名相同，就敕命其改名为姚元之。所以，这段时间他是这个名字。后来，李隆基继位后，他又改回原名，叫姚元崇。但李隆基继位不久就改年号为"开元"，与他名字中的"元"相同，所以干脆就把"元"字省略，于是他便又叫"姚崇"。

史书上说，唐代贤相，前有房杜，后有姚宋。"房杜"是指唐太宗时的宰相房玄龄和杜如晦，"姚宋"便是指姚崇和宋璟。当然，改成姚崇是唐玄宗开元以后的事，现在，他还叫姚元之，我们也还如此称呼他吧。

张说是继姚崇、宋璟之后执政的宰相。唐玄宗开元盛世的出现，便与这三个人的努力有直接的关系。

张说这个机警过人的智者，每遇大事都颇有主见。在这之前不久，太子李隆基遇到一件虽然不大却很棘手的事。

前文提到的因一时不忿起兵杀死武三思而被诛杀的前太子李重俊，他的正妃杨氏的姐姐也是个有一定姿色的女子。李隆基被立为太子后，嫔妃姬妾又要扩大一些名额。在这次扩大妻妾的编制中，作为贵族出身的李重俊的大姨姐被选入东宫，并被封为"良媛"，是仅次于太子妃的地位很高的一个妃子。

既然是名正言顺的妃子，年轻的李隆基自然都要品尝一下。他只是抱着猎奇尝鲜的心理召幸了这位杨良媛。可只有一个晚上的春风雨露，这位处女之身的杨良媛居然怀孕了。这种情况是不多见的，但也不是没有可能的。

不知道什么原因，李隆基特别不喜欢这位杨良媛，只召幸了一个晚上就再也不愿见她了。可能是这位贵族女子过于扭捏腼腆而缺乏风情，未能使年轻风流的太子满意。总之，她在李隆基的心目中一点地位也没有。可老天爷仿佛故意作弄人，她却偏偏怀孕了。

李隆基这时正受到太平公主的强烈攻击，自身岌岌可危。这时，其他的妃子已经给李隆基生了两个儿子。李隆基知道，在这个时候，姑母太平公主一定很讨厌他的子嗣繁多，而且这个孩子又不是他所喜欢的人怀的，所以他有心要把这个孩子弄掉，扼杀在母腹中。

在那个时代，帝王的妻妾无数，子女当然也就非常多。就李隆基来说，一生留下了 30 个儿子，29 个女儿。不过，大多数子女都是以后生的，这个时候他仅有两个儿子，以 26 岁的太子，而且又当过多年的亲王来说，实在不能算多。亲王或皇帝临幸过的女人如果怀孕，负责这方面的宦官要及时向当事人报告，由当事人决定是留还是不留。由于种种原因，怀孕的女子被迫打胎的也不乏其人。如果遇到这种情况，多数是这个嫔妃不讨当事人的喜欢，当然也有例外。这位杨良媛的情况是两者兼而有之，李隆基也真的不喜欢她，而她怀孕的时机也太不好。

凡是受到这种待遇的女子，一辈子就算交代了，那种堕胎的药物或是一些落后奇怪的手术对女子的身体是极大的摧残，不死也得小发昏，最起码是再也不能怀孕，终生被剥夺当母亲的权利，真是太残忍太不人道了。

李隆基犹豫不决，便找自己的心腹谋士东宫侍读张说来商量。张说听完李隆基的想法，沉思一会儿道："太子真的认为这个孩子会影响你的地位吗？"

"或许会吧？"

"太子的处境和此时的心情我十分理解。可这个孩子在这个时候孕育，而且是太子一度春风良媛就怀此孩儿，也可能是一种天意。违天不祥，依臣之见，此孩儿不会对太子有什么威胁，现在唯一应当做的就是严守秘密，不要张扬。她太平公主怎么会知道杨良媛怀孕之事呢？"

"嗯，你说的也有道理，就这么办吧！"

于是，不但没有堕胎，而且还采取积极的保胎措施，终于使这个在特殊情境下悄然来到人世的小王子顺利诞生。这是李隆基的第三个儿子，也就是后来继承皇位的肃宗李亨。

如果不是张说的几句话，可能在他还未形成胎儿时就已经被处理掉了。

这便是超越一切人智所能把握的天意的安排。如果不是天意，他决不会来到人世。

如果不是李林甫和武惠妃相勾结，挖空心思迫害原太子李瑛，一天里杀害一个太子和两个亲王，李亨的两个哥哥都死于非命的话，如果是武惠妃的亲生儿子寿王李瑁再大一点，不排行到十八位的话，就凭李隆基对他生身母亲的态度，太子的桂冠无论如何也戴不到他的头上。看来老百姓的谚语就是有道理，这就叫："有福不用忙，没福跑断肠。"

正因为张说对肃宗有这种大恩大德，所以在平定安史之乱后，李隆基执意要处死张说的两个儿子张均、张洎时，已经当上皇帝的肃宗才不遗余力地哀求太上皇赦免二人的死罪，终于保住了张洎的性命。看来人的命运确实操纵在造物主的手里，说不清道不明是怎么回事。

二月初一丙子朔，早朝宣布一道道令人吃惊的圣旨，有人高兴有人愁，而最恼怒的是太平公主。几道圣旨的主要内容是：宋王李成器为同州刺史，豳王李守礼为豳州刺史。岐王和薛王分别由左右羽林军大将军改为太子左右率。太平公主和武攸暨蒲州安置。

初二，又发布一道圣旨：从即日起，由太子监国，六品以下官员的任免，一律由太子自行决断；一切军国大政先报太子得知。

太平公主本来想废掉太子，最起码也要削弱太子的权力，没想到画虎不成反类犬，太子的权力不但没有削弱，反而越来越大，而且自己又被撵出了京师，她如何咽得下这口气。

这天夜晚，心腹们都应召前来。崔湜自然是其中之一，崔湜的堂弟殿中侍御史崔莅、太子中允薛昭素等也都到来。众人分析研究一下当前的形势和应当采取的对策，商量一个多时辰。最后，太平公主做了一番详细的安排。

经过五天的颠簸，太平公主的车驾到了并不算偏僻的蒲州。

蒲州（今山西永济）也算是个有悠久历史的古老城邑了。在中国古老传说中，唐尧虞舜的都城蒲坂就是这里。春秋前期，这里是魏国的封地。晋献公灭掉魏国，把这里封给大夫毕万。毕万便是文王之子毕公高的后代。而毕万就是后来在晋文公称霸时的那个著名大夫魏雠的祖父。所以，如果往遥远的古代推衍的话，"姬""毕""魏"同出一源，属于一个祖先，都是周代宗室的后代。

蒲州地处西京长安和东都洛阳的中间，距离西京是 360 里，距离东都洛阳是 540 里，显然离长安更近。属于河东道管辖，在河东道的最南端。太平公主被安排到这里，还是睿宗皇帝争取的，否则她就要到洛阳去了。

太平公主之所以没有找八哥去求情，或者去闹，也有她的打算。如果从她性格的一般逻辑来推理的话，她绝对不会不做任何努力就离开京师。太平公主认为，从现在形势看，太子李隆基及其他的几名心腹大臣已对自己下手，或说是严加防备。自己什么都不说，则给人造成一种软弱被欺负的感觉，容易引起人们的同情，更容易引起八哥的同情。

"哀兵必胜"，欲进先退，以自己暂时受些委屈和苦楚为代价，来换取大臣，尤其是八哥对自己的同情心和支持。因为朝野都知道，平定韦皇后一党，是我太平公主和太子李隆基联手才成功的。我有大功于国家和社稷，却被驱逐出京师，太子也太不近情理了吧！现在先忍耐一段时间，待时而动。

与长安城相比，这里显得太冷清荒凉了。太平公主来到自己的临时府邸，躺在质朴无文的木板床上，歇息疲乏的身子，狠狠地说道："三郎，李隆基，你好狠心，把姑姑我赶到这个鬼地方来，让我遭这个罪。早晚我也要报这个仇，看谁笑到最后。哼！"

京师长安并没有因太平公主的离开而平静下来。殿中侍御史崔莅和太子中允薛昭素先后觐见睿宗，上奏道："斜封官是先帝时所任命，恩命已布，涉及上万人。姚元之等人独出心裁，好标新立异，一朝尽行罢免。这样做，实际是在彰先帝之过，也为陛下召怨，实不足取。如今众口沸腾，怨声载道。如不进行纠正，恐怕会生变故。"

睿宗觉得有道理，一时又没了主意。每当这时，他就想太平公主，心想妹妹颇像母后，虽然有时显得咄咄逼人，但遇事真有主见和办法。如果妹妹在京师，征求一下她的意见，自己的心中就有底数了。如今，妹妹不在身边，总感觉空落落的。

妹妹派人送信来了。睿宗急忙启封观看，信上大意是说：她已经安全到达蒲州，请八哥不必挂怀。她是为了不让八哥为难才答应到蒲州的。一路上以及到蒲州后，都有许多人向她诉说先帝所封的斜封官全部罢免也不妥当，这些官员本人再加上家属亲戚也涉及几万人，人们对此强烈不满，民怨沸腾，请八哥酌情处理。又说八哥耳根软，容易被谗人蒙蔽，遇事千万要自己拿主意，不要轻信旁人。她非常思念八哥，几乎每天夜里都要梦见云云。

信还没有看完，睿宗忍不住掉下泪来。他就剩下这么一个亲妹妹了，妹妹想他，他又何尝不想妹妹呢。见妹妹也说斜封官应当酌情录用，他马上签发制书：诸位由于斜封受官的官员已经停用的一律量才重新录用。请托之风开始重新抬头。但宋璟和姚元之还能起相当的作用，暂时还没有出现大的混乱。

不知是怎么回事，宋璟、姚元之向睿宗密奏的情况也让太平公主知道了。太平公主大怒，先给睿宗写来一书，满纸怨言，对八哥听信谗言，竟忍心撵走亲妹妹的做法表示强烈的不满。又给太子李隆基直接修了一书，言辞激烈，说李隆基贪图权势而背亲忘义，宋璟和姚元之离间骨肉，挑拨是非，罪在不赦。请皇帝八哥和太子三郎还她一个公道，否则她将以死抗争，她急切等待着，要求尽快有一个交代。

睿宗读完来书，急得在地上踱来踱去，忙让人去请太子进宫商量。他还不知道太子也接到了同样的书信，而且措辞比给他的信还要激烈。这可怎么办，睿宗知道妹妹的脾气禀性，她可是说出来就做得出来的人啊。

太子让步，欲平争斗

太平公主的一封信，李隆基便不得不把自己两心腹大臣姚元之和宋璟贬出京师。不久，睿宗皇帝又提出一个令人震惊的想法。

太子李隆基这年已经 27 岁，见到姑姑的书信后心里非常不安。姑姑的脾气他是知道的，看信中的语气，这次是大动肝火。如果姑姑真的……他有些不敢往下想。而且他还有一点忧虑，父皇是个心肠最软优柔寡断的人，朝廷中执政的大臣还有很多是姑姑的人，姑姑如果真的那么做，不但自己将成为遗骂千古的不孝之人，而且姑姑一党的那些大臣们也决不会善罢甘休。

听说父皇急召，他猜到可能就是关于姑姑的事，急忙来到。

一进内殿，只见满脸皱纹的睿宗皇帝又在地上踱来踱去，这几乎是他的习惯动作，只要一遇到拿不定主意的麻烦事，他就这样踱来踱去，画着圈走。

见儿子进来，睿宗皇帝回到座位上，因在内殿没有外人，自然免去那些繁文缛节，也不必行什么叩拜大礼。

让儿子落座后，睿宗拿过太平公主的那封书信，递给李隆基，愁眉苦脸地说："三郎啊，你看这可怎么办？这可怎么办？我可就这么一个妹妹了，可不能让她再有个三长两短的。"

"父皇不必过分忧虑，儿臣自有主张。"

"什么主张，快讲！"

"这些事是宋璟和姚元之造成的。他们身为大臣，不思报效君国，却离间骨肉，离间儿臣和姑母的关系，应该予以严惩。如果这样做，姑母的气就能消了。"

"如此甚好，你就看着办吧。"

次日早朝，宣布两道圣旨：一、宋璟和姚元之以离间宗室之罪贬往外地，宋璟为楚州刺史，姚元之为申州刺史。二、太子少保韦安石任侍中，李日知任中书令，并同平章事，接替宋璟和姚元之的职务。

太平公主很快就得到了这些消息，但她并未因此而罢休，她嘱咐心腹下一步棋当如何走，心腹领命而去。

姚元之和宋璟离开了朝廷，太子也不敢过多参与政事，睿宗又没有一定的主见，耳根软，谁的话都听，已经罢免的斜封官又开始大量恢复原职，朝廷政局再次出现混乱。

一些大臣纷纷上奏章，指出朝廷先后政令不一，自相矛盾，导致纲纪紊乱，政出多门，令天下无所适从，请继续罢免斜封官，一如当初。

其实，打着所谓保持先帝名誉的幌子，对一部分斜封官量才录用，这是太平公主的一个斗争策略。所谓的"量才"，也可以说是"量财"，即按照孝敬的金钱多寡而重新授官。当然，这其中也有一部分是没有花多少钱就得到官职的人，那都是太平公主的亲信党羽。

总之，太平公主经过一番思索，想出这个办法，只有打起先帝七哥的招牌，才好说话，才容易在感情上被八哥所接受，也容易堵住其他人的嘴。这一招还真灵验，太平公主很快就安插了一大批亲信党羽到朝廷里，有的还占据了要害部门，她的势力重新膨胀起来。

朝廷的政务出现混乱，睿宗皇帝有些头疼。一天，他把三品以上的官员都召集到一个偏殿中。这些大臣不知道发生了什么大事，都静静地等着万岁发话。

"今天召诸位爱卿前来，想商量一件事。"睿宗开口了，语气很平和，不像有什么重大事情，众人的心这才落底。睿宗接着说，"朕素怀淡泊，喜好清静，不以万乘为贵。曩为皇嗣，又为皇太弟，朕皆坚辞不受。今政事繁多，朕不愿劳心费力，想要传位给太子，众爱卿以为如何？"

群臣没有想到是这么回事，没有思想准备，皆面面相觑，无人作声。

"说话啊！众爱卿，说说你们的意见。"睿宗启发道。

片刻的沉默后，殿中侍御史和逢尧先表态："陛下春秋未高，方为四海所依仰，岂能遽尔传位，恐有负天下众望。臣以为不可。"

凡是议论如此重大事情的会议，第一个人的发言最为关键，往往能起到一锤定音的作用。如果不是处在你死我活，水火不相容的地步，一般的人是不会提反驳意见的。像当前的这种场合，人们尚无法断定睿宗的真实意图，如果同意睿宗的意见，则可能得罪睿宗，更会得罪太平公主，如果不同意，则等于得罪了太子，故人们都噤若寒蝉，谁也不先开口。和逢尧一表态，马上就有几个人随声附和，因为这些大员中有一半以上是太平公主的人，和逢尧则是太平公主的亲信。睿宗见状，只好作罢。

这次殿前会议是在四月甲申日召开的。至戊子日，也就是四天后，睿宗再次发出旨意：凡是政事，皆取太子处分。其军旅死刑及五品以上除授，皆先与太子议之，然后以闻。

睿宗要传位太子的消息，使太平公主非常吃惊，而戊子日的旨意更令她坐卧不安，她不能在蒲州这个鬼地方再待下去，她要想办法回长安，只有回到长安，才有可能真正掌握权力，才能保住泼天的富贵。可怎样才能达此目的呢？

重回长安，心情愉悦

一封书信，太平公主又回到长安，实现了欲进先退计划的第一步。她要开始全面反攻，重新夺回大权。

太子李隆基得到下人的报告，太极宫的承天门外准备好了车驾和一切仪仗，说是万岁要出行到蒲州去。听此消息，李隆基大吃一惊，急忙前去。

睿宗皇帝在内侍的服侍下已来到车后，将要登车。李隆基紧跑几步，上前拉住睿宗的龙袍道："父皇近来龙体欠安，这是要到哪里去？"

"你来干什么？我是看我妹妹去。你姑姑在蒲州生病了，我就这么一个妹妹了，我无论如何也得去看看啊！"

"父皇不必忧虑，先回宫再说吧！即使是去看望姑姑，也应当儿臣前去，怎能让父皇受风尘颠簸之苦呢？"李隆基是真孝，比颍考叔还孝。

"难得你如此孝心，那就先进宫商量商量？"

李隆基亲自搀着睿宗回到后宫。睿宗喘息一会儿后，把太平公主的书信拿给李隆基看。满纸辛酸，感情真挚，李隆基看后，也感到有些伤心。就问睿宗道："父皇，姑母如此病重，儿臣理应前去探望。儿臣回去准备准备，明天就启程前去探望姑母，可以吗？"

"不行，你一走，朝廷里这些乱事谁来管？我可不愿操这份心了。"

"姑母主要是不喜欢儿臣，儿臣情愿把太子之位让给大哥，这样姑母就不会再生气，一片云彩也就都散了。"

"不行！不行！这可绝对不行！"睿宗连连摇头。

"既然父皇坚决不让儿臣前去，那么就请姑母回来吧！这样父皇和姑母就可随时相见了，岂不更好？"

"难得你有这个想法，你提出来，我感到很高兴。你姑姑从小就被人娇惯，你皇祖母特别喜欢她，宠着她。我和你几个伯父无论什么事都让着她，从来也不和她争。她回来后，凡是有什么事，你都依着她，尊重她，不要再和她争啦。我就这么一个妹妹，你也就剩这么一个亲姑姑了，也快到五十岁了，还能活多少年，遇事你就多让着她点儿。"

"儿臣明白，一定谨遵父皇慈命。"

"好吧，你就让中书拟旨，说是让你姑姑回京师养病。"

五月的季节可以说是一年中最为宜人的时候，天气温而不热，又没有什么风。麦子已经开始成熟，大路边的麦地里，农民们正在收割麦子，一派繁忙的景象。一个体魄健壮的庄稼小伙子弯腰挥舞弯月形的钩镰刀，唰唰唰地割着麦子，一捆捆麦子规整地出现在他的身后。妻子穿着蓝地小白花的家织布做成的开襟布衫，包着一块白色的头巾，提着饭筐刚刚到来。身后还跟着一个光屁股系着小红兜兜的小男孩儿，跑跑颠颠的，一会儿也不消停。路边的一棵大柳树下，拴着一头大牤牛，闭着眼睛在反刍。远处还不时传来野鸡的鸣叫声。正是"雉雊麦苗秀，蚕眠桑叶稀"的时节。

太平公主心情舒畅，索性把车帘拉开，尽情地欣赏大路两边的田园风光。只见麦浪滚滚，微风徐来，清香扑鼻。她贪婪地吮吸着这清新的空气，感到无比的愉悦和畅快。在蒲州虽然只住了不到两个月，但她却感觉过了几年似的。今天，她终于又可以回京师，又可以主宰朝廷的许多大事了。

睿宗见到妹妹，高兴得哭了。兄妹相互问候一番，自有许多温情。睿宗留太平公主在宫中吃御膳，饭后兄妹二人又交谈许久。

在太平公主到蒲州后，崔湜就被罢为太子詹事，没有了实权。太平公主有心举荐他重新做宰相，又觉得太突然，他们二人的暧昧关系是公开的秘密。但她又急于让自己的党羽进宰相的班子，于是就先推举另一个和崔湜有同样的性格，即也不要脸皮的人，此人就是窦怀贞。

窦怀贞字从一，现在也不到四十岁，但老奸巨猾，他一生奉行一个哲学：只要功名，不要脸皮；只要官位，不要良心。中宗执政时，韦皇后权势熏天，他胁肩谄笑，投入到韦皇后的门下，成为韦皇后寻开心的宠物。只要韦皇后能开心，让他耍什么鬼脸，出什么洋相他都毫不在乎。

那是景龙二年（708）的除夕之夜，中宗下诏命中书门下两省的全体官员及学士、诸王和驸马都入阁守岁，即由皇帝和皇后主持，共同欢度除夕。在殿庭中摆设酒筵，设置庭燎，宫廷歌舞乐队演唱助兴。灯火辉煌，舞姿翩翩，觥筹交错，笑语声声。酒酣耳热之际，中宗皇帝说话了，大臣们马上侧耳倾听。

"御史大夫窦从一。"

"臣在。"窦从一立即起身离座，跪拜在中庭。

"窦爱卿免礼平身，朕听说爱卿久无伉俪，独自生活，何其清苦。朕甚忧之，今夕岁除，朕欲为尔择一佳妇，与卿成礼，卿可愿意？"

"臣谢主隆恩，一切由万岁做主。"

这时，伴随着悠扬的吉礼专用的音乐声，由内侍引导，大红的灯笼后面是步障，金缕罗扇，罗扇后是个身穿大红礼服、头戴金钗，满身珠光宝气的新娘，缓缓从西面的走廊登场。也不进行什么拜天地的礼仪了，中宗命窦从一回到自己的食案前，让内侍把新娘领到窦从一的对面坐下。

这时，负责拿扇子遮脸的宫女很怕失职，用扇子紧紧地遮挡着新娘的脸，谁也无法看见新娘的庐山真面目。

所有的人都停止了一切动作，音乐声也停止了，所有的眼睛都紧紧盯着新娘，看看到底是什么人。

培植势力，抗衡太子

除夕之夜，皇帝皇后与文武百官共同守岁。在此隆重场合，皇帝赐婚并亲自主持婚礼，可谓盛事。当新娘出现时……

人们急于看新娘，窦从一的心情更急迫，眼睛直勾勾地盯着新娘，可那把扇子就是不挪开。中宗又说话了："窦爱卿，别的礼数可免，诵却扇诗的过程不能免。你当场作诗也好，朗诵别人的诗也好，一定要诵一首却扇诗方可，否则就不要想看新娘的芳容。"

唐代诗歌非常繁荣，许多场合都要有诗歌参与。新婚时，新郎要朗诵一首"却扇"诗，遮挡新娘的扇子才能挪开，让新郎看见新娘的容貌。这成为当时婚礼上众人取乐的重要程序。

皇帝一说话，马上就有人跟着起哄："新郎官，念却扇诗！念却扇诗！"

窦从一还真行，这道难题并没有难倒他。只见他略加思索，当即慢条斯理地朗诵起来，众人侧耳倾听：

莫将画扇出帷来，遮掩春山滞上才。
若道团圆是明月，此中须放桂花开。

人们一片喝彩声。这时，扇子移开。众人一看新娘，哄堂大笑，一个个笑得前仰后合，韦皇后笑得紧捂腹部，眼泪都笑出来了。

窦从一迫不及待地仔细辨认新娘，好像很面熟，"怎么是她？"他有点不太相信，揉了揉眼睛，仔细辨认一番，不错，就是她。

原来新娘是韦皇后的乳母王氏，是个少数民族的老妇人，已经五十多岁，比窦从一大了将近二十岁。虽然浓妆艳抹，可再厚的化妆品也难以完全遮住真面目，时间一长，再一紧张，出了一些汗，把厚厚的胭脂粉润掉了不少，老脸上的皱纹依稀可见。

中宗当即宣布，封王氏为莒国夫人，赐窦从一为妻。窦从一再次谢主隆恩。

世俗称乳母的丈夫为"阿奢"，从此，窦从一每次觐见皇帝或上奏章表状，必自称或署名"阿奢"，时人都称之为"阿奢"。每当有人称他为"阿奢"时，他都洋洋自得。因其是皇后的"阿奢"，故时人谓之"国奢"。正因为有这层关系，韦皇后对他很是信任，他更加得意。

韦皇后被杀的那天，他着实害怕，韦庶人的"阿奢"可该是死罪。为了表明自己的政治态度，和韦庶人一党划清界限，他一刀杀了御赐的妻子，提着妻子的脑袋到朝廷去自首，保住了自己的性命，被贬往外地。

不久，他又通过谄媚太平公主而回到朝廷，并当上宰相。太平公主虽然被李隆基及其僚属赶出长安，可她的势力没受什么影响，窦从一照样当宰相。

窦从一看出睿宗皇帝对两个宝贝女儿即金仙公主和玉真公主特别宠爱，就再次拿出溜须拍马的看家本事，向两个公主大献殷勤。

当时，睿宗不顾许多大臣的反对，更不顾百姓的怨恨，下诏为两个公主在紧靠宫城西面的辅兴坊建造道观。强制拆除那里的民房民居，大兴土木。

群臣多数极力劝阻，百姓们怨声载道，而窦从一却比自己的工程还上心，亲自督工督料，张张罗罗，简直就像一个工程监督员。人们见了，送给他一副对联道："前为皇后阿奢，今是公主邑司。"邑司是唐代公主府中的大管家。

如今，太平公主回到京师，他又成为太平公主府中的常客。两个月后，太平公主把他提拔为侍中之职，罢免韦安石中书令的职务。因为韦安石不肯依附，所以太平公主便以明升暗降之法，让他升为尚书左仆射太子宾客，夺去了实权。

侍中是尚书省长官，是实权派的宰相。窦怀贞每次从朝廷出来，不先回家而是先到太平公主府中汇报当天的情况，成了太平公主手下仅次于崔湜的第二号人物。太平公主在朝廷中的势力加强了，足以和太子相抗衡。

中书令韦安石被罢免，出现空缺。太平公主便进宫去见睿宗皇帝，提出让陆象先和崔湜共同进中书省为侍郎同平章事。陆象先道德高尚，清心寡欲，言论高远，颇有人望。睿宗当然同意，但不同意崔湜重新为相。太平公主恳切请求，睿宗才勉强答应。于是，崔湜以中书侍郎同平章事的身份成为主要宰相。

这样，太平公主在宰相中的人员和势力已经超过了太子李隆基。还有新任宰相岑羲和萧至忠，也都是一心跟定太平公主的人。这些人每次下朝都到太平公主府中商议大事。太平公主家中的会客厅再次成为第二个政事堂。

李隆基最得力的两名干才宋璟和姚元之现在依旧在外地做官，根本借不上力。李隆基很是焦虑。

一天，太子李隆基正在东宫一个偏殿的殿庭中休息。忽见庭外走来一个人，徐行慢步，高抬腿，仰着头，一副高傲的样子。只听一个宦官提醒那人道："殿下在帘内。"那人傲慢地说："殿下？当今谁还知道有殿下，人们只知道有太平公主。"

李隆基听出了话外音，忙一挑门帘出来，一看，自己还认识那人，原来是河内人王琚，忙请进偏殿休息叙谈。王琚也不谦让，昂然而入。

落座后，王琚似乎早已知道李隆基的心事，也不用他问，开门见山直接说道：

"太子焦虑，所为何事，臣早已知晓。韦庶人弑逆，人心不服，诛之不难。太平公主，武后之女，当今皇帝之妹，太子之姑，凶狠奸猾无比，大臣多是她所提拔举荐，愿意为她所用。窃深以为忧也。"

一句话说到李隆基的肺腑之中，他忙拉着王琚的手同榻而坐，哭丧着脸道："与父皇同气者，唯有太平公主一人耳。向父皇陈诉此事，恐怕伤父皇之心。如果不言，又恐怕为患日深。为之奈何，请先生教我。"说到此处，李隆基用半握着的右拳敲打着自己的脑门，十分痛苦。

王琚坚定地说："天子之孝，异于匹夫。当以安宗庙社稷为重，不要为小仁小义所困惑。前汉盖长公主，汉昭帝的长姊，从小供养昭帝，恩德不为不厚。可因其犯有大罪，还照样诛之。为天下者，岂能顾其小节？"

"先生一言，使我茅塞顿开。请先生为我留意此事。"于是，李隆基奏请睿宗，任命王琚做了太子詹事府司直，不久迁升为太子中舍人。

太平公主要保住自己泼天的富贵，摆布乾坤的权势，所以一定要遏制太子的权力；李隆基也在培养自己的势力，要保住自己的地位。双方的斗争逐渐激化。

大权在握，心满意得

七名宰相有其五，太平公主终于又大权在握。她心满意得，拿出一件稀世珍宝让情夫观看。

先天元年（712）春天，对于太平公主来说，是她一生中最幸福的一个春天。她几次进宫，为当皇帝的八哥举荐贤才，又重新任命了几名宰相。如今，朝中共七名宰相，有五人是她一手推荐的。这五人是陆象先、崔湜、萧至忠、岑羲、窦怀贞。除陆象先政治态度暧昧外，那四个人都是她的心腹，看她的眼色行事。另外两名宰相则是睿宗的人，没有一个是太子李隆基的亲信。

朝廷的权力基本上控制在她的手中。她让谁当官谁就可以当官，她让谁下台谁就得下台。太子提拔的姚元之和宋璟还不是因为对她不利而乖乖地被赶出了京师。她的权势欲得到了最大的满足。她的心情感到格外的轻松，这才有心思欣赏自己几件心爱的宝物，命下人把它们取出来与情夫崔湜把玩观赏。

这是午后未时和申时相交的时候，也就相当于现在的两三点钟。崔湜、岑羲、窦怀贞和萧至忠四人在政事堂例行公事后，和每天一样，分别先后从不同的街巷到来。议论一会儿朝廷之事后，另三人先后离去，只有崔湜一人留了下来。

崔湜成为太平公主的情夫，是在武三思被杀之后。当初二人在一起私通，还没有完全脱离各自的政治目的。崔湜依附太平公主是为了狡兔三窟，再寻找一个靠山。而太平公主接受崔湜的求爱，除了满足肉体的欲望之外，也是看中了他在韦皇后圈子里的地位，尤其是他和上官婉儿的非正常关系。这样，便于掌握韦皇后一党的动向，取得斗争的主动权。

但只从二人相好私通以来，一直也没有清静下来，几乎始终处在斗争的旋涡中。故太平公主也没有心情向这位情夫显示一下自己的这些宝物。现在才有了这份闲情逸致。

一个精美的楠木雕刻成的小匣中装着一个用绸布包裹的东西，周围还塞着棉花。不用说那件宝物的精贵，就是那个小匣，一般的人也没见过。

"什么宝贝，如此般珍藏？"崔湜知道这一定是价值连城的物件，但不知道到底是什么东西。

"打开一看你就知道了。今天让你开一开眼界。"

绸布包被打开，一道光从那件宝物上射了出来。那道光正晃在崔湜的眼睛上，他只觉得亮光万道，眼睛一下子被刺得什么也看不见了。他下意识地把眼睛闭了一下。待睁开时，亮光不见了。他揉了揉眼睛，仔细一看，这才暗暗好笑，原来那是一面圆形镜子。怪不得如此晃人眼目。

只见那镜子直径大约有八寸长，镜面如水，由最精良的上等青铜加工而成，晶莹明澈，映人的影像须发必现，非常清晰，确实是块好镜子。但也不过是比一般人家的镜子质地精良一些而已，能算是什么宝贝呢？崔湜心中有些纳闷。但有一点他是清楚的，太平公主不是一般的没见过世面的人，拿个东西就当宝贝，想必是镜子一定还有什么稀奇之处，故他不敢贸然表态。

"你把镜面翻过来，让崔大人看看后面。"太平公主命令那个把镜子刚刚放在镜架上的侍女。

镜面被翻过去，虽然没有光线射过来，但崔湜依然感觉到眼前一亮，因为他第一次见到如此精美的图案。

只见镜子背面是一个分内区和外区的图案。最外面也就是边缘上是一圈打磨得非常光亮的圆圈，与镜面相仿。大约接近一寸宽，然后是一道凸起圆形线，这道线大约有二分宽一分高，是边缘和整个图案的分界，也打磨得精光锃亮。

这个凸起的圆圈里，整体上由两种颜色组成，褐紫色的底色上是镀金的黄色的图案。在紧靠凸起的圆圈的里侧，留下大约一分的距离，是一个由金丝同心结连缀起来的圆形花纹。由外往里大约二寸二分的距离处，又是一个相同的金丝同心结连缀的圆形花纹。但这两个圆形都没有成为一个圆圈，而是在扣头处留下一小段，留下的空隙大约占整个圆圈的八分之一，而且是在同一部位留出的。

在内外两个圆圈之间，是图案的外区，由四只展翅奋飞的衔着绶带的鸾鸟组成。鸾鸟引颈伸足，全身几乎呈一条直线，只是头稍稍抬起，双翅的羽毛各分三层，细羽根根，层次清楚。由几种象征物构成的绶带随风飘扬，参差不齐的两根线端的流苏也就是我们今天所说的穗朝不同的方向飘出，极其生动。四只鸾鸟朝一个方向即逆时针方向飞翔，给人以流动的美感。

在小圆形金丝同心结的里面是内区，正中心是一个直径大约八分的凸出的像大衣纽的圆圈，外沿凸出而下面向内凹回，形成一个凹回的拉拉壳，可以拴上绒绳供人提这面镜子。紧紧围绕大衣纽形圆圈的则是六片装饰性极强的银片荷叶花纹，其中三片是长形的，三片是团形的，十分精美。

整个图案雍容华贵，庄重典雅，具有极高的工艺水平和极高的审美价值。

"真是精妙绝伦，太美了。这是什么人制造的？下官从未见过如此精美的宝镜。"崔湜赞叹着问道。

太平公主见问，不无炫耀地答道："这是当年父皇和母后成婚大礼前，父皇特命几名能工巧匠用了半年时间，花费几千两白银精制的。母后曾经用过，因为我特别喜欢，所以在我成婚的时候，母后就送给了我。"

赞叹一番后，崔湜又看了几件宝物，什么琉璃玛瑙杯、白金三龙环绕熏香炉等，真是大开眼界。

"我要成为天下最富有的人，我要成为天下最有权势的人。让一切人都跪倒在我的脚下。"太平公主非常自负。但她马上又叹了口气，接着说道：

"可是，三郎李隆基却总和我作对，他用的人都对我耿耿于怀。那个宋璟和姚元之是被赶出去了，可还有刘幽求、王琚，也都不是省油的灯。我一定要把他废了，否则就没有我的荣华富贵。"

"公主神机妙算，韦庶人势力那么大都斗不过你，何况他李隆基呢！"崔湜捧着说，顺从太平公主的意愿说话是他的习惯。

"三郎看来可不那么好对付啊，此人颇有城府，勇武果断。对付他还真要废些心机，还要等待时机。你多留些心，一有时机，咱们马上就动手。"

睿宗召见，欲传皇位

一颗又亮又大的彗星出现在天空，引起各界人士的恐慌。太平公主去劝说睿宗要加以戒备，睿宗的态度却出乎她的意料。

初秋七月的夜晚，晴空如洗。忽然，一颗拖着长长尾巴的很亮的彗星出现在西方。经过轩辕，进入太微，至于大角。民间又叫彗星"扫帚星"，古人一直认为这是不祥之物，认为它是灾难的预兆。

这次出现的彗星个头大，光亮强，时间长，非常显眼。它的出现立即引起许多人的恐慌，街头巷尾摆摊算卦的马上就忙碌起来，生意特别火。

同中书门下三品窦怀贞心中也感到有些恐惧，右边的上眼皮一个劲地跳。他派人到卦铺请来一个胡须花白的老相面，请给他相一面，看一看有无吉凶之兆。老先生仔细端相一会儿，皱着眉头道："请恕老朽直言，相公虽身居显位，但眉宇之间隐隐有晦气出现。一年之中恐怕有刑厄之忧。"

"请问先生，可有什么解法？"

"只有从高位上引退下来，或许可以躲过这场劫难，否则……"相面先生没有说下去，窦怀贞已经明白了他的意思。

次日早朝，窦怀贞主动上表，以自己才德不够请求解除官职为安国寺奴。睿宗批准。

几日后，由于太平公主的要求，窦怀贞又恢复了原来的职务，左仆射兼御史大夫同平章事。

彗星的出现，睿宗也感到有些不安，就把妹妹太平公主请进宫来。

"八哥叫妹妹进宫，不知有何吩咐？"太平公主问道。

"我又想你了。也想让你帮哥哥参谋参谋事。咱们同胞兄妹六人，现在只剩下你我二人了，你可得多帮着哥哥点。"

"八哥说的是，咱们兄妹六人，只剩下你我二人，妹妹我能不帮你吗！想当初，七哥就是不听咱们兄妹的话，一味听从韦庶人和安乐公主这个小贱坯子的摆布，结果闹了个那样的下场。唉，现在想起来，还让人伤心。"太平公主说到此处，面露戚容。

"妹妹，我这两天总觉得有些心神不定。前几天出现的彗星又大又亮，听说民间出现不少说法，还有的说对朝廷不利，我有些疑疑惑惑的，说信吧，也不太相信。说不信吧，有时心里还犯嘀咕。也不知道究竟该怎样应付天变，你遇事有主意，有见解，你看该怎么办？"

"天象示警，八哥确实应当警惕。但天意高远，难以意料，彗星所告诫的到底是怎么回事也难以知晓，民间的说法怎能可靠？莫不如请一位上知天文，下知地理，通晓阴阳，法术高深的得道仙长来预卜一下祸福吉凶。"

"那好啊，可一般的江湖术士我可不相信。上哪里去找法术高深的道长？妹妹可曾知道有这样的人？"

"在离我府邸不远处，就有一位这样的仙长，鹤发童颜，有一种仙风道骨之貌，精于卜筮之术。妹妹我一遇大事，就请他进行预测，百发百中，没有一次不灵验的。八哥可去请此人来。"

"那好，我这就派人去。来人！"睿宗马上命人去招呼一个负责传唤的内侍。太平公主具体告诉一下到哪个地方怎样去请那位道长，内侍领命而去。

睿宗和太平公主兄妹俩又谈了一会儿话，那位道长到来。睿宗一看，这位道长果然不同凡人，身披鹤氅，头戴高梁道冠，手执拂尘，见到皇帝也不下拜，只是双手合十在胸，微微打了一躬，口念："无量天尊，皇帝陛下万岁万岁万万岁！"

睿宗略微欠了欠身子，表示敬意，自从唐太宗起，认为道家的祖师老子李耳是自己的远祖，故对道教格外尊崇，一度曾为儒释道三教之首，故睿宗对道士自然也十分尊崇，很客气地说道："朕请道长来，想向道长请教。数日前彗星出现，天意示警，不知主何吉凶，请道长明示。"

"无量天尊。陛下有问，本道不敢不如实相告。数日前彗星出现时，本道已经仔细观察。彗星所示，乃除旧布新之意。在中宫华盖下之帝座星与太子之心前星均有异征，依天象所示，太子当为皇帝。"

"依道长所见，天象所示，是太子当为皇帝？"

"是的，陛下。"

"还有别的预兆吗？"

"天道高远，本道所知只此而已，其他非本道所能知也。"

"多谢道长指教。朕知道了。"睿宗命内侍给老道很丰厚的赏赐，老道退去。殿中又只剩下睿宗和太平公主二人。

"天意示警，八哥不能不防啊！"太平公主的话外音睿宗当然听得出来，不过他并没有顺着妹妹的话说，反而说道："妹妹啊，我还防什么。既然是天意示警，我就应当顺应天意。传德避灾，吾意决矣！"

"怎么？八哥，你要把皇位传出去？"太平公主眼睛瞪得圆圆的，惊愕地问。

"就是这个意思，既然是天意认为皇太子当为天子，我就把位置传给他。""八哥年富春秋，身体如此硬朗，怎么能这样想呢？就不能想一个别的办法吗？"太平公主的态度很鲜明，坚决反对。

"妹妹啊，哥哥我本来就不愿意操这么多心。七哥中宗在位时，群奸用事，天变屡臻。我多次劝他择贤子而立之，以应天变之灾异。七哥不但不同意，而且还不高兴。我忧愁恐惧数日，寝食不安。难道对他人能劝，临到自己头上反而不能做了吗？吾意已决。"

"可太子年轻，还不成熟，把天下完全交给他恐怕不行。"

"妹妹不必再劝，哥哥我主意已定，顺应天意，传位避灾。"

"可这么大的事，也不能不和宰相们商议。"

"是，这就派人去请宰相们前来议事。"

太平公主躲到屏风后面，听八哥和宰相们的对话。她的心中又急又气。她想不到平时最没有主见的八哥今天却一反常态，不但没有听从自己的意见，反而一意孤行，非要把皇位传给太子不可。现在看，这步棋自己又要输，只有寄希望于宰相们的相劝了，因为七个宰相中有四个是她的人，而且是铁心的。另两个是八哥睿宗的人，恐怕这两个人也不一定愿意八哥把皇帝的宝座让出去。

但太平公主非常精明，她知道这种希望是非常渺茫的，甚至说是不可能的。但她现在也无法可想，只能静观局势的变化再想对策。

果然不出太平公主所料，宰相们听完睿宗的提议，纷纷劝睿宗不要传位。虽然这七个人的出发点不同，但所要达到的目的是一样的，这就是尽量劝皇帝回心转意。宰相们正在议论劝谏之际，忽然听外面的小黄门拉长声音高声报道："太——子——到——"

"怎么？这个时候太子来了，他来干什么？是一个人来，还是带了禁卫军来？"太平公主一惊，睿宗一愣，宰相们全都瞠目结舌。

太子登基，太平心灰

"画虎不成反类犬"，太平公主本来想借用彗星出现削弱太子权力，结果反而促使其提前登上皇帝的宝座。

众人一愣的当儿，太子李隆基已经风风火火地快步闯了进来。众人见他只一个人，又不是戎装，这才长长出了一口气。

李隆基是一溜小急步来到睿宗宝座前，走得满脸是汗，扑通一声跪倒，诚惶诚恐地说："父皇，儿臣以微小之功，不次为嗣，已经诚惶诚恐，恐惧不能承担如此重任。听说父皇急于欲传大位于臣儿，不知是为了什么？"

睿宗长长叹了一口气道："社稷所以再安，吾之所以得天下，皆是汝之力也。今帝座有灾，所以要把帝位传给你，以求转祸为福，你何必有什么疑心呢？"

"父皇，这万万使不得，儿臣不敢承受如此重负。"李隆基坚决推辞。

"三郎，为父的知道你是孝子。可孝子要以天下社稷为先，何必非要等在灵前才肯就位呢？"说到这里，睿宗动了感情，非常诚挚恳切，语音有些发颤，眼眶里似乎滚动着泪花。

不太大的殿堂里只有他们父子对话的声音，其他的人似乎都哑巴了，在呆愣愣地看戏，一句话也没人说。

听父亲如此说，李隆基知道这是肺腑之言，没法再推辞，就起身告辞，说道："谢父皇的信任，儿臣任凭父皇安排，万死不辞。"流着眼泪退了出去。

睿宗安排中书令，命翰林学士拟旨，宰相们退去。

太平公主从屏风后转了出来，落座，叹了一口气，什么也没说。

"妹妹，刚才的话你都听到了，你看怎么样？"

"既然八哥主意已定，我还能说什么。我只是有些担心。"

"担心什么？"

"担心三郎太年轻，遇事果断有余而谋略不足。八哥执意要把皇位传出去，可一旦出了问题，怎能对得起列祖列宗，怎能对得起天下百姓？"太平公主忧心忡忡，一副忧国忧民的样子。

睿宗沉思着没有回答。沉默片刻，太平公主又开口说话了："依妹妹我的看法，八哥既然执意让位，以享清闲之福，也未尝不可。可也应当为天下社稷着想，还应总摄大政，一些具体事务让三郎去处理。这样，八哥既可少操心，安享清闲之福，又可继续掌握天下的命运，两全其美，不知八哥以为如何？"

"嗯，你说得有道理，这一点倒可以考虑。不过，妹妹，不是哥哥说你。"睿宗说到此处，停了一下，看着太平公主。太平公主的表情没有什么变化，在全神贯注地听哥哥的话。睿宗接着说："咱们同胞兄妹就剩你我二人了，咱们兄妹俩可要相亲相近，共享晚年之乐啊。"睿宗语重心长，非常诚恳。

"是啊！八哥，你都是满50岁的人了。妹妹我只比你小一岁，也快50岁了。我们还能活多少年，怎能不快快乐乐地享几年福呢？正是因为这一点，我才怕哥哥过早地把大权交出去，对咱们兄妹不利。"

"妹妹，你的意思我明白。自从哥哥我当皇帝以来，你说哪样事没依着你？可你总是和三郎过不去，让哥哥我非常为难，三郎也是你的亲侄子，你为什么总是不容他呢？"别看睿宗性格懦弱，可看问题还真挺准，几句话问到了关键处。

太平公主一听，马上反驳道："八哥好糊涂啊，不是妹妹我不容三郎，是三郎不容妹妹我啊。如果是我不容三郎，你想，在立他为太子时，妹妹我不也表示同意吗？如果我不容他，我当时就不会同意立他为太子。他当上太子后，就三番五次和我过不去，一味听信别人的话，还把妹妹我赶到蒲州那个鬼地方住了两三个月，那种滋味儿也不好受啊。"

"那也不能全怪太子，哥哥我也有责任。以后再也不让你离开京师了，咱们兄妹二人再也不能分开，你就放心好了。"睿宗安慰道。

"你一旦把大权全交出去，恐怕你说了就不算了。不是我不容三郎，是三郎不容我。我先把话放在这里，你交出皇位后，妹妹我的荣华富贵就享受到头了。"说到此处，太平公主软白白的，话音里都是酸楚。

睿宗听到这里，忙安慰妹妹道："你放心，只要八哥还有一口气，就没有人敢动你一根毫毛。我保证你和哥哥我一样永远享受荣华富贵就是。"

"有哥哥这句话，妹妹就放心了。其实，我又何尝愿意多操心，我还不是为了天下百姓，为了我们李氏江山，为了咱们兄妹能有一个幸福的晚年。哥哥既然说到这个份上，妹妹我也不说什么了。请哥哥自己斟酌，好自为之吧。"

"妹妹尽管放心，有哥哥我在，保证你安享荣华富贵，你高枕无忧就是了。"

"好，我记着八哥这句话。"

八月戊戌朔，庚子日（初三），玄宗李隆基的即位大典在大明宫太极殿中隆重举行。传位诏书上宣布：由于天下事重，朕虽然传位太子，朕还要分忧国事。畴昔舜禅位于禹，犹亲自巡守。朕虽传位，岂忘国家，其军国大政，当兼省之。

传位诏书宣读完毕，文武百官行叩见新君大礼，由站在新皇帝旁边的近侍高力士主持，他扯开公鸭嗓，拉长声音高声喊道：

"叩——拜——新——君——大——典——现——在——开——始——"文武百官出列，按照事先排练好的次序，在自己的位置上恭恭敬敬站好，等候下一道命令。

高力士环顾一下下面的情况，接着喊："跪——左——膝——"

文武百官一齐跪下左腿，动作很协调一致。

"下——右——膝——"齐排排的跪倒一大片。

"一——叩——首——"拜倒一大片，头贴地后，又齐刷刷地跪立起来。

"二——叩——首——"原样再重复一变。

三遍后，文武百官又恢复了跪立的姿势。高力士又拉长声音喊道："山——呼——"文武百官齐声呼应道："万——岁——"节奏是一样的，声音非常齐，但不是公鸭嗓。高力士再喊"山——呼——"再呼应"万——岁——"第三次高力士则加了一个字："再——山——呼——"下面的呼应也加了一个字："万——万——岁——"

"大——典——完——毕——"

这时，已经正式成为皇帝的李隆基开始布施他的第一道皇恩，这就是他庄重宣布："众位爱卿平身。"让跪着的文武百官们站起来。

接着，高力士宣布新君的圣旨，内容是：尊父皇为太上皇，上皇自称为"朕"，命曰"诰"，五日在太极殿一受朝。皇帝自称曰"予"，命曰"制敕"，每天上朝，在武德殿。三品以上官员除授，重大军政要事及大刑政由太上皇决定，其余皆由皇帝自行决断。

这天午后，太平公主把自己关在内室，吩咐守门的人严守门户，不经过她的允许任何人也不准跨进门槛。足足有半天时间也不出来，全府的人都非常紧张，不知如何是好。儿女们更是着急，可谁也不敢闯进门去。

太平公主在床边站立着，她的大脑出现一阵阵的空白。她木然，仿佛是尊雕像般一动不动。过了好一会儿，她才从极度的忧伤和愤怒的情绪中解脱出来，清醒地意识到发生了什么。她索性扑在床上哭了起来，她再也不想压抑自己的感情，把一肚子的苦水都化作眼泪流了出来。她恨自己无能，不能像母亲那样应付各种复杂的局面，就连李隆基这样一个小毛孩子都斗不过。她更恨自己没有远见，在立李隆基为太子的时候为什么不坚决反对，那时的李隆基羽翼未丰，极好对付。如今一切都晚了，李隆基已经登上了帝位，自己已经掌握的权势，已有的地位将要逐渐被削弱，自己将要成为一个不被人重视的普通公主。难道就这样算了？她不甘心，她要最高的权势，她要泼天的富贵，她要夺回失去的一切。

直到黄昏日暮，玉兔东升，太平公主才从内室出来。虽然她的眼有轻微的浮肿，但她的脸上依然充满了坚定和自信，这才是太平公主的性格。

从这一天起，李隆基登上权力的最高峰。睿宗以为从此就不会有什么大的风波，可以安享清福了。可刚过半个月，又出了一个大难题，大出睿宗的意料，使他大动肝火。

睿宗闲暇，太平怒访

睿宗真想万事不操心，安享幸福晚年。他正在悠闲自在时，太平公主忽然闯进宫来，怒气冲冲地向他发问，他听后大吃一惊。

那是八月丙辰日（十九）的早晨。

太上皇李旦住在和春宫中，刚刚用过早膳。由于皇位已经传给太子，一般军国政事不再过问，他感到轻松多了。

每隔五天，当今天子和文武百官还要到太极殿来朝拜他，他既掌握着大权，没有失去权力的失落感，又不必多操心，也不必为朝廷的琐事而感到厌倦，他感到非常的惬意，这是他一生来最快乐最舒心的日子。今天不是逢五逢十的日子，不必驾临太极殿去接受皇帝及文武百官的朝拜，所以闲暇无事。

宫殿里非常清静，他昨夜召幸的是刚进宫的一个18岁的姓杨的小宫女，她有些羞羞答答，水汪汪的大眼睛中仿佛还有一汪委屈的泪水，那种情韵，宛若花蕾上挂着晶莹的露珠，楚楚可怜，十分娇嫩柔媚，令人销魂夺魄。

李旦已经很长时间没有这么开心了，由于政务繁忙，他的身体状况一直不太好。近半年来，他经常是一个人独宿，几天也不召幸嫔妃，更不要说是新进宫的年轻宫女了。为此，他也经常感到心情烦躁，感到生活乏味，他有些厌倦这个世界，这也是他之所以毫不犹豫地要把皇位交出去的一个内在的原因。

自从退居二线，当上太上皇后，烦心的事情少多了，他可以尽情享受人生的快乐。更令他高兴的是儿子李隆基真是个孝子，不但国家政事不再让他操心，而且对他的生活也是百般关心，孝敬给他一种叫作"赤箭粉"的补药。

这种药便是王琚经过多年调配，用多种具有大补作用的中草药调制而成的一种补肾壮阳之药。

据陶弘景说，这种药的主要材料，是一种芝类植物。这类植物茎是紫色，直如箭杆，叶子生在端部，有12子为卫，其根如人足。用这种植物的嫩苗阴干后磨成粉状，作为此种补药的主料。因其形状如赤色箭杆，故名之曰"赤箭粉"。长期服用，可以强身健体，延年益寿，滋阴壮阳。

李隆基自己服用过一段时间后，觉得全身轻松，精力充沛，浑身仿佛有使用不完的力量。他见此药药效非常，既有明显的效果而药效又持久，且没有任何副作用，于是就"呦呦鹿鸣，食野之苹"，发扬有福同享的精神，把这种灵丹妙药献给了太上皇。

太上皇开始还对这种药有些怀疑，就这么一小瓷瓶紫红色的药粉，难道真的就有那么神奇的效果？他抱着试试看的态度，每天早膳前都服用一支。不到十天，药效果然神奇无比，他每天的疲乏感完全消失了，代之而来的是精力充沛，他顿时觉得自己年轻了许多，仿佛又回到三十多岁的时代。

昨天夜里，那个娇小可爱的宫女虽然有些羞羞答答，但对他也是百般温顺，万种柔情，任凭他尽情享乐。他再度感受到生活的乐趣，在温柔乡中度过了一个神魂颠倒、心醉神迷的夜晚。那情味，那神韵，真是太迷人，太醉人了。他仔细回味着，品尝着。

想着想着，他突然发现了一个生活的真理：人在最幸福的时候就会贪恋世俗生活的美妙和温馨，就不愿离开人世而要追求长生不老。怪不得像秦始皇、汉武帝，包括自己爷爷唐太宗这些圣明的皇帝都要做长生不老的美梦，都相信会有长生不老的奇迹，并听信一些江湖术士的话而吃什么"长生不老药"，秦始皇还派徐福带着500童男童女到海上去寻找什么仙山采药。以前自己曾经暗暗嘲笑他们的愚蠢，现在看起来可以理解了，原来生活是这么富有魅力，这么迷人醉人，自己虽然贵盛无比，但对生命意义的品味从来没有像今天这样透彻，这样深入。

想着想着，他的思绪突然又回到了自己眼前的处境，他感到自己妹妹太平公主是个高人，是个对生活有特殊理解、特殊情趣的人，她就多次劝自己要会享受生活，要享受人生的每一天。自己听了她的话，才没有把所有的权力都交出去，看来这样做太英明、太正确了。只有掌握着权力才可以无所顾忌地享受生活。人生真是太美好了，假如真能长生不老的话，我也想……

金狮子形状的香炉里点着高级的沉水香，香烟从布满小眼的炉盖上一缕一缕冒出来，袅袅上升，盘旋着，淡淡的清香味弥漫在空气中，直往人的鼻眼里钻，沁人心脾，令人心旷神怡。殿堂里静谧和谐，一派温馨的景象，这里除了幸福什么也没有。

太上皇李旦正在心满意足，想入非非的时候，忽然门外响起一阵急促的脚步声。他刚要问是什么人时，在门口守卫的近侍向里报告道："镇国太平公主到。"

话音刚落，太平公主已经来到。只见她怒气冲冲，气喘吁吁，刚一坐下，就迫不及待地质问道："八哥，你自己现在是享清福了，可半月前你说的话还算不算数？"

"你今天这是怎么啦？有话慢慢说，有话慢慢说，不要着急。"太上皇有些莫名其妙，不知妹妹今天是怎么了。但看她的脸色，知道气得不轻。

"不要着急？你说得好轻巧，我的命就要没有了，怎么能不着急？八哥可要给妹妹做主啊！"

"怎么回事？谁这么大的胆子？快说清楚。"太上皇有些急了。太平公主喘了一会儿气，把心情平定一下，说出了事情的原委。

原来是她得到可靠的消息，说是皇帝李隆基听从手下人的意见，准备在近日采取突然行动，一举杀掉太平公主和她提拔的几位宰相。

太上皇一听，此事可不比寻常，如果是真的，那还了得。总也不生气的人一生气更厉害，他完全没有了刚才悠然自得的那种神态，气得嘴唇都有些哆嗦，连连说："反了！反了！这还了得，我还没驾崩呢，他就敢如此无礼。"一边说一边对在旁边服侍的内侍道："马上到武德殿去，让皇帝一下朝立即来见朕。"

审时度势，丢卒保车

"丢卒保车"是象棋战术上的术语，但在军事方面和政治方面都适用。李隆基在遇到紧急情况时就采用了这一策略。

武德殿中，李隆基主持的早朝将要结束。群臣都觉得今天的气氛有些不对头，一向精神抖擞、反应机敏的皇帝今天早朝却有些心不在焉，不知是为什么。刚一宣布退朝，李隆基就接到太上皇的通知，让他立即到和春宫中去见驾。

李隆基似乎猜到了怎么回事，他急忙把一卷奏章揣在怀中，紧跟着那位小黄门前行。

一见姑姑太平公主也在这里，而且是满面怒容，李隆基一下子全明白了，他的脑海里迅速形成一个决策：只能这么办。他紧走几步，撩起龙袍衣襟跪倒，先给太上皇行叩拜之礼，然后又给姑姑行礼，说道："侄儿拜见姑母。侄儿终日忙于政务，没有时间前去看望姑母，请姑母恕罪。"

"皇帝何必行此大礼，我可承受不起。"因这是在后宫，属于是家庭内部，所以要用家礼，李隆基虽然是皇帝，可毕竟是太平公主的侄儿，向她行礼也是理所应当的。

"平身吧！三郎，我只问你一件事，你姑姑说你和你手下的人想要杀她，可是真的？"太上皇开门见山，但他希望得到否定的回答。

"回太上皇，诚有此事，但不是儿所指使。儿正要来向父亲禀报此事。"李隆基一点也没有隐瞒，如实回答。

"果有此事？"太上皇十分惊愕。

"果有此事，都是刘幽求等人所为。儿已把他们的密奏带来，请父亲过目，并请父亲定夺发落。"说罢，李隆基从衣袖里取出一卷奏章，交给近侍，近侍将其交给太上皇。

太上皇接过来一看，不等看完，大怒道："这帮贼臣，好大的胆子，竟敢如此离间骨肉，很怕朕消停几天。三郎，你说，对他们三个人怎样处置？"

"事关重大，儿不敢擅自处理，才来请求父亲决断。"李隆基可能是走得太急，又有些紧张，鼻子尖上出现了汗珠。

"太不像话，太不像话了。朕还没有完全退位呢，他们就敢要谋害朕的妹妹。真是胆大妄为，刘幽求是主谋，罪在不赦。"太上皇狠狠说道。

李隆基一听，鼻子尖上的汗珠更大了，连忙跪下请求道："父亲息怒，儿当年平定诸韦之时，刘幽求既有定策之功，又舍生忘死冲杀在最前面，有大功于社稷，请父亲开恩，饶恕他的死罪。"

"既然如此，把他们先都打入大牢，交御史台和大理寺共同审问，务必严惩不贷。三郎，此事直接关系到你姑姑，你还不向姑母请罪，请求你姑母的宽恕。"

"姑母在上，请恕侄儿一时失察之过。侄儿一定严惩这几个人，替姑母出这口气。"说罢，李隆基向一脸怒气的太平公主叩了一个头。

"皇帝快快请起，我可担当不起如此大礼，要折寿的。现在天下稳当了，还要姑母有什么用呢，万望以后不要再出现这样的事情了。"太平公主可不是让人的人，她的话里有话，谁都听得出来。

"三郎！"太上皇的语气严肃起来。

"儿在。"李隆基连忙答应。

"现在我还是太上皇，大事还是我说了算。从今以后，凡是涉及你姑母的事，务必要奏明我才可。我们同胞兄妹六人，现在就剩下我和你姑姑两个人了，只要我还有一口气，你们谁也不准动你姑姑的一根毫毛。"

"是！儿记住了，父亲尽管放心就是。"李隆基唯唯诺诺，连连答应。

七天后，刘幽求被流放封州，与刘幽求同谋的张玮被流放峰州，邓光宾被流放绣州。

事情的经过是这样的：李隆基即位之后，刘幽求和右羽林将军张玮私下里商议，宰相多是太平公主的人，一下朝就到太平公主宅中去密谋，恐怕对皇帝不利，想动用右羽林军的兵力诛杀他们。

张玮暗中把这个想法和李隆基说了，李隆基也深以为然。张玮又和侍御史邓光宾联系，不料因一时不慎，密谋的谈话被邓光宾的一个家丁偷听去，事情就这样败露了。

太平公主的眼线非常多，消息一露，很快就到了太平公主的耳朵里。李隆基很机灵，善于应变，急中生智，采取丢卒保车的策略，先抛出刘幽求等人，只要自己能保住皇位，其他一切都在所不惜。这一招还算是很高明的。

李隆基知道，大权还在父亲手里，一部分权力还控制在姑母的手里，弄不好自己也不是没有被废的可能。当上皇帝不等于就掌握了权力。如果是别人把你扶上去的，当然也就有可能再被别人拽下来。当年的李重茂不也坐在皇帝的龙墩上半个多月了吗，还不是被姑母硬拽了下来。自己虽然现在暂时还不至于如此，但也不可不防。姑母的脾气他是知道的。

太平公主在被赶到蒲州时，采取欲进先退的策略，取得了政治斗争的主动权。所以，李隆基虽然当上皇帝，但在和太平公主斗争的第一个回合中还是败了，这也使李隆基长了不少见识。

第七章

生命变奏曲

苦心策划，密谋造反

母子之争，互不相让

实权人物，秘密开会

百密一疏，隔墙有耳

饭后谈资，天机被泄

掌握证据，进行部署

种种异常，截获剧毒

亲自挂帅，筹划反逆

速战速决，铲除逆党

太平出逃，隐居深山

妄想求生，被赐自尽

苦心策划，密谋造反

夜幕是一切阴谋活动的保护色，在太平公主的床上，她和崔湜在密谋策划着一场天翻地覆的大行动。

一阵狂风暴雨过后，往往就会出现一片晴空。自然界是如此，人类社会往往也是如此。当不可调和的两大政治势力进行拼死斗争的时候，在一阵激烈的斗争过后，往往会出现一段风平浪静的日子。仿佛是两个拳击手，在一场大战后，往往要休息调整一段时间，做好充分的准备以进行下一次大战。

自从刘幽求三人被贬之后，李隆基处处小心，对太上皇唯唯诺诺，对姑母太平公主毕恭毕敬，朝廷内外很是平静。太平公主一党千方百计要置刘幽求于死地，但都被李隆基一党的人化解了，刘幽求还是活了下来。

冬去春来，又到了夏天。这是先天元年（712）的夏天，经过将近一年的对峙之后，新皇帝李隆基和镇国太平公主这两股政治势力终于再也不能和平共处了，一场你死我活的决战在黑暗中悄然拉开序幕。

这一天是七月初一。早晨，晴空万里，开始是霞光万道，以玫瑰色为主调的绚丽的彩云布满了半个天空。顷刻间，朝阳从东方露出了笑脸，眼看着一点一点上升，很快就全部出现在地平线上，很快又离开地平线，悬在空中。鲜艳的朱红色耀人眼目，令人产生一种喜悦之情。

太平公主躺在豪华舒适的床上，揉了揉惺忪蒙眬的睡眼，从梦境中完全醒来。她轻轻地把崔湜搂着她的一条胳膊挪开，很怕弄醒了心爱的情人。

还好，崔湜翻了一个身，吧嗒吧嗒嘴又睡着了。

当年在太子李重俊起兵除掉武三思一伙人之后，武氏集团的力量受到毁灭性的打击，武攸暨也完全失势。太平公主见他已经没有任何政治作用了，于是对他更加冷淡。他在政治方面和感情生活方面都失意的双重打击下，不久就郁闷而终。这样，太平公主就更肆无忌惮了，崔湜简直成了她编外的丈夫。

昨天夜里，他们俩在被窝里也没有好好睡觉，一直商量到三更天。然后才行巫山云雨，看来崔湜是疲乏了，睡得特别香。可太平公主因为在紧张中还伴随着兴奋，故始终也不能真正睡去，一直处在模模糊糊蒙蒙眬眬的状态。

她仔细打量一下自己的内室，一种幸福感和满足感油然而生。她的这座豪华的内室，是在平定诸韦后不久动工兴建的。她要求设计人员和施工人员要选用天下最精良的建筑材料，不要怕价值昂贵；要设计成最新式最高雅的造型，不要怕花费金银。那真是以文柏为栋梁，用紫檀做门窗，以带香味的上等椒泥涂墙，用不褪色的高级朱漆画壁。屋顶是专供修造皇宫用的琉璃瓦，斗拱精制，飞檐欲飞，外观上造型精巧别致。室内的家具都是镶金嵌玉，哪一件都十分名贵。

她应当满足了，但她还有一块最大的心病，如刺在背，如芒在眼，势必去之而后快。为此，她煞费苦心，尤其是最近几天，她苦心策划，精心设计每一个细节，因为这绝不是一般的游戏，这是一场你死我活的斗争。虽然醒来，可她又在脑海里仔细过滤自己将要导演的这场人生大戏的每一个步骤……

这时，崔湜也醒来，他睡眼惺忪，揉了揉眼睛，用手随意地轻轻摩挲着太平公主的面庞，爱抚地说道："我的小宝贝，你可真行，睡这么点觉就醒，太精神了。"

别看太平公主已经50岁了，但因为善于保养和护肤，故面容非常年轻。而且，情人眼里出西施，在多情的男人眼里，他的情人无论是多大的年龄，永远都是他的"小宝贝"。

太平公主轻轻推开崔湜的多情的手，说道："这次不比往常，我的心里总觉得有些空落落的，不知怎么回事。"

"我的宝贝公主，你这是怎么啦？不必担心，这次咱们是双管齐下，文武兼有。七个宰相四个忠于公主。我已经和宫中的元宫人说妥，咱们明天想办法把毒药送进宫中，她找机会把毒药放进皇帝每天必用的'赤箭粉'中，等皇帝一殡天，咱们的大事就……"

"那姓元的托底吗？她一动摇可就坏了咱们的大事。"

"没有任何问题。她原来是上官婉儿的贴身侍女，深受上官婉儿的宠信。上官被杀之后，她一直怀恨在心，要替主子报仇。这个小妞儿别看年龄不大，可特别有心眼，长得也极其漂亮可人，皇帝挺喜欢她的，经常让她在身边服侍。当初，她对我也挺好的。我答应她，如果事情成功，等立了新皇帝，就册她为妃。"

"事成之后，马上把她杀掉灭口。"太平公主面露凶光。

"那是，这点心机我还是有的。"

"哎！李隆基那小子很精明，不要那么乐观。咱们还得想得更周到才行。"

"公主，时辰不早了，萧大人和窦大人他们也快来了，咱们也起床吧。"

崔湜的衣服比较简单，穿起来快，他先帮助太平公主穿好内外衣服，再帮她梳头挽好发髻，戴好各种首饰。这些活计本来应该是贴身侍女的，可崔湜一在这里过夜的时候，这些事就由他来承包了，等太平公主对镜化妆，涂脂抹粉，描眉点绛唇的时候，崔湜才穿自己的衣服。

太平公主化妆刚刚完毕，正准备要到客厅等待萧至忠、窦怀贞等人的时候，门外先咳嗽一声，接着是内门守门侍女的声音："回公主，二殿下来了。"

"二殿下"是府中人对太平公主二儿子薛崇简的称呼。

"稍等片刻！"太平公主答完，又悄声吩咐崔湜道："你马上到客厅去，萧大人他们来，你先招呼一下，我随后就到。"

看着崔湜从侧门溜出去，太平公主才向门帘外说一声："进来吧。"

薛崇简进来，在外间屋服侍的两名侍女也随后跟了进来。

前文书提到过，薛崇简是太平公主的二儿子，其长相也酷肖乃母，宽宽的额头，大大的眼睛，浓浓的眉毛，高高的鼻梁。一见到这个儿子，太平公主仿佛就看到了自己生命的一种延续，她喜欢这个儿子，胜过爱其他的任何一个子女。所以，当让旁人推荐自己儿子做官的时候，她最先推荐的就是此人。薛崇简已经封王，又是羽林军中的一个将军。如今将近而立之年，正是风华正茂的年龄。进屋之后，他来到母亲面前，叩头道："孩儿给母亲请安。"

"起来吧，只要你不气我就阿弥陀佛了。"太平公主话中有刺。两名侍女听出了话外音，意识到这对母子又要吵架，悄悄地退了出去。

母子之争，互不相让

"向情向不了理"，一个人夹在情与理的中间进退维谷时，当是最痛苦最无奈的。薛崇简就处在这样尴尬的境遇中。

太平公主喜欢这个儿子，儿子也非常尊敬和佩服他的母亲，关系一直都非常好。假设让太平公主选定一个儿子做她的接班人的话，她会毫不犹豫地说是薛崇简。可大约在半年多的时间里，这母子俩出现了分歧，而且分歧越来越严重，最近一两个月来，分歧已经发展为尖锐的矛盾，经常产生口角甚至吵架了。

薛崇简站起身来。太平公主也没有让他坐下，就有些不耐烦地问："快说吧，有什么事？我还有事呢。"

"母亲，听下人说，崔大人已经在府里，萧大人、岑大人、窦大人等也在客厅拜茶。这么些宰相都到咱们府中来，到底是为了什么？"

"为什么难道我还得告诉你吗？朝廷这么多事，哪件事不得让我操心？"

"既然是商讨朝廷大事，为何不到朝廷的政事堂去商讨，一定要到咱们府中来？母亲，请您告诉孩儿，到底要发生什么事？"

"你问到底要发生什么事，看来你已经感觉到什么了。事到如今，我也不瞒你了，我告诉你，我正准备干一件惊天动地的大事，废掉当今皇帝，另立天子。"

"母亲，此事万万不可，万万不可！"薛崇简早已想到要有这一天，可想不到来得这么快。

"小冤家，你说，为什么不可？"

"母亲，您想，当今皇帝是您的亲侄儿，您贵为皇姑，显赫无比。您的宅院是京师里最豪华的，您的待遇已经达到了顶点，实封万户，您被封为镇国太平公主，吃的是山珍海味，穿的是绫罗绸缎，住的是琼楼玉宇，戴的是金银珠宝。您的地位，您的生活已经到了顶点，还有什么不满足的呢？"

"小冤家，我说你是鼠目寸光，就看眼前那么一点。你以为这些地位荣耀是当今皇帝李隆基恩赐的吗？那也是我拼着身家性命抢来的。再说，你以为这些荣誉地位可以永远享受吗？那可真太天真了。李隆基这小子一直对我百般防范，他之所以不敢动我，是因为我还有势力，是因为有太上皇在。正是为了要永远享受这样的荣华富贵，我才这么做的。"

"母亲，我真想不明白，你这样做究竟能得到什么好处？你的地位已经到顶，你的富贵也已经到顶。'镇国太平公主'的封号还能再加什么吗？'实封万户'，还能有超过万户的封赏吗？可一旦失败了，后果又将会怎样呢？母亲，您就好好想一想吧。"

"失败？我失败过吗？我能失败吗？这么些年来，我干过多少大事，哪一次失败过？韦庶人的势力大不大，还不是同样要败在我的手下。再说了，我都是快到50岁的人了，我图个什么，还不都是为了你们好吗？没有我的地位荣耀，哪来你们的荣华富贵？不要再啰唆了，小冤家。没有别的事就赶快回你自己的屋里去，我还有急事。"说到此处，太平公主有些不耐烦，起身要走。

薛崇简见母亲起身要走，扑通一声跪倒在地，抱住母亲的大腿，哭着劝道：

"母亲，不要再执迷不悟了，快些悬崖勒马吧。当今皇帝虽然年轻，可聪明睿智，英武果断，善于用人，是个难得的明君，您何必非要和他过不去呢？""小冤家，不要再啰唆。我主意已定，你赶快回去吧！"

"不行，母亲如果不答应孩儿的请求，孩儿宁肯死在你面前，也不让你离开这里。"薛崇简紧紧抱住太平公主的一条腿不放手。

"你这个小冤家，太不识好歹，竟把胳膊肘往外拐。快松手，我还有要紧事要办。"太平公主严厉地喝令儿子。

"不行！母亲不答应孩儿的请求，就别想离开这里。"薛崇简知道母亲的脾气，她答应的话决不反悔。他也清楚地知道，今天这样大的事，母亲不到场一切事都决定不了，所以他要拖住母亲，拖一会儿是一会儿，拖一天是一天。

薛崇简比李隆基还大几岁，他和李隆基的关系很好，在平定诸韦的行动中，他是李隆基一个重要的助手，也是最早参与定策的人物之一。其后，他发现李隆基虽然年轻，但却是个非常英明睿智的人，是治理天下难得的明君。

平定诸韦后不久，他发现母亲和李隆基产生了矛盾。李隆基即位后，矛盾日益尖锐，大有水火不相容的架势。

他一下子被夹在了中间，处在一个非常尴尬的境地中。帮助母亲推翻李隆基，他不忍心这样做，因为他觉得李隆基没有过失，国家正急需这样的君主来治理。可出卖自己的母亲帮助皇帝李隆基，这可是大逆不道的举动。无论在什么朝代，出卖自己父母的行为也会被人所耻笑。

帮助母亲推翻皇帝是大逆不道，帮助皇帝出卖母亲也是大逆不道，他没有别的选择，只能是劝阻母亲。为此，他想尽一切办法劝，不惜一切手段相劝，可都无济于事。今天，见事情已经到了千钧一发的节骨眼儿上，他便要不顾一切地阻止住母亲，不让她前去组织会议。

太平公主见儿子不肯撒手，真急了，使劲掰了掰儿子的手，可薛崇简的手硬是抱得紧紧的，她怎么掰也掰不开。这时，太平公主也是真急了，顺手操起案桌上的一个银制的如意，照着儿子的肩就是一下，薛崇简"哎哟"一声，可还是不松手。

太平公主火气上升，另外也是太着急，照着儿子的头就又打了一下。这次打在额头上，薛崇简"啊——"的一声惨叫，殷红色的血从额角上流下来，手终于松开了。

看到儿子的鲜血，太平公主的心灵震颤了，那是自己身上曾经流淌过的血啊。亲生儿子的鲜血，是自己亲手打出来的，任何一个母亲都会心疼的。太平公主低头用手轻轻抚摸着儿子流着鲜血的头，面容凄楚，轻轻叫着："儿啊——儿啊——"

那两名侍女已经进来，看到这种情形，忙上前搀扶薛崇简。薛崇简可能是由于过分的激动和焦急，又被母亲打了头部，大脑一下子出现空白，什么也不知道了。很快，他的大脑就恢复了正常，听到母亲的亲切的呼唤，他微微睁开眼睛，委屈地轻声应答："母——亲——"

瞬间，太平公主见儿子睁开了眼睛，脸色立即又变得严厉起来，向门外喊道："来人。"几名家丁应声而进。太平公主命令道：

"马上把二殿下带到西厢房的那个房间去，严加看管，五天内不准他迈出房间一步，不准让他和任何人接触。如果稍有差错，我杀你们的全家。"这时的太平公主完全没有了母亲的温情，而仿佛是个凶神恶煞。

"母亲——母亲——你可……"

"架出去。"太平公主略微整理一下衣裙，又对着镜子看了看自己的装束，只带两名贴身侍女，急急忙忙往客厅而来。

实权人物，秘密开会

在一个极其清静隐蔽的地方，召开一个极其秘密的会议，研究决定一件极其重大的事情，却发生一个极其意外的情况。

一路上，太平公主心乱如麻，心中暗暗骂自己的儿子："这个丧门星，不知好歹，先来烦我，不是好兆头，难道这次行动会有什么不测？"

来到客厅，太平公主一见所有该来的人一个也不缺，心里的疑团一下子全没了。来的13个人中，4个是宰相，3个是将军，另外的4个人也都是朝廷重臣。宰相是崔湜、萧至忠、岑羲、窦怀贞，将军是常元楷、李慈、李钦，其余6个人是：太子少保薛稷、雍州长史新兴王晋、中书舍人李猷、右散骑常侍贾膺福、鸿胪卿唐俊、僧人慧范。

13个人中，当然以4个宰相和3个将军为主角。这7个人中，窦怀贞在前文中已经交代过，这是一个厚脸皮的人，为了权势什么都可以不要。崔湜比他要精明一些，但在不要脸皮方面则不分上下。

没有职务的人只有大和尚慧范一人。慧范之所以能享受这种待遇，也和当年的冯小宝一样，就因为那方面的能力特别强，深得太平公主的宠爱，是太平公主最得意的情夫之一。

崔湜在把自己的两个女儿和一个爱妾都献给李隆基后，确实得到李隆基的另眼相看。但他也感觉得出来，他和太平公主的关系李隆基也完全掌握，故对他的为人有些鄙薄，表面上虽然对他很好，但在实际问题上并不器重他。而太平公主对他是真心的，不但给他权势地位，而且还把整个身心都交给了他。所以他在这两个势不两立的人之间，最后还是选定了太平公主，死心塌地为她出谋划策，成为太平公主的死党。

几人中萧至忠人望最好，但因见太平公主势大，又因为是太平公主提拔了他，故站在太平公主一边。他的妹夫蒋钦绪曾劝他说："如兄长之才华，何忧不能显达，不要所托非人，有过分妄求。"

萧至忠漠然不应。蒋钦绪退而叹道："真是可悲啊！九代卿族，一举灭之，可哀也哉！可哀也哉！"

一次，萧至忠从太平公主的宅院中出来，正好遇到宋璟，宋璟说道："萧君如此行为，实在有些令人失望。"萧至忠脸色一红，微笑着答道："善乎，宋生之言。"说罢打马而去。宋璟无可奈何地摇了摇头。

这些人是在不同时间分头从几个大门进来的。他们在客厅里等了一会儿，见太平公主迟迟不来，不知出了什么变故，每个人都不同程度地有些紧张。

太平公主好不容易来了，可能是走得急了一些，微微发红的脸上有些冒气，额头上有些小汗珠。众人这才长长出了一口气。

"因临时有点小事，耽误一会儿，让众位大人久等了。既然大家都到齐了，就马上跟我走，到一个僻静的地方去。"

雷厉风行是太平公主的一贯风格，说完转身就走，众人都起身跟了出来。

宅院真大，穿过一两个小门，走过几条林荫小道，一直往大院的西北角走来。众人也不知道太平公主要到哪里去，谁也不敢问，怕讨个没趣，只是紧紧跟在太平公主及其两个贴身侍女的后面。

走过一道小木桥，再穿过一片茂密的丛竹，人们这才看清，前面是一个规模不算太大的佛堂。青松掩映，环境清幽僻静，如果不是穿过那片竹林，一般人根本无法知道这里还有一片佛门净土。

来到佛堂的门前，太平公主的一个贴身侍女上前"啪！啪！啪！"有节奏地敲了三下门。稍待片刻，里面有人前来开门。先隔着问道："是哪一位？"

"法慈，快开门，是公主来了。"

门马上打开了。开门的是个六十多岁的老尼姑，手执拂尘，一见太平公主带着这么多身穿紫袍的大官前来，略有些惊诧，但马上就平静了，连忙朝太平公主打了一躬道："阿弥陀佛！老身不知公主驾到，有失远迎，恕罪！恕罪！"

"佛堂里还有人吗？"

"没有。绝对没有。老身遵照公主的吩咐，从来不许俗人踏进佛门净地。"

"那就好！你马上到小桥南面去，不准任何人走近这里。没有人去叫你，你也不准回来。"

"是！老身遵命。"老尼姑唯唯诺诺退了出去。

太平公主和 13 名心腹鱼贯而入，佛堂的门马上又关上了，两名贴身侍女守卫在门外。

佛堂很宽敞，可以容纳几十人同时作法事。地板上有许多蒲团，正面是一尊慈祥的弥勒佛的佛像。佛像前是一个供桌，供桌不算太大，就是普通八仙桌那么大，上面摆着一排香炉和祭祀用的器具，下面周围用淡蓝色的布帘遮着。供桌上的香炉里，三炷香正在燃烧，香烟缭绕，盘旋而上，味道清香，气氛极其静谧幽雅。

众人各自随便落座，也不必喝茶，太平公主先提出这次行动的总目标和大体上的行动方案，然后让所有到会的人发表意见，研究具体方案的每一个步骤和每一个细小的环节。

经过将近一个时辰的认真商讨，最后确定了这次行动的全部内容。发难时间定在本月（七月）初四的早朝，今天是初一，中间只隔两天时间。

具体步骤是：在明天也就是初二午后，派人想办法把毒药秘密传进宫中，由那位姓元的宫人在初三午后寻找机会把毒药投进李隆基次日早朝前喝的"赤箭粉"中，使其中毒身亡。这是第一招。如果此着得手，则大事成功。以后的一切步骤都不会有什么阻力。这是最理想的结果。

不管此着结果如何，在初四早朝时，常元楷、李慈率领北牙的羽林军攻入武德殿，立即包围早朝的文武大臣。如果李隆基没有被毒死，还来上朝，连他也一窝端，同时抓住。与此同时，由窦怀贞、岑羲、萧至忠等人率领南牙卫兵，迅速包围宫城和皇城，搜捕李隆基的党羽王琚、高力士、王毛仲等人，并同时逮捕薛王李隆业、岐王李隆范等人，软禁太上皇李旦，控制整个京师的局面。然后趁热打铁，逼太上皇下诏废除李隆基的皇帝之位，再逼李隆基自杀。杀掉或贬黜李隆基的所有亲信党羽以及不依附太平公主的所有大臣，扶已经被废的儿皇帝李重茂恢复帝位，最后再派人分头到各地去杀李隆基的亲信姚元之、宋璟、刘幽求等人。这样，整个天下的大权就可以全部操纵在太平公主的手里了。

方案定下之后，太平公主又做了简短的讲话：

"众位爱卿，现在咱们是坐在一条船上了，一荣俱荣，一损俱损。如果成功，天下就是我们的了，大家也就都成了开国元勋，有享受不完的荣华富贵。一旦翻船，谁也别想活。所以我们只能同心协力，一心向前。只能成功，不能失败。每人都要按照今天的安排，千方百计也要完成自己的任务。散会后，大家分开走，从不同的大门出去，散会。"

说聚就聚，说散就散，像空中的云彩。

太平公主最后一个走出佛堂，两个贴身侍女恭恭敬敬地站在门外等候她。太平公主向四周扫视了一圈，见一切都和往常一样，那么平静，那么清幽，没有任何异常现象。两名侍女把佛堂的门轻轻掩上，三人便也远随散去的众人离开这里。当走过小桥的时候，见老尼姑法寂站在桥下等候着，太平公主淡淡地对她说了一句："你回去吧。"

望着走进竹林的那些朝廷大员的身影，太平公主的心里升腾起一种胜利在望的愉悦感。她的心里暗暗想道："李隆基，这次我非把你废掉不可。我有文有武，发难突然，双管齐下，大后天就是你的死期。我要主宰整个天下，我要拥有整个天下。顺我者昌，逆我者亡。"

百密一疏，隔墙有耳

"千里长堤，毁于蚁穴。"一个小小的疏忽，一个极其偶然的因素往往就可破坏了一件大事。这究竟是怎么回事，只有天知道。

再说老尼姑法寂回到佛堂，推开门，见里面一点变化没有，轻轻摸了一下胸口，长长出了一口气，念了一声："阿弥陀佛。"然后快步走到那个供桌前面，撩起挂着的蓝色布帘，捅了一下抱着脑袋窝在里边的一个人，道："强儿，快出来吧。"

里面的人撅着屁股退了出来，浑身大汗淋漓，说话的语声都有点颤："哎呀我的姑奶，太悬了，可把我吓死了。他们都走啦？"

"傻小子，我也吓坏了。也是咱们柳家祖上有德，福大命大造化大，才保佑你平安无事的。快去赶你的主人，千万不要让人知道你来过这里。"

那是个年轻人，二十岁左右，穿着仆人的服装。听完老尼姑的话，他这才反应过来，马上向老尼姑说了声："我得赶快去追相爷，姑母再见。"说完，起身撒丫子就跑。

在日常生活中，经常可以听到"隔墙有耳"这样一句经验之谈，可太平公主怎么也想不到，这次不是"隔墙有耳"，而是"隔帘有耳"。

千里长堤，毁于蚁穴。一项惊天动地的大计划，往往会毁于一个小细节，有时则纯粹是偶然的因素起了作用。这种偶然的因素是所有的人也说不清道不明的一种因素，但这种因素却经常神奇地起着作用，这大概就是所谓的"天意"吧。诸葛亮说："谋事在人，成事在天。"苏东坡说："尽人事而听天命。"实在是大彻大悟后的名言警句。

太平公主的这次周密的行动计划，自以为是绝对秘密的，是神不知鬼不觉的，但却偏偏被这个纯粹的局外人听了去。

那个年轻仆人叫柳强，祖上是书香门第，历代为官，可在十几年前，因被仇家诬告而获罪，成年男丁都被杀头，女眷则没为官奴。那年，柳强才五岁，刚刚记事，但也只能记个大体的轮廓，详细情况则都朦朦胧胧的，记不清了。

他自己也不知道是怎么就到了岑羲的府中，成为岑羲的家奴。由于为人勤快乖巧，深得主子岑羲的喜欢，便成为岑羲的贴身跟班。一年来，岑羲飞黄腾达，一直挂着同平章事的衔，是宰相，颇受太平公主的信任和恩宠。

主多大奴多大，柳强是宰相的奴才，自然也就比一般官员的奴才吃香。岑羲颇受太平公主的信任，而柳强又颇受岑羲的喜欢，柳强便想为自家的冤案平反，就趁岑羲高兴的时候提出了这个请求。岑羲一时高兴，就答应帮想一想办法，但要求柳强先把当时的事实搞清楚，找人写个材料，待他看过材料再做定夺。

柳强听后既高兴又为难，高兴的是十几年的沉冤毕竟有了洗雪的希望，为难的是当时自己太小，许多事早已模糊不清了，甚至具体仇家到底是谁，是怎样诬陷祖上的，都说不清楚。

在他模糊的记忆中，记得有个祖姑被逼出家，但具体落到哪个尼姑庵却无从知晓。后来，他到处打听，通过他的同行们帮助寻找，也是老天作美，他还真的找到了，原来他的祖姑到了太平公主的府中，法号叫法寂，主管私家的佛堂。祖姑东北俗语叫"姑奶"。

听到这个消息，柳强乐得半夜没睡着觉，因为他知道主人和太平公主的关系，主人常带他到太平公主的府中去，这为他能见到失散十几年的祖姑提供了极大的方便。

这天早朝后，岑羲便又乘轿到太平公主府中来了。柳强是贴身跟班，比那几个轿夫和随从地位高，是奴才中的头，等岑羲一进客厅，他跟另一个随从扯了个谎，说他去办点别的事，就悄悄地先来到佛堂见法寂。

太平公主被薛崇简拽腿耽误了好一会儿工夫，也就为柳强和法寂多提供了不少时间。柳强把自己打听到的情况一说，法寂果然是他的祖姑，二人都喜出望外，法寂把当年的一些情况和细节都告诉了柳强。二人正在交谈的时候，忽然听外面有人拍了三下门。

一听拍门声，法寂的脸色一下子就白了。柳强还没有认识到问题的严重性，觉得有些蹊跷。原来，太平公主的这个佛堂，是一堂两用，既用来作法事，又是其研究机密的所在。

一旦有什么特殊的机密，太平公主总是把心腹领到这里来召开秘密会议。正因有这个特殊的用途，所以太平公主一再叮嘱法寂：佛堂是清静之地，绝对不允许任何外人随便进入。太平公主的脾气法寂是非常清楚的，她的话就是至高无上的命令，谁也不敢稍有违忤。

今天，一个陌生的男人，还是一个仆人，居然进入这个禁地，如果让太平公主知道，不但自己的性命堪忧，更重要的是恐怕侄孙柳强的脑袋要保不住。

为了增强保密性，这个佛堂只有正门而没有后门和侧门，这就给法寂出了一道大难题，怎么办？马上让柳强出去是不可能了，向太平公主解释也不会有好的结果。急中生智，也是没有办法的办法，法寂把供桌的布帘一掀，把柳强往里一推，见屁股的外形有点往外显露，又往里摁了一下，见布帘平复没有痕迹了，这才向里发了一个命令："千万不能动，无论出现什么情况，都不要出来。"

这样，柳强就被迫藏在供桌的底下，被布帘紧紧地遮住了。他的脑袋还朝里，外面的情况一点也无法看。他只听有十多个人进来，接着就听一个女人的声音。开始时他只顾紧张，什么也没有听清，从女人的口气中他猜到这就是炙手可热的镇国太平公主，他只见过太平公主的芳容，但这么近，这么清楚地听她说话，可还是第一次。

接着，他又听到了他家主人岑羲的声音，听到了窦怀贞等人的声音。渐渐地，他听明白了他们谈话的内容，具体细节和时间步骤都听得明明白白。他这才觉得事情的重大，吓出了一身冷汗。

外面的会议在紧张地进行，觉得时间过得真快，说话间半个时辰过去了。但这可苦了猫在里边的柳强，由于紧张，他已经出了一身冷汗。

这是七月的天气，关中平原每到这个季节就出现酷热的气候。身子再蜷缩着，又不敢动一动，换一换姿势，把柳强憋得满身大汗。一般常用"度日如年"这个词来形容人孤独难熬，可这时的柳强则是一分一秒都难熬了。

会议终于结束了，他听着人们先后走了出去，可他还是不敢出来。直到他的祖姑法寂打他的屁股叫他出来，他才退了出来。他的祖姑也没有问他听到了什么，他也没有来得及向祖姑说一说他听到的特大秘密，就被祖姑一点拨，马上想到得去追赶自己的主人了，便一溜儿小跑赶了出去。

饭后谈资，天机被泄

一个纯粹的局外人只因为肚子里装不下东西，把他意外听到的天大的秘密又秘密告诉了同伴，而他的同伴又秘密告诉了主人。

七月初二，也就是次日早晨，又是一个晴天。大臣们照旧到武德殿来上早朝。

宫门一开，大臣们便都按照官品的大小依次而入，依班而立。

每当这时，这些大臣们的随从人员就没有什么事，留在宫门外的一片空地上等待着他们的主人散朝，然后再把主人用轿子抬回去。而在主人上朝的一两个时辰里，则是这些随从们打哈哈取乐的大好时机。

人们的生活离不开幽默和诙谐，因为幽默和诙谐可以化解人们在现实生活中由于劳动所带来的疲乏感，也可以化解精神上的劳累和紧张感。所以只要是有人群的地方，人们就要进行各种方式的交流。

这些大臣的跟班、轿夫及护卫们也就是奴仆们的交流方式基本上就是在一起侃大山，吹大牛，传播新闻轶事，什么南山有人打死一只大老虎了，北海有人斩杀一条蛟龙了……反正凡是觉得有意思，有新闻价值的东西都是他们的话题。

既然官员们是有等级的，他们的奴才当然也有等级。宰相、将军的奴才就有些瞧不起那些普通官员的奴才，所以奴才们也就自然分成了几伙。柳强是宰相的奴才，又是岑羲的贴身跟班，比别的奴才还吃香。他在奴才的群体中也就成了一个体面人物，多少也受到一些新加入奴才队伍的一些年轻人的尊敬。但在宰相及将军的这些高级奴才中，还有一个人比柳强更有威信，这就是宰相魏知古的贴身跟班焦老黑。

柳强在昨天晚上有些失眠，他为自己知道一个天下最大的秘密而兴奋，他想向世人宣布他所知道的这个秘密，可他又知道这可不是小事，是要掉脑袋的。可要不向人说，谁能知道自己知道这样大的一个秘密呢？前天晚上因为知道祖姑的下落而失眠，昨天晚上又因为知道天下最大的秘密无所适从而失眠。连续两天的失眠使柳强的两只眼睛有些发红。

主人们已经上朝去了，奴才们每天一吹的时间又到了。宰相将军的这些高级奴才们不知不觉间又都凑到一起，相互侃了起来。

听了别人的几则新闻，柳强都觉得不过瘾，他想把自己知道的天下第一号秘密说出来，一定会使所有人的新闻都黯淡无光，可他知道这可不是闹着玩儿的。他想：今天就听你们瞎白话吧，等到后天的这个时候，就会发生惊天动地的大事变。可我就是不告诉你们。

但他转念一想：如果今天自己不告诉一个人，谁能证明我现在真的知道这个秘密呢？得告诉一个人，要不然我就白知道这么重要的特大秘密了。不行，如果说了，万一泄露出去那还了得，不能说。不说？可不说谁能知道我知道这个秘密？等到后天，再说什么也没有人相信了。

柳强的思想反复斗争了好几次，几次想把话憋回去，可那些话就像是吃得不对劲时想要往外吐的东西一样，一个劲儿地往嗓子眼儿上拱。"狗肚子装不住二两酥油"，这句话形容的正是柳强这类人。最后他决定，把这个秘密说出去，但只告诉一个人。

别人在兴高采烈地侃着，柳强悄悄拉了焦老黑的衣襟一下，向旁边僻静的地方一努嘴。焦老黑心领神会，知道是柳强跟他有悄悄话要说，立即跟着柳强离开众人一段距离，来到一个小角落。

"什么事，看你神秘兮兮的？"焦老黑不以为然地问。

"别听他们说的那些事，那有什么意思。我告诉你，我知道一个天大的秘密。"

"赛大玄，你就能瞎白话。你小子拿什么都当大事，都当秘密，你能知道什么天大的秘密，我不信。"焦老黑比柳强大十多岁，所以一说话经常带个"妈"字，反正这些人对此也都习惯了，你这样，我也这样，一还一报，谁也不吃亏。

"你不信就拉倒，我真知道一个天下第一号的大秘密。"

"快说吧，我听听到底算不算天下第一号的秘密。"

"你得对我起誓，保证不说出去，我才能告诉你。"

"你小子就别卖关子了，快说吧。你不说我可要去听别人讲瞎话去了。"

"别！别！别！我告诉你，你可千万不要说出去。"

"好，我答应你，快说吧。"焦老黑有些不耐烦。

柳强下意识地用手捂着嘴，压低了声音说道："到后天早晨，就要天翻地覆……"，柳强把他在供桌底下听到的情况全部告诉了焦老黑，只是省略了他藏在供桌下面这个细节。

"啊，有这等事？你说的是真的吗？你是怎么知道的？"

"我家主人告诉我的。我家主人对我特殊信任，他一再叮嘱我不要对任何人透露一个字。我是看咱们哥俩不错，先让你知道一下，到后天早晨，你就知道我说的全是真的了。不过，话出我口，进你耳，你可千万不要对任何人说一个字。上不对父母说，下不对妻子说。你要是说了，咱们俩就要吃不了兜着走。弄不好就把吃饭的玩意儿弄丢了。"说到这里，柳强用手掌的外侧当刀砍了一下自己的大脖子，他还真觉得大脖子凉飕飕的，陡然又紧张起来。

"放心，我绝对不会说出去。你要是只对我一个人说了，保证不会出问题。不过，你小子可千万不要再对别人瞎白话了。咱们俩把这些话都当大粪拉出去，也不要对任何人说。"焦老黑的表情一下子严肃起来，一本正经地说。

新闻在肚子里，不说出来总觉得憋得慌，可一旦说出去，又有些害怕。焦老黑离开后，柳强暗暗后悔，拍打一下自己的脑门，骂道："怎么把这么大的事说出去，破嘴真欠！"可说出去的话就像泼出去的水，想再收回来是不可能了。他的心里空落落的，空虚感一阵阵袭来。可他的心一横，又想道："反正也说出去了，一切都听天由命吧。"

焦老黑是个精细的人，能在奴才中当个头也需要一定的本事。听完柳强的话，他知道这可不是扯大玄瞎白话，他也意识到这件事对于他主子的前途甚至生命都有重大的关系。他并不十分清楚当今皇帝和太平公主的矛盾，也不十分清楚他的主子在这势不两立的政治势力中所持的立场，他只知道忠实于自己的主子，只要是对主子有关的事，他都关心。

左散骑常侍同中书门下三品魏知古是个很精细谨慎的人，作为宰相，他当然知道太平公主和皇帝的矛盾，他是太上皇一手提拔起来的，当然要忠于太上皇。但在太平公主和皇帝李隆基中间，他基本上是站在皇帝一边的。

他有一个午睡的习惯，每次下朝回来，用过午餐后，先在庭院的小花园中散一会儿步，然后便一个人溜溜达达来到书房，往小藤床上一躺，拿一本书翻一翻。困意来时，便小睡一会儿，哪怕是一刻钟或半刻钟也好，只要是睡着就行，待醒来后就精神倍增。

如果不睡这一小觉，午后或晚上则感到迷迷糊糊的，少精神头。正因为如此，他的家人和奴才都知道他这个习惯，所以一到他午睡的时候，如果没有天大的事，不是有圣旨到来这样的大事，谁也不敢来打扰他。因为在这个时候打扰他是要受到严厉斥责的。

这天也是如此，魏知古散完步回到书房，刚刚躺在小藤床上，焦老黑就轻轻推开门进来了。魏知古有些不痛快，可又知道焦老黑是个精细的人，可能是有什么要紧事才在这个时候来的。便欹歪着身子问："什么事？这个时候来打扰我。"

焦老黑把自己听柳强说的事一五一十地全都告诉了魏知古。

魏知古的睡意顿时全消，一下子坐了起来，皱着眉头思索片刻，忽然脸色一变，怒喝道："大胆奴才，怎敢如此妄言朝廷大事！"

"不是奴才妄言，真是听柳强说的。奴才自觉事大，不敢隐瞒相爷。"

"你真是个蠢材。试想，一旦上边追问起来，柳强能承认是他说的吗？"焦老黑本来是个精细之人，跟从魏知古多年，马上明白了主人的意思，说："相爷放心，我这就去把柳强弄进府来。"

再说柳强随主人岑羲回到相府后，心总是"突突突"跳个不停，很怕焦老黑把他所知道的天下最大的秘密说出去，坏了他家主人的大事，那么他为祖上平反昭雪的打算也就他妈的彻底没戏了。

正当他忐忑不安的时候，有人告诉他说后门有人叫他。他连忙出去，一看，大喜过望，原来叫他的不是别人，正是自己一刻也没有忘怀的焦老黑，煞是高兴，道："原来是黑大哥，什么风把你吹来啦？有事吗？"

"哪那么多事。像他妈你小子呢，一天总那么神神道道的。今天晚上你有事吗？"柳强思忖一下，回答道："估计不会有什么事了。"

"没事咱们哥俩去喝他妈两盅，喝完再到平康里玩一玩。我好长时间也没去那个地方了。"

柳强一听，正中下怀，能跟焦老黑在一起也免得他泄密，还可以再叮嘱他一下。再说，喝酒倒没有什么吸引力，而平康里可是个有诱惑力的地方，是得去放松放松了。于是马上答应："好！好！好！我进去取点银子。"

"你这小子，说的他妈什么话。既然是我邀你，怎么能让你花钱！"

"嘿嘿嘿，既然黑大哥如此盛情，小弟就不客气了。"

去平康里的路上，正经过魏知古宅院的后门。到了门口，焦老黑忽然停住了脚步，摸摸衣袋道："强子，今天咱们哥俩得他妈好好玩一玩，我钱袋里的银子恐怕不够。你在这里等我一会儿，我进去再多取点银子来。"

"你他妈就让我在这里晒太阳啊？我还有点渴了，我也跟你进去吧。"

"进去吧！"

一跨进大门，柳强就再也出不来了。

掌握证据，进行部署

"要想天下太平，必须先杀太平。"李隆基已接受下属王琚的这个意见，开始进行一场反政变的部署。

近几天来，李隆基的心情经常处在焦虑和亢奋的煎熬之中。天气虽然连续晴朗，风和日丽，但他隐隐感到一场大的暴风雨就要到来。

半个月前，他接到密报，说岑羲、萧至忠、窦怀贞、崔湜等人经常到太平公主的府中去。右羽林大将军常元楷和另两位禁卫军将领李慈、李钦也经常出入太平公主的府邸。具体商讨什么事却无从得知，但有一点可以肯定，这是冲自己来的。情况很是严重。

这时，李隆基最倚重的股肱大臣姚元之和宋璟都被贬谪在外，刘幽求、张玮、张说等也都被赶出了京师。在身边可以倚重的人只有中书侍郎王琚、龙武将军王毛仲、殿中少监姜皎等人，连一个宰相也没有，直接掌握禁兵的大将也没有，与太平公主的势力比起来，显得太薄弱。

很显然，如果不抓到太平公主的确凿罪证，在道义上不占绝对优势，不采用突然袭击出奇制胜的策略而双方就公开展开武装冲突的话，皇帝李隆基非惨败不可。所以，李隆基虽然早已有心除掉姑母太平公主的势力，但一直没有找到机会。

形势越来越严峻，三天前，左丞张说派亲信从洛阳送来一把佩刀，劝李隆基当断即断，快刀斩乱麻，解决太平公主干政的问题。

昨天，也就是七月朔日（初一）早朝后，荆州长史崔日用特意进宫觐见李隆基，道："太平公主谋逆有日，陛下往日在东宫，犹为臣子，即使有心除逆，也有诸多不便，尚须使用计谋。今日已经光临大宝，君临天下，但下一道圣旨，谁敢不从？不可优柔寡断，一旦奸人得志，悔之晚矣。"

李隆基皱着眉道："此事确实如君所言，予思之久矣。但苦无良策，虽有心解决，又恐怕惊动太上皇，如之奈何？"

崔日用略显焦急，说话速度明显加快，道："天子之孝与匹夫之孝有别。天子之孝，在于保社稷，安天下，造福于黎民。如果奸人得志，社稷倾颓，生人涂炭，又怎能算是孝心呢？"

崔日用停顿一下，等着皇帝表态。见李隆基在沉思，便继续说道："请陛下快下决心，先定北军，后收逆党，事先不必报告请示，自然就不会惊扰太上皇，也可保陛下之孝心。"

"爱卿言之有理，待予再考虑考虑。"

崔日用刚刚退出去，王琚又来觐见。不知是什么原因，李隆基一见这个王琚，空落落的心里马上就好像有了主心骨。

王琚的性格是快言快语，在行过君臣叩拜之礼后，立即开门见山地说道："陛下，势急矣。据下人来报，近日来那几名宰相天天到太平公主府里去。看来要加强准备，以防不测。"

"予知道，爱卿可有何高策？"

"请恕臣直言：要想天下太平，必须先杀太平。还是那句话：'当断不疑'。"

"当断不疑"，这四个字勾起了李隆基对往事的回忆。

那是在平定诸韦之前，韦庶人一党已经全面控制了朝政，蛇蝎豺狼般的奸佞小人布满朝廷，伯父中宗李显名为皇帝，实际已完全被架空。与这样大的邪恶势力斗争，必须格外小心，出手要快。如果稍有不慎，就有被蛇蝎豺狼毒死吃掉的危险。

当时，自己虽然已经做好平定诸韦的准备，但心中还有些犹豫不决。一次，自己率领亲信到城南的一个猎场去打猎时，突然有一个身穿布衣的人交给自己属下一张纸条，纸条上只写了八个字："当断不疑，当仁不让"。等自己召见此人时，此人已经不告而辞。

"当断不疑"，这四个字促使自己下定决心，给自己以无穷的鼓舞和力量。在平定诸韦之后，不久就涉及确立太子之事，这时，自己才明白"当仁不让"这四个字的含义，可见这个带有神秘色彩的人物已经预见到平定诸韦胜利后确立太子之事，真是个料事如神的人。但自从那次献上纸条后，这个神秘的人物再也没有露过面。

一年前，自己还是太子时，这个神秘的人物突然又出现了，并向自己请罪，如实说出他的身份。原来此人就是当年曾经参加驸马都尉王同皎起兵讨伐武三思和上官婉儿等人的王琚，失败后逃到江南，隐姓埋名，为人抄书写信，才活了下来。这个案子在平定诸韦后就已经平反昭雪了。

这个王琚，确实是个奇人，他的话与别人也不一样，往往是一针见血，入木三分。平定诸韦前，他说了八个字："当断不疑""当仁不让"，给自己很大的启示和力量。

在一年前回来见到自己后，自己问他："你为什么才来见我？"他的回答也与众不同："小人认为，今日来见正是其时。""此话怎讲？""殿下平定诸韦，虽废心力，但必获成功。而殿下今日虽得立太子，距离真正君临天下，还有相当大的距离。殿下需用小人，不在当日，而在今天。"几句话就说到了自己的内心深处，于是便把他留在身边，成为自己的主要谋士。

"要想天下太平，必须先杀太平。"这话说得太精确，太精彩了，李隆基点头表示赞许。

见皇帝点头，王琚建议道："形势日急，应当防备万一，从明天起，各宫门和城门的守卫都应当再重新换一次，全部换上我们的人。"

"好！此事由你亲自去办，不得委托他人。另外，要严密监视能出入宫城的其他渠道。"

"臣遵旨。"王琚领命后退了出去。

大约就在王琚退出宫来的时候，太平公主府中的最高级秘密会议也刚刚散场。双方都加快了行动的步伐，一场政变与反政变的生死大搏斗正式拉开了序幕。

种种异常，截获剧毒

马球场上，精于此道的李隆基大失水准。王琚来了，高力士来了，他们三人匆匆忙忙离开了马球场。

七月初二的早晨，朝暾懒洋洋爬上东方的地平线，大唐帝国的首都长安城又从昏睡中醒来。一切都那么平静，街面上开始出现行人，早朝的仪式依旧在武德殿中准时举行。

一个上午过去了，没有什么新情况。

太平公主在内宅中焦急地等待着朝廷方面的信息。将近午时，崔湜派心腹准时传来了消息：从早朝的情况来看，一切正常，按照既定计划行事。前天的会议上决定，为了避免引起对方的怀疑，在这三天里没有极特殊情况，任何人不得再到府中来。

听完来人的报告，太平公主紧悬着的心一下子落了地。她长长吁了一口气，把全身放松一下，整个大脑出现瞬间的空白，身体感到十分的舒服。

片刻过后，她又出现了亢奋的情绪。后天的这个时候，她将以主宰者的身份出现在大政殿中，她将再次亲手把皇帝李隆基拉下宝座，再立一个新的皇帝。她将要让天下百姓明白这样一个道理：她，只有她镇国太平公主才是天下的主宰，"镇国"二字不是空的，是真的要镇住整个国家。顺她者昌，逆她者亡。就连皇帝也是如此，何况其他人乎？

想到得意之处，太平公主微笑了一下。忽然，她的思绪又飘到了儿子薛崇简身上。平心而论，这个儿子是她最喜欢的，仁义孝道，精明强干，一直都很顺从自己，支持自己的行动，在平定诸韦的过程中，他起了相当大的作用。可这次不知中了什么邪，却一直站在反对的立场上，而且态度十分坚决而鲜明。昨天早晨矛盾发展到白热化的程度，被自己用银如意打了之后，一直软禁在一个小屋里。听下人说，他还一直不吃饭……

想到这里，太平公主的心一揪，一阵难受，马上站起身来，匆匆忙忙向拘押儿子的那个小屋走去。

见母亲到来，躺在床上的薛崇简硬撑着坐了起来，露出深邃而疑惑的目光，只轻轻叫了声："母亲。"就不再说什么，因为他不知道母亲来干什么。太平公主俯下身躯，用手轻轻抚摸儿子的脸庞，心疼地问："伤口还疼吗？"

"不疼了，母亲不必担心。母亲，儿只是不明白，您为何非要和皇帝过不去，非要废掉皇帝不可呢？您的地位已经到顶了，您的享受已经到顶了。您是太上皇的妹妹，是当今天子的姑姑，有镇国太平公主的封号，有实封一万户的采邑，您还有什么不满足的呢？即使您此次成功，您还能多得到什么呢？何况，当今天子是个难得的君主，他锐意图新……"

"住口。不许你再为李隆基歌功颂德，涂脂抹粉。什么'锐意图新'，不过是用一些不谙人情世故的年轻人，搞一些什么蛊惑人心，沽名钓誉的新花样。他的所作所为，早已令一些元老大臣、勋戚故旧心中不安。何况他又向我步步进逼，多次和我过不去。孩子，不是母亲和李隆基过不去，是李隆基和我过不去。不除掉他，怎保我泼天的富贵？怎保我永远有至高无上的权力？"

"母亲，听孩儿一劝吧。还是刚才那句话，您即使成功了，又能多得到什么呢？万一失败了，那后果可就不堪……"

"失败？你娘我从来不知道失败两个字怎样写。这些年来，我失败过吗？韦庶人怎么样，还不是败在我的手下。"

"母亲，当今天子可不比韦庶人。另外，孩儿听说，一时胜负在于力，千秋胜负在于理。几十年来，朝政混乱，政出多门，奸佞竟进，君子道消，小人道长。人们企盼明君整肃朝纲，有如久旱盼甘霖。当今天子英武有为，锐意图新，深得人心，朝廷内外，尽心尽力拥戴他的大臣很多。您这次一定要与他较量，即使侥幸得胜，恐怕千秋万代之后，也要被人唾骂。何况胜负难卜，如果事有不测，便是谋反的罪名，不但我们家要满门抄斩，恐怕母亲也要死无葬身……"

"啪！"一声清脆的响声，太平公主抚摸儿子的手突然变了动作，由轻轻的爱抚变成一个凌厉的巴掌，狠狠地给薛崇简一个大嘴巴，什么也没说，站起身来就走了。

为了使紧张的神经松弛一下，散朝之后，李隆基来到他生活多年的隆庆坊，和他的一些亲信又打起了马球。

隆庆坊是李隆基的发祥之地，他和哥哥弟弟们被祖母封王之后，便被安排到这个地方来，当时称"五王子宅"。在李隆基当上皇帝后，为了避开名字中的"隆"字，便把隆庆坊改名为"兴庆坊"。

由于这里出了皇帝，地以人贵，风水显得就更好了。李隆基已经在考虑把这里修建成一座宫殿，只因刚登基不久，尚有许多事相互掣肘，故规划蓝图只存在于他的头脑中，尚未付诸实施。

人有个共性，这就是对青少年生活过的地方有一种说不清道不明的依恋情结，总觉得那地方最亲切、最安全。不但对那里的人感到亲切，就连那里的一草一木也仿佛有一种亲切感。李隆基在当上皇帝之后，心情一烦躁便到这里来。兴庆坊成了他精神生活的避风的港湾。

昨天午后，他已经对几件事做了周密的安排，王琚和高力士等人分头去行动。今天散朝后，这些人将分头来这里向他汇报事情的进展情况。李隆基觉得，只有这里最安全，最可靠，这里的人都是久经考验的，是跟随他多年的亲信。当年平定诸韦，许多大事就是在这里决定的。这里不但是他精神生活的避风港，而且是他进行政治大决战的大本营。

李隆基是个全才，他精通音律，会舞蹈，擅长樗蒲，对这几种行当都很精通。但他最喜欢的是打马球。

打马球是一种运动量很大的带有体育性质的游戏，在当时的上层社会非常流行。球场的两端各立一个球门，球门由一块木板制成，木板的下面有一个孔，孔的后面安上一个网兜。球是用木头制成的空心球，与现代小孩玩的皮球形状和大小相似。

比赛的双方分为两队，每名队员手持一根球杖。球杖也是由红松或檀木等上等木料制成的。四尺多长的把柄前有一块略成一定角度的横挡木，其形状大略与现代的冰球运动员所拿的球杖差不多。

比赛开始时，双方运动员各自骑马站在指定的位置上，球放在场地中间的一道白线上。裁判员以吹哨发口令，哨响后，双方队员便驱马进场，挥动球杖击球，对方的队员则用球杖阻挡，把球击进对方的球门就算胜一筹，全场结束时，得筹多的一方就算胜利。

这种运动对抗性强，刺激性强，对人的身体素质有全面的要求。既要有强健的体魄，又要有灵活机敏的反应能力，而且还要精通骑术，与所骑的马匹要有默契的配合。凡是这种在一定场地中双方对峙的运动，都要求运动员要有急停、急转、急起的能力，即是对爆发力的一种考验。运动员本人在这方面要达到得心应手的程度都很不容易，何况是马匹呢？故凡是敢进场击球的人，一定都是骑术很高的人。

李隆基还不到三十岁，正是人生的黄金季节，是体力、精力都最旺盛的时期。他体魄健壮，反应机敏灵活，每当他出现在球场上的时候，场上立即会出现一个小高潮。只见他和他的那匹枣红马配合默契，如风驰电掣般，左右前后，回旋冲突，球到马到，马到球起，满场观众总是爆发出一阵阵的喝彩声。

可今天不知是怎么了，李隆基击球的技艺大失水准，连续有两个势在必进的球都打飞了。忽然，见王琚出现在球场的外面，李隆基立即驰马出场，让一个替补队员上场。

王琚简明地向李隆基报告，种种迹象表明，对方发难的日子似乎已经临近，现在已进入非常时期。一个迹象是：与李隆基关系密切的薛崇简从昨天下午开始失踪了。

李隆基和薛崇简的关系一直非常密切，二人是亲表兄弟，在平定诸韦的过程中曾并肩战斗，配合默契，故相互钦佩信任。近一段时间，薛崇简在李隆基面前经常是闪烁其词，吞吞吐吐，总好像是有话要说又不说。这不是薛崇简的性格，李隆基知道他有难言之隐，也不勉强追问。但细心的李隆基则把他作为一个重要人物暗中派人监视起来。

今天早朝薛崇简没有来。早朝后，高力士派人去薛府打听薛崇简的情况，可薛府的人说昨天下午薛崇简就到太平公主的府中去了，一直也没有回来。薛府再派人到太平公主府中去询问，太平公主府中的人矢口否认，说二公子薛崇简根本没有到那里去。

光天化日，朗朗乾坤，一个能文能武、掌握一定兵权的年轻郡王竟在京城里失踪了，岂不是咄咄怪事？

另一个迹象更令人吃惊：刚巧在正午最热的时候，王琚在通向后宫的御沟中截获了一包烈性剧毒药——菌药。从昨天开始，皇宫和后宫的门卫突然都换了，由王琚和高力士亲自安排李隆基的亲信全面控制了出入宫城和后宫的所有门卡。

王琚心细，宫门的路全被堵死之后，能够和宫城及后宫相通的便只有这道御沟了。

所谓的御沟，是一条人工开凿的水渠。长安城的周围，有八条河流环绕，水利资源十分丰富，当时便有"八水绕长安"的说法。八条河流中，流经城东南的浐水被利用得最为充分。围绕外城的护城河里的水便以浐水为主，而在护城河以东，又专门开凿一条叫作"龙首渠"的人工渠道，引浐水进入宫城内。

也是苍天有眼，该着李隆基命不该绝。这天中午，王琚一边吃饭一边思考这两天发生的一切怪事。并把自己的安排尤其是对皇帝李隆基的保护措施从头到尾想了一遍，所有宫门的门卫都在他的脑海中过了一遍。他感到万无一失，就连一只值得怀疑的苍蝇也休想从宫门进入皇宫和后宫。

忽然，一个念头闪现出来：御沟的水从外面流进后宫和皇宫，水面上不也可以漂浮东西吗？想到这里，他的心里一悸憟，马上放下筷子，一个人来到通往后宫的一道御沟旁，仔细观察沟中的流水。

水的流速很缓慢，水面静静的，呈现出蓝汪汪的颜色，不时地漂过一两片因天热而早落的树叶，其他的什么也没有。王琚不由自主地苦笑了笑，想道："看来自己是有点神经过敏，这么一道御沟，谁又会在这上面做什么文章呢？不行，不能大意，宁可多虑，不能疏忽，得派专人来监视这条水道。"

想到这，他有心要回去另派他人，但见水面清静，便下意识地蹲在沟旁，静静地观看着缓缓而行的流水。再抬头看看天空，只见天空中不时地飘过一两朵洁白的云彩，轻飘飘的，十分安闲，仿佛是个游春的少女，面带微笑，漫不经心地欣赏着人间。

他的心被眼前这和谐静谧的精致陶醉了，暗想人生要是像行云流水这样，顺应自然，无挂无碍，心情永远保持一种安静平和的状态该有多好。等这次行动结束，自己一定像范蠡、张良、严光、陶渊明那样，退隐江湖，过清闲自在的渔樵生活。

想着想着，无意中他忽然看到上游漂下一个比树叶还大的东西，他的眼睛一亮：有异常情况，是什么东西？他的眼神特别好，如果说蚊子在他面前飞过他能知道公母那是有点玄，但这么说吧，二里地远的地方如果站着一头牛，他绝对能分出公母来。

在水上漂浮物还有两丈多远的时候，他看清那是一块大约二寸见方的小木板，木板上有一个小纸包。

他机警地站起来，迅速抽出随身佩带的宝剑，一纵身挥动宝剑从御沟一棵大柳树上砍下一截树枝来，唰唰唰，几下子把树枝的旁梢削掉，剩下一根大约五尺多长带一个小弯的树棍，有点像击马球的球杖的形状。

小木板漂到王琚的前边，他弯下身子，用木棍一划拉，那个木板和那个小包就被划拉到岸边，他把木板和小包都拿起来，看了看木板，与通常的木板无异，便把小包打开。

包的里边是一层防水的蜡纸包，里边包的是面粉状的药物。用鼻子一闻，一种微小而强烈的药香直透他的五脏六腑，他的鼻子感到有些麻木。精通药理的王琚马上反应过来，这是菌药。他听人说过，菌药越麻越毒，有人通过御沟往后宫偷送毒药。

听完王琚的汇报，李隆基觉得事态严重，正准备要回后宫时，忽见高力士来了，而且是一路小跑，满头大汗。这是怎么啦？李隆基更感到事态的严重。

亲自挂帅，筹划反逆

一场由年轻皇帝亲自挂帅的反政变大行动正在紧张筹划。这仿佛是一场惊心动魄的戏剧，高潮就要到来。

太平公主府里，气氛也不轻松。她刚刚得到崔湜派人送来的情报：今天早晨开始，不知是什么原因，各个宫门的守卫都换人了，原来属于自己一党的那几个人都被换掉，门卫对出入的人搜查十分严格，由人从大门把东西带进去的第一方案无法实行，只好采用第二方案，通过御沟把东西漂进去，而且已经把话秘密传进去，让元宫人按时到指定地点去取。从时间上来估计，东西已经进宫，但还没有得到其他消息。

"宫门的守卫都换了人。"这个消息使太平公主有些吃惊，她觉得自己遇到对手了。这仿佛是在走一盘棋，自己的每一步似乎都被对方看出来，对方一直处在占先的位置。但事已至此，想要退出棋局是不可能了。无论是赢是输，都必须下完最后一个棋子，她不能中盘认输，这不是她太平公主的性格。

东西传进去，是否能到达元宫人的手中还是未知数。但即使是元宫人失手，不能把药投进赤箭粉中，到后天早朝的时候，也还是李隆基的死期。常元楷和李慈、李钦统领的右羽林军还是忠实于自己的部队，这些久经训练的部队可不是白吃饭的，十分有战斗力。

太平公主相信她的势力是不可战胜的。"李隆基，不论你怎么折腾，这次我也要和你斗个鱼死网破，活着，就要挺起腰板，要有权有势，要有泼天的富贵，不能窝窝囊囊，受人指使。"这是太平公主的一贯信条。

太平公主在等待着，她觉得时间过得太慢，到后天早晨还有一天一夜的时间，还有十几个时辰，她在盘算着每一个步骤，在苦熬着每一刻钟。她府中的家丁早已顶盔掼甲，进入紧急状态，时刻准备厮杀。

再说李隆基刚听完王琚的报告，又见高力士一路小跑而来，知道不是一般的事。高力士跑到近前，也不等李隆基问，便喘着气道："陛下——散——骑——常侍——魏知古大人——有要事见驾，在宫中恭候。"

魏知古是个以稳健出名的大臣，他刚刚下朝不到半天就特来见驾，绝非寻常。李隆基皱了一下浓浓的双眉，果断地下达命令："力士，去传予的口谕：命岐王、薛王、郭元振、龙武将军王毛仲、殿中少监姜皎、太仆少卿李令问、尚乘奉御王守一、果毅李守德立即到武德殿西偏殿去见驾。"

"奴才遵旨。"高力士答应一声，刚要转身离去，李隆基又叫住了他，吩咐道："暂时先不要传王毛仲。""奴才明白。"高力士答应后马上快步离去。

李隆基和王琚急忙上马，带着贴身护卫直接奔武德殿而来。

武德殿的西偏殿是一个规模较小的殿堂，散朝之后，李隆基经常在这里接待一些单独来上本的大臣。魏知古正等候在这里。

太阳已偏西，血红的夕阳之光把金碧辉煌的都城染上一层血红的颜色。接到紧急口谕的那些人正从不同的方向向武德殿赶来。

见年轻英武的皇帝李隆基来到，魏知古慌忙见驾。李隆基命他免礼平身。魏知古把柳强所招供的关于太平公主谋逆的一切计划全面向李隆基做了报告。

李隆基抑制住内心的愤怒和喜悦的情绪，半眯着眼睛在思索着，一声也没有吱。王琚见状，也没有说话，只是用那双深邃的眼睛盯着魏知古，等着他继续说。

等了一会儿，召集的人都到齐了，几个人都因赶路而累得气喘吁吁，有的用手帕揩汗。简单地行过君臣大礼后，都坐在各自的位置上，在等待天子发话。

李隆基见所有的人都已到场，这便是他在京师里的全部心腹。他命王琚和魏知古分别把今天发生的事简明扼要地说明一下，然后，让群臣们发表意见。

听完两个人的启奏，李隆基长长叹了一口气。事情到这个地步，要想回避是绝对不可能了。他已经下定决心，要调动兵马，要拿出比当年平定诸韦还要大的勇气来，平定一场即将发生的宫廷政变。然而，对方是他的亲姑姑，是父亲太上皇唯一在世的同胞妹妹。他不愿自己先说出口，要等群臣发言，所以听完王琚和魏知古的话后，他表现出一副无可奈何的样子。

王琚最明白李隆基的心思，所以最先表态，话说得还是那么干脆利落："臣以为，兵来将挡，水来土屯。既然是太平公主逆谋已成，陛下则必须痛下决心，诛除乱党。要想天下太平，必须先杀太平。"

凡是这种场合，最关键的是第一个发言的人。一有人开头，下面的人就好办了。果然，一向稳健持重的魏知古也表态了："陛下，微臣以为，王大人所言极是。今日之事，凶兆迭现。太平公主逆谋已成，证据确凿，社稷有倾颓之危，陛下有不测之祸，看来不动刀兵是肯定不行了。"

"唉。"李隆基打了一个嗨声，又长长吁了一口气，无可奈何地说："两位爱卿所言有理。可是太上皇仁慈，同胞兄妹又只有太平一人。何况太平又是予的姑母。如果诛灭群小，太平是首逆之人，恐怕难以赦免，予实难辞不孝之名。但事已至此，又不得不采取对策。不知众爱卿是否还有其他良策？"

王琚对李隆基的意思心领神会，马上紧接着说道："臣以为，天子之孝，在于保宗庙，安社稷，定苍生。太平公主上倚太上皇之宠，下以一些卖身投靠的文武大臣为羽翼，朋比为奸，招权纳贿，干预朝政，败坏朝纲。如今逆谋已现，是天赐陛下良机，陛下不可坐失。臣还是那句话：要想天下太平，必须先杀太平。请陛下圣裁！"

"王大人所言极是，请陛下圣裁！"另外几名大臣几乎是异口同声。

"众爱卿既然以大义苍生为重，予也就无话可说，只好采纳众爱卿的意见，守至大之孝，只好大义灭亲了。只是在行动的时候，千万不要惊动太上皇的圣驾，其他一切就都无所顾忌了。"

李隆基的话有非常明确的暗示性质，这就是此次大行动，万万不可让太上皇知道，因为若是太上皇知道了，又要横生枝节，就难以预料会出现什么后果了。

王琚听出李隆基的话外之音，马上说道："陛下所虑甚是。太上皇年事日高，不能让他老人家再操心了。何况陛下身为皇帝，诛除叛逆，可以自出宸衷，自然不必惊动太上皇。"话说的是多么冠冕堂皇，完全是为太上皇着想，这便是语言的妙处。

一场由年轻皇帝亲自挂帅的反政变大行动在紧张筹划着。这仿佛是一场惊心动魄的戏剧，高潮就要到来。

太平公主在府中也不能入睡，她在亲自询问聆听来自各方面的消息。菌药是否安全到达元宫人的手中不得而知，但也没有被人截获的消息。常元楷所控制的右羽林军没有任何异常，出奇的安静。这反而让她有一种不祥的感觉。

窦怀贞将去南牙十六卫直接率领那些将士参加后天早晨的大行动，窦怀贞处也没有传来任何异常的消息。

宫廷内外，一切都很安静，仿佛李隆基什么也不知道。只要能再平安地度过一个白天，后天的早晨自己就将成为天下的主宰。

但宫廷内外的真实情况她摸不着，李隆基现在在干什么她也不知道，她突然感到自己像是一个瞎子，像是一个情报系统完全失灵的军事指挥员，在指挥中有些不知所措。"知己知彼，百战不殆"，这个道理她是明白的，现在自己根本就无法知道对方的情况，她怎能不忧心忡忡呢？

她感到太累，精神太疲惫，她有些厌倦，想到这样做真是有些不值得。但她的头脑极其清醒，她知道这时想退出局外洗手不干已经不行了。现在的情形就好像是骑在老虎背上，不是把老虎打死，就是被老虎吃掉，二者必居其一，别无选择。用民间的俗语这就叫"手杵磨眼，挨也得挨，不挨也得挨"。

入夜了，万籁俱寂，只有夏虫的唧唧之声。一弯细细的月牙挂在如洗的天空中，一点风丝也没有，天气非常闷热。虽然刚刚还在给她扇扇子的丫鬟就睡在她的外间屋，但太平公主的心里感到空落落的，一个人独自斜躺在床上，冷冷清清，连个说话的人也没有，好不寂寞孤独。

碧纱窗外，群星闪烁，弯月高升在正空，整个宇宙都睡了，只有太平公主还不能入睡。她仰望晴空，忽然产生了种种遐想。

有人说，地上有一个人，天上就有一个星星。满天都是闪烁的星星，大小不等，亮暗不同，疏密各殊，哪一颗星是自己的呢？人在这个神秘的宇宙中到底是什么位置呢？人来到这个世界上到底是为了什么呢？什么才是最幸福最有意义的生活呢？争权夺利，尔虞我诈，终日处在政治斗争的旋涡中，稍一不慎就有灭顶之灾，战战兢兢，如履薄冰，心总是在揪着，神经的弦总是绷得紧紧的。即使是处在肉山酒海中，享受泼天的富贵，又有什么意思？太太平平、安安静静、真真实实，这不也是一种幸福吗？不行，只要活一天，我就要说了算，要有权势，要拥有泼天的富贵……

太平公主心如乱麻，思绪纷纷，理不出一个头绪来。忽而想这样，忽而想那样，忽而仿佛是梦境，忽而又觉得是在醒着，想睡又睡不着，睡不着更想睡，蒙蒙眬眬，模模糊糊，那滋味实在难受。

启明星出现在东方，天已经麻麻亮。太平公主刚刚有些迷糊要入睡，忽然被睡在外间的丫鬟叫醒，说是外面有人来，有紧急情况报告。

速战速决，铲除逆党

李隆基以出其不意之手段，以迅雷不及掩耳之势挫败了太平公主的政治阴谋。所有要犯均被斩首，只有太平公主和崔湜两名首犯活命，怪哉！

太平公主一听有人来报告消息，困意顿消，忙让人传进。

来人是常元楷派来的，说是他奉圣旨宣召，马上入朝，不知何故，特来报告。不一会儿，李慈、李钦也派人送来同样的消息。

来人走后，太平公主马上吩咐贴身丫鬟去把亲信家丁都召集起来，全副武装，立即进入紧急备战状态。一面派人分头到南军、北军、宫城、皇城等关键地方去打探消息，一面让几个丫鬟收拾细软珠宝，打成几个包裹。

不到半个时辰，回来消息，说常元楷、李慈、李钦三人进入虔化门后，大门紧闭，里面有厮杀之声。又有消息说，不知是什么军兵往朝堂方向跑去……

　　听到这些消息，太平公主立刻猜到发生了什么，当机立断，命府里的大总管率人看家护院，她自己则再次穿上那身黑色的戎装，只带四名贴身的丫鬟和十名武功高强年轻力壮的家丁，带上准备好的几个包裹。

　　马匹早准备好，太平公主见四个丫鬟和十名家丁也已穿戴整齐，全是一身戎装，立即宣布道："跟本公主出发，具体干什么，到什么地方去都不要问，唯我马首是瞻。一切听我的命令，不准贸然行事。"

　　"小人明白。"这些人都是太平公主的心腹，曾跟随太平公主经历过许多风风雨雨，对主人非常忠心。在奴才的队伍中也算是佼佼者，封建专制制度在培养奴才方面取得了极大的成功。这些奴才从来不过问主人的任何事，只是听从，是供主人驱使的高级工具。不问曲直，不论是非，不管对错，只要是主人发的话，就是至高无上的真理，他们便坚决照办执行。

　　太平公主骑着铁青马跑在最前面，14个奴仆紧随其后，出了宅院的大门。街面上已经出现混乱的局面，时而有人慌慌张张地跑过去。前文书交代过，太平公主的宅院在醴泉坊，隔一条大街就是当时经营专卖外国货的西市，这是个非常热闹的地方。如果在平常日的此时，这里已经是车水马龙的情景了，可今天没有多少人。

　　太平公主府和西市相隔的这条大街是长安城中东西走向的最宽敞最繁华的街道，往东走只过一坊的距离便是巍峨高耸的皇城的南城墙，我们姑且称之为皇城南大街。这条大街的东面是春明门，西面是金光门，都是长安城的主要城门。

　　出宅院后，太平公主没有半点迟疑，立刻拨马向西面的金光门而去。金光门的守城军官是太平公主的人，也是另一种奴才，见主人带人马到来，也不过问，马上令军兵放行。

　　出了金光门，太平公主长长出了一口气，不敢做片刻的停留，带领一行人马向南一拐，放马奔驰起来，身后是一溜尘土。

　　太平公主逃跑了，她并不知道宫城里究竟发生了什么情况。

　　回头再说李隆基。昨天夜间，凡是奉诏前来的大臣都留在宫中，没有回家。当决定立即采取非常行动，马上除掉太平公主一党后，李隆基命高力士传王毛仲立即进宫。

　　众大臣这才注意到，皇帝李隆基一向比较倚重的王毛仲为什么才被宣召。李隆基命御厨马上送些简单的饭食过来，君臣草草用过。

不到三更天，王毛仲随着高力士跨进偏殿的门槛进了殿堂。王毛仲一见皇帝和这么多大臣都在，预感到将要发生大事，忙向皇帝行叩拜大礼。

李隆基表情非常威严，剑眉倒竖，也没有让王毛仲平身，而是一字一句地问道："王毛仲，你有两条死罪在身，你可知道？"

这句话如同是五雷轰顶一般，王毛仲的汗一下子就出来了，鼻子尖上出现一层小水珠，说话也有些拌蒜，哆哆嗦嗦地答道："臣实不知有何罪过？"

其实，也不怪王毛仲这么说，就连在场的其他大臣也感到有些莫名其妙，圣上对龙虎将军王毛仲一向很看重，今天怎么说翻脸就翻脸，又说有两条死罪在身了呢？

"予来问你，当年诛灭诸韦的那天晚上，你跑到哪里去啦？"

王毛仲的汗更多了。确实，他是个爱耍小聪明的人，有时胆小如鼠，有时胆大如牛。平定诸韦的那天，他奉命和太平公主联络，他感到李隆基的行动太冒险，在最后到太平公主府中联络时就顺便故意留在那里没有返回去，等局势明朗后他才出现。但当时李隆基并没有问过这件事，他以为李隆基忽略了这一点，便一直抱着侥幸的心理。今天被这么一问，确实有些发懵，就支支吾吾地说："那天……晚上，臣……被公主留在……府中，奉……公主之命，领兵……宿卫……"

"养兵千日，用兵一时。予养你多年，在生死攸关的关键时刻，你却临阵脱逃。只此一罪，就应当砍下你的脑袋。这是一罪，今天姑且记下。予再问你，你身为羽林军龙虎将军，可知北军中有人图谋造反，意欲谋害朕躬？"

"这个……罪臣实在不知。陛下试想，谋逆大事，怎能人人知晓？"

"你身为朝廷宿卫之将，身边有人谋反，居然毫无察觉，这也是大罪一条。"

王毛仲连连叩头，说明他实在不知有人谋逆之事，面颊上的汗已经开始往下淌了。李隆基把绷着的脸略微放松了一点，语气也和缓一些道："王毛仲，你说，这些年来，予对你怎么样？"

"恩重如山，恩重如山……恩重如山。"他实在找不着再好的词，他只是个起起武夫，也不会别的词。

"予今天再命你去办一事，你可愿意？"

"赴汤蹈火，肝脑涂地，微臣也在所不辞。"王毛仲立刻来了精神。

"好。事情办得好，过往不咎；稍有差错，数罪并罚，予杀你的全家。"

"臣恭听圣谕。"

李隆基站了起来，威严地下达口谕："右羽林大将军常元楷、知羽林将军李慈，图谋叛逆，罪在不赦。予命你立即去提三百禁兵，骑三百匹闲厩马。埋伏在武德殿西厢外的虔化门两侧，等常元楷和李慈一进门，你什么也不用问，立刻将他们二人斩首。关闭城门，如有反抗者，格杀勿论。"

王毛仲领命而去。

接着，李隆基像一个高级的军事指挥员，下达一道道命令，部署得十分严密。在整个这次大行动中，李隆基抓住了两个最关键的环节。一个是解决右羽林军即严格控制住北军的问题，这是京城里最有战斗力的部队，如果控制不住，将会全盘皆输。所以，他经过一番深思熟虑后，才用恩威并施的手腕派很有战斗经验的王毛仲去完成这一关键任务。

只要解决了北军的兵权问题，就等于把对方的"车""马""炮"都吃掉，对自己的威胁立即就可排除了。一个是牢牢控制住自己的父亲太上皇，这可是个关键的人物。一旦他被太平公主的人所控制，后果也将不堪设想。当年自己的祖父唐太宗李世民在发动玄武门兵变时，就是先派心腹大将尉迟敬德去保护高祖皇帝而掌握了主动权的。所以，这次行动，他暗示属下，千万不要惊动太上皇，一定要保护好太上皇的安全，就是要把太上皇控制在自己的手心，严防被太平公主所利用。

一切都按照预想的步骤进行：常元楷、李慈授首，他们俩在北军中的死党都被派去的人杀掉；岐王和薛王迅速夺取了南牙十六卫的兵权，守住了皇城的南门。太平公主一党所能掌握的武装力量全部土崩瓦解。李隆基见一切顺利，马上和王毛仲带领那三百御林军直接向朝堂奔去。

萧至忠、岑羲照常来上早朝，站在群臣的中间，见李隆基亲自带着人马而来，暗中叫苦，知道事情不妙，可是再想逃跑已经来不及了，只好装作若无其事的样子，想要蒙混过关。

军兵来到，群臣都很紧张。王毛仲指挥人直接到人群中把萧至忠和岑羲二人倒剪双臂，五花大绑着拽了出来。顷刻间，李钦、李猷等人也被绑来。

李隆基传旨：把这些十恶不赦的逆党就地正法。

没有人哀求，没有人哭泣，也没有人喊冤。因为所有参加谋反的人都知道，在政变与反政变的斗争中，从来就是你死我活，不能共存。成功了，便是开国元勋，高官得做，骏马得骑，享受不尽的荣华富贵，失败了，脑袋搬家，命归黄泉，没有什么好说的。

几颗人头被刽子手砍下，殷红色的鲜血洒在嘉德门外的青砖地上，显得是那么惨淡凄凉。

追捕窦怀贞的人报告，窦怀贞在走投无路时，已在御沟旁的一棵柳树上自缢身亡。去包围捉拿太平公主的人员来报告，太平公主带十几人逃出城去，已经出城一个多时辰。

这时，李隆基脸上露出胜利者自豪的微笑。他带着王琚等亲信登上承天门城楼，向躲在城楼上忐忑不安的太上皇请罪问安，李隆基一身戎装，不便行叩拜大礼，只是单膝点地，汇报道："窦怀贞、岑羲等人图谋不轨，儿万不得已，动用刀兵诛灭之。因怕惊动父皇，故未先奏知，请父皇治儿先斩后奏之罪。"

李旦见儿子李隆基一身戎装单腿跪在自己面前，知道一切危险已经过去，紧悬着的心才落下来，长长叹了口气，打了个嗨声道："诛除叛逆，何罪之有？你已经深得群臣拥戴，可以独自执掌天下大权了。从今而后，为父不再过问政事，只求一个偏僻安静的地方颐养天年。"

太上皇李旦心里明白，随着妹妹太平公主势力的土崩瓦解，儿子李隆基实际上已经完全控制了朝廷的大权，自己已经没有用了，就应当自觉退出历史舞台。他的话是发自内心的，但其中也有一定的牢骚。

李隆基当然明白太上皇的话外音，诚惶诚恐地说："父皇春秋未高，还要多为儿操劳天下大事。"

"不必喽！不必喽！以后之事，我儿就好自为之吧。古人云：'靡不有初，鲜克有终'，唯愿我儿善始善终，胜过乃父。"

次日早朝，太上皇传旨，他不再过问政事，一切军国大政均由皇帝独自决断。

从这一天起，李隆基真正成为有职有权，不受任何人掣肘的唯我独尊的皇帝，他完全可以按照自己的意志来统治管理国家，以极大的魄力和英明果敢的精神整肃朝纲，使天下大治，创造了政治开明，经济繁荣，文化昌盛的开元盛世，使李唐王朝成为当时世界上最强大、最先进、最繁荣的伟大国家。在整个中国历史上，也是封建社会这一历史阶段的最高峰。

可惜的是他被太上皇李旦所言中，未能善始善终，晚年荒淫殆政，重用李林甫、杨国忠两个大奸，沉溺于女色，溺爱杨玉环，导致安史之乱的大爆发，使李唐王朝从巅峰上跌落下来。盛世的辉煌是他创造的，乱世的悲剧也是他一手酿成的，他是一个非常复杂的历史人物。

大诗人白居易《长恨歌》所表现的就是对他既痛恨又惋惜而又有些同情的非常复杂的感情。所以才说"天长地久有时尽，此恨绵绵无绝期。"

崔湜和其他几名当时漏网的要犯在第二天都被逮捕。所有参与这次叛逆的人都被处死，只有崔湜例外，被免于死刑，流放到窦州。看来崔湜的良苦用心没有白费，李隆基虽然很鄙视他的为人，但看在他小妾和女儿的面上，还是饶了他的性命。

太平公主逃到哪里去了呢？王毛仲提出要带兵出城去追捕搜查，李隆基淡然一笑道："不必大惊小怪，不必理睬她。如今她已成无源之水，在外也待不了几天。命各城门严格盘查出入人等，发现太平公主立刻来报。"

太平出逃，隐居深山

失去的东西才知道珍贵，但一切都晚了。这是许多人在事后经历的痛心疾首的人生体验。殷鉴不远，当为后世之戒。

斗败潜逃的鱼龙一定要直奔深渊，逃命的狐兔一定要钻进深山。世间的稍有灵性的动物虽然未经过专门培训，但都具备一种自然的本能，是一种由造物主给予的与生俱来的本能，这就是求生的本能。只要还有希望活下去，主动放弃生命的几乎没有，人类就更是如此了。

太平公主带领一行人从金光门逃出之后，并没有一个明确的目标。但她没有继续往西去，而是拐向朝南的大路奔跑。

大约两刻钟过去后，见后面没有一点动静，太平公主的心这才放松一点，带了带马缰绳，马的速度慢了下来。

"公主，咱们这是往哪里去？"

"不要问，只跟着走就行了。"问话的贴身丫鬟碧虚讨个没趣。

其实，不是太平公主不想告诉自己的亲信，而是此时她也没有一个明确的目标。但她的心中有一个总的打算和方向，这就是先钻进南面的终南山里躲藏起来，观察一下天下大势和朝廷中的变化再说。"三十六计，走为上计"，中华民族真是个了不起的智慧的民族。

不到两个时辰，太平公主一行人来到终南山下。没有吃早饭，方才是因为精神高度紧张而忘了饥饿，如今已经脱离险境，饥饿感马上出现了。就在路边的一个酒馆，要了两桌酒菜，众人填饱肚子，也不问路，见前面的大路旁有一条通向山里的能行马车的乡间小路，便下了大路，沿着这条小路向山里走去。

路旁是一条河流，河水清澈，水流时缓时急，落差大的地方还有一个个滴水漏，从上面飞速冲击下来的水流把底下的水面扎得飞沫四溅，仿佛是烧得沸腾的开水一样。偶尔还要过一个藤木架的小桥，人在桥上一走，晃晃悠悠，桥下就是几丈深的山沟，沟下依旧是那条河流的流水，怪吓人的。

道路蜿蜒曲折，越来越险，渐渐地只剩下一条羊肠小道，只能行人而不能走车了。见路边有一个山崴子，其中有一片不大的草地。路的前边则出现了石头铺的台阶，马匹再往前走是不可能了。

太平公主相度一下这里的地形，命众人下马，在这里稍微休息一会儿。然后留下两名家丁在此看管马匹，率领其他人继续往前赶路。太平公主有个信念，既然是躲起来，就应当躲得远远的，越隐蔽越安全。只要有路，就有人走，前面就一定有可以蔽身的地方。

河流还在向前延伸，但已经变成小溪。水流虽然越来越小，可水声却越来越大。太平公主感到有些奇怪，待转过一个悬崖一看，这才明白是怎么回事。

在前面几丈远的地方，出现一个瀑布，那条小溪从几丈高的悬崖上掉下来，仿佛一道白色的丝带挂在深色的悬崖上，煞是分明。因为听到哗哗的水声才知道那是一个瀑布。如果是个聋子的话，说不定会认为是天上的哪个仙女不慎把白色的纱巾遗落人间，挂在了悬崖上。

古木参天，飞瀑挂练，鸟声婉转，野花幽艳。太平公主虽然拥有宽广深邃的庭院，拥有皇家一样的园林，但无论怎样修建，也无法脱去人工斧凿的痕迹，无法与这大自然的鬼斧神工相媲美。这大自然的美景令她心旷神怡，洗涤了她那充满凡尘俗物的心胸，暂时忘却了自己的处境和无穷无尽的烦恼，深深而贪婪地吮吸着新鲜的空气，她完全陶醉了。

又登了一些石阶，左旋右转，人迹分明已经非常稀少了。石阶上的青苔告诉人们，这里很少有人来。但十几个人也不能露天住在山林中，还要尽量寻找一个遮风挡雨的地方才好。

正在焦虑之时，也是天无绝人之路，在前面不太远的地方，在苍松翠柏的掩映下，分明有一所寺庙。太平公主等人仿佛是溺水者抓到了一块木板，立刻来了精神，加快脚步向那里走去。

这是一个年久失修的道观，不大一个小院，大门半开着。门上的匾额也不知去向，故连道观的名字也无从知晓。进到里面，只有一个三间房大小的神殿，门窗洞敞，供桌上的尘土足有半寸厚，墙角屋檐下拉着许多蜘蛛网。一看就知，这里起码也有几年没有住过人，更不要说什么香火。

看看外面的天色，日暮黄昏，暮霭沉沉，人们早已走得又饥又渴，一个个丢盔弃甲，一脸疲惫相，用渴望的眼光看着太平公主，等她发话。

"今天就将就住在这里吧！"太平公主终于下达了命令。

几个机灵的家丁到外面用刀剑砍下几根松树枝，交给那几个丫鬟。丫鬟们捂着嘴，拿松树枝当扫帚把神殿的地面和供桌打扫一下。

有人用专门装水的皮囊到附近小溪打来水，负责背干粮的家丁把在山外卖的馒头和烧饼拿出来分给大家吃。太平公主也只好跟众人同甘共苦，嚼起了干巴巴的馒头，咽不下去就喝一口凉水。对于过惯了锦衣玉食生活的太平公主来说，也真够难的了。

整个神殿中只有一个供桌算是家具，幸亏只有一个公主，若是两个可真就不好办了。供桌当然成了太平公主的床，连一个草垫子都没有，就不要说什么被褥了。可叹太平公主，一生享受荣华富贵，今天落到这步田地，竟要在一块粗糙的硬木板上过夜。

到了这个地步，也就不讲什么男女授受不亲了。家丁和丫鬟们都横躺竖卧地睡在地上。这个时候也真不是时候，连点可以铺垫的干草都没有，人们就浑身打哆嗦，相互枕藉，不一会儿就出现了鼾声。

太平公主如何能睡得着？心中又悔又恨，她后悔自己不该争强好胜，不该与皇帝争权夺势，弄到今天这个地步。她恨李隆基，为什么总和自己过不去，自己也没想当皇帝，不就是想有权有势，想永远拥有泼天的富贵吗？这种要求也不过分，为什么李隆基总是耿耿于怀，想要把这些东西夺回去……

供桌的木板太硬，太平公主感到硌得慌，后背酸痛。侧过身来，不一会儿，肩膀头、胯骨和大腿几个部位又开始酸痛。她翻来覆去，难以入睡。

京师里，朝廷中，李隆基开始全面清洗太平公主的势力，查抄她的全部家产。为了防止太平公主潜逃到地方上再兴风作浪，李隆基派出益州长史毕构等六人持诏书宣抚各道，通报朝廷诛除逆党，皇帝执掌全部军政大权的情况。

这时，有人建议李隆基派兵搜捕太平公主，李隆基淡然一笑，没有同意，只说道："不必如此劳师动众，朕敢说，不出一旬，公主一定会自己回来。"

李隆基现在终于可以称"朕"了，这才是名副其实的皇帝。他觉得，派大军队去搜捕十几个人，不值得。对势穷力孤的姑母穷追不舍也显得太绝情，更主要的是他非常了解自己姑母的脾气禀性，依姑母的性格推断，她绝不会自杀，也绝不会甘心情愿流落民间过清苦的生活。严格控制所有城门，不要让姑母潜进城来，她还能干什么呢？可姑母到底躲藏到哪里去了呢？

妄想求生，被赐自尽

本来抱着求生希望的太平公主，当听到赐她自尽的圣旨时，却有异乎寻常的表现，使所有在场的人都瞠目结舌。

在那个破道观中熬了三天，太平公主觉得比三十年的时间还漫长。吃的是干巴巴的凉馒头或烧饼，喝的是山间的溪水。夜晚难以成眠，上有苍蝇蚊子，下有跳蚤臭虫，出山探听消息的人回来报告说，京师里一切正常，秩序井然，也没有队伍前来追捕。

"下山，回京师去。"太平公主果断地下达命令。

"公主，我们不能回去，皇帝不会饶了我们。"

"不行，这样躲躲藏藏的日子不能过。这样苦难的日子一天也不能过，或死或活，痛快点。你们跟了我这么多年，如今我也不强求你们再跟我回去送死受罪，出山后，你们各投生路去吧。本公主也没有能力再保护你们了。"说到这里，太平公主有些感伤，眼角闪动着泪花。

太平公主躲藏在终南山的三天里，李隆基再度发布圣旨：太平公主的所有子女眷属全部监禁，等候发落。薛崇简因多次谏阻逆谋而屡遭打骂，故免于连坐，官复原职，但不能再姓薛，要改姓为李。

在拘捕太平公主眷属的同时，把参加这次叛逆的其他逆党也一并处决。新兴王李晋在临刑的时候叹惜道："唉，天下事没有说理的地方。这次谋逆，首倡其事，主谋者是崔湜，往赤箭粉中下毒的主意也是他出的。可是，我们这些随从都被处死，他却还活着，我们觉得不公平。"

监刑的官员把这些话如实启奏给皇帝。恰巧在这个时候，因到御沟旁取菌药而被囚禁的元宫人也因挺刑不过而招认了全部罪行，供出外面的主谋是崔湜。这两方面的消息宛若两道催命符，使李隆基勃然大怒，马上发出一道圣旨，派人专程去要崔湜的命。崔湜尽管机关算尽，把自己心爱的小妾和两个女儿都献给了李隆基，但还是无济于事，依旧无法逃脱被杀的命运。正可谓是："崔郎妙计成笑话，赔女赔妻也被杀。"

这一天的黄昏，李隆基得到报告：太平公主带两名丫鬟和三个家丁，从明德门进城，回到太平公主府中，已将其软禁，听候圣裁。

回到自己府中的太平公主心情极度复杂，三天多的逃难生活，使她饱受磨难，强烈的生活对比和落差，使她对原来的富贵生活更加留恋珍视。

从一进城门的时候起，她就发现马上有军兵护卫着自己一行人，等到家门一看，整个宅院都被严密地监控起来，保护的军兵与看门的军兵嘀咕了几句后就离去了。太平公主立即就明白了是怎么回事，这完全是她意料中的事，故也不感到惊讶。

宅院中冷冷清清，完全没有了往日的热闹繁盛。空荡荡的大院，除了老管家外已经别无他人。老管家告诉她，二殿下已经被皇帝下诏释放，其他的殿下和眷属都被收监，但还没有发落。这些早在太平公主的预料之中，故也不感到惊讶。

　　进入内宅，房中的一切摆设都没有丝毫的变化。太平公主命一直跟着自己的两个贴身丫鬟亲自下厨房烧水做饭。她先痛痛快快洗个澡，又饱饱吃上一顿。到这个时候，太平公主情绪反而稳定下来。

　　她想：太上皇是自己的同胞兄长，自己是他在世的唯一亲人，他一定会饶过自己的性命的。何况皇帝李隆基是自己的亲侄，他难道真的就下狠心杀他唯一的一个亲姑母？事到如今，她只能是硬挺着了，反正自己已经成为放在刀俎上的鱼肉，就任凭他人宰割吧。

　　难耐的寂寞和孤独，难熬的时间。这时，太平公主隐隐约约感觉到了死亡的恐慌，她虽然还抱着生的希望，但也想到了死。而令她更痛苦不堪的则是有权有势之人，一旦失去权力之后，命运操纵在他人之手的那种可怕与悲哀。

　　夜幕降临，见到有宫廷的灯笼进院，太平公主的心一下子紧张起来，她知道，决定她命运的时刻到了。但她故作镇静，不动声色地等待着。

　　灯笼越来越近，终于看清来人的面目了。来人是宫闱丞杨安，手中捧着一个卷轴，不用说那便是圣旨，那上边的话就决定自己的生与死。杨安的后面跟着王琚和王毛仲。一见这两个人，太平公主立刻有一种不祥的预感。

　　杨安来到门口，用公鸭嗓喊道："太平公主接旨！"

　　太平公主走出门来，没有回答，高傲地站在那里听着。她认识宫廷中各种圣旨的规格和样式。他一眼就认出杨安手中展开的是诰命而不是诏制，是太上皇专用的，不是皇帝使用的圣旨。她的脑海中掠过一线希望，是八哥的。

　　杨安又扯开公鸭嗓宣读圣旨的内容，大意说太平公主是谋逆首恶，罪在不赦，赐其在内宅于今晚子时前自尽。

　　听完圣旨，太平公主一下子愣在那里，刚刚闪过的一线生的希望破灭了，她的大脑本能地高速运转起来。只一瞬间，她便想明白了事情的原委，这道诰命不是八哥发出的，是李隆基的意旨。李隆基这次行动是一箭双雕，一石两鸟，既全部铲除了自己的势力，也架空了八哥。

　　李隆基，好阴毒好可怕的人，心太狠了。我是你的亲姑姑，我的势力已经被你完全除去，就像一只被剪去羽翼的鸟，已经毫无能力飞翔了，只能守在窝里等死。就让我当个富家婆，过几年安稳生活又能碍你什么事呢？连一条命也不给我留，李隆基也太狠毒了，太狠毒了。

"太平公主接旨。"按照常例，太平公主应当主动前来接过圣旨，可是太平公主站在那里一动也不动，杨安也有些尴尬，只好上前一步，把圣旨送到太平公主的手里。

就在这一瞬间，太平公主马上想明白了，她的心里反而一阵轻松。不就是个死吗，在事前自己早已有了这个思想准备。人生一世，谁也无法逃脱死亡。死了，死了，一死百了。死就是了，只有死才能了。没有了寂寞，没有了烦恼，没有了激动，没有了悲哀，没有了忧愁，没有了荣辱，没有了恐惧，没有了思念，没有了欲望，没有了郁闷，没有了挂念，一切一切都归向了虚无，那可能是个更好的世界。哼，李隆基，你不让我活，我临死也要往你脸上抹一把灰，恶心恶心你，埋汰埋汰你……

想到这，她一把接过杨安递给她的圣旨，稀里哗啦撕个粉碎，使劲朝杨安几人打去，然后哈哈大笑，那笑声令人毛骨悚然，就是鬼听了也要害怕。一阵大笑狂笑后，她慢慢脱下外衣，再脱掉裙子，再脱掉内衣，摘掉乳罩，最后脱得一丝不挂，赤裸裸的一个白条，多么优美窈窕的体态，多么白皙细嫩的皮肤，如同一株刚刚出水的荷花，亭亭玉立，站在台阶之上。

杨安、王琚、王毛仲和那些军兵没有想到会出现这样一幕，都背过脸去。这时，从他们的身后又传来一阵令人心悸的大笑，然后是这样的话：

"李隆基，你这个忘恩负义的小人，你这个狠毒阴险的小人，连你的姑母也不放过。是我，披肝沥胆帮助你平定诸韦，夺回了江山；是我，同意八哥立你为太子，才使你成为储君。如今你翅膀硬了，就过河拆桥，卸磨杀驴，你好阴险狠毒。你这样做，一定不会有下场，不会得好死，我在阴间也不能饶了你！哈——哈——哈——我干干净净地来，也要干干净净地走。再过二十年，又是一个公主。哈——哈——哈——"接着，后面传来缓缓的脚步声，是走向屋里的脚步声。

杨安等人这才回过头来，见太平公主白皙的身影正在微弱的灯光中消失，只看见一个白的美丽的轮廓，慢慢地向屋里移去，移去。衣服还杂乱无章地堆在台阶上。

半个时辰后，接到通知而急速赶来的薛崇简，带领太平公主那两个贴身丫鬟急急忙忙进到内宅，见自己的母亲赤裸裸地悬在房梁上，已经气绝身亡。

薛崇简把母亲的尸体放下来，穿好衣服，伏在身上大哭。

这一天，是唐玄宗开元元年（713）七月初七，正是太平公主50周岁的生日。七夕这一天是她的生日，七夕这一天也是她结婚的日子，又是在七夕这一天，她怀着极其憾恨、极其复杂的心情离开了人世。天道真是高深莫测，令人难以琢磨。

接着，李隆基下诏查抄太平公主的全部家产，包括所有田庄。奇珍异宝侔于朝廷国库，拉了多少车也拉不完，货物山积，运多少天也运不尽，使国库充盈起来。她为李隆基的国库集聚了大量的财富，但她本人离开人世的时候，却是赤裸裸的一个白条，一丝一毫也没有带走。她，以及她一类的视财富为生命的人，真是天地间头号大傻瓜。

其实，人生一世不过是一个匆匆过客，世界不过是个丰富多彩的大旅店，每个人都只能在这个永不消逝的大旅店中借住一段时间而已。所住的房间档次不同，所住的时间长短不同，但最终都要离开这个旅店，绝无例外。一切不想离开这个旅店的人只是在和自己过不去，或成为被后世耻笑的大笨蛋，如是而已，如是而已。

有些人就是没有搞清楚这个道理，所以才活得特别累，特别辛苦，偏要置买许多并不实用的东西放置在旅店中，最后实在带不走的时候也就都成了后来人的享受品。这难道不是大傻瓜才能干的蠢事吗？

呜呼！"持而盈之，不如其已；揣而锐之，不可长保；金玉满堂，莫之能守；富贵而骄，自遗其咎。"太平公主就是不懂这个道理，才在如此辉煌幸运的人生旅途上，在最后的终点给自己画了这样的一个充满遗憾的句号，演奏出一出如此凄惨悲凉的生命变奏曲。

世人可不慎欤？